おりがみ 100

ORIGAMI TEXTBOOK 100 in 4 languages　Japanese, English, Español, Français

〔第1章　基礎技法と基本形〕
Chapter 1　Basic techniques and Basic forms
Capítulo 1　Técnicas fundamentales y figuras base
Chapitre 1　Techniques de base et formes de base

〔第2章　基本形の発展〕
Chapter 2　Variations from the Basic forms
Capítulo 2　Desarrollo de figuras base
Chapitre 2　Variations des formes de base

Chapter 3　Application techniques
Capítulo 3　Técnicas prácticas
Chapitre 3　Techniques appliquées

〔第3章　応用技法〕

　折り紙は日本の民芸のひとつで、人から人へと伝えられ、日本文化の一端を担ってきました。幼い子どもに知能の発育を促し、親と子、あるいは孫との対話に適する条件を備えているだけでなく高齢者や身障者には指先の運動として医学的な効果を与える要素をも含んでいます。また、年令・性別・国籍・言語を超えて親しめるものでもあります。

　このテキストは、はじめて折り紙を試みる人々が、楽しく力をつけられるように工夫しています。

　なお、日本折紙協会認定の折紙講師資格の申請方法は、巻末に記載されていますのでご参照ください。

Origami is one of the traditional Japanese folk arts. Over the centuries it was spread from person to person and has formed an important part of Japanese culture. Origami is a mentally stimulating activity for children and is also a wonderful way to develop a dialogue between children and their parents and grandparents. As well, Origami is an excellent therapy and manual exercise for the elderly or the physically handicapped. Regardless of age, sex, culture, or language Origami can be enjoyed by all.
For this reason we have designed this textbook to allow beginners to study Origami easily, step by step, and so master this beautiful art.
Also, this textbook has been designed for those wishing to be certified as origami instructors.
Regarding the certification of origami instructor given by Nippon Origami Association, please refer to the end of this book.

はじめに　Preface
Prefacio　Préface

El origami es una de las artes típicas del pueblo japonés. Es de origen muy antiguo y ha sido trasmitida de persona a persona, y de generación en generación durante siglos. El arte del origami forma parte de la cultura japonesa.
El origami fomenta el desarrollo de la inteligencia de los niños y refuerza los vínculos familiares: entre padres e hijos; abuelos y nietos, y además tiene una verdadera eficacia en el tratamiento médico, como ejercicio para los dedos, para minusválidos o personas de edad avanzada.
Cualquier persona, sin importar su edad o su sexo, su nacionalidad o su idioma, puede aprender y ejercitarse en hacer figuras de origami.
Por esta razón este libro está hecho para que los principiantes aprendan de manera fácil, segura y progresiva este bello arte.
Puede encontrar al final del libro la forma de solicitar la certificación como Profesor de Origami acreditada por la Asociación Japonesa de Profesores de Origami.

L'origami est un art propre au peuple japonais, d'origine très ancienne, transmis de bouche à oreille et d'oreille à doigts, de génération en génération pendant de nombreuses années.
　L'origami favorise le développement de l'intelligence des enfants et il est utile non seulement pour les relations entre les parents et leurs enfants, les grands-parents et leurs petits enfants, mais aussi comme thérapie pour les handicapés et les personnes agées, parce que c'est un exercice des doigts commandé par l'intelligence.Les personnes de tout âge, quels que soient leur sexe, leur nationalité ou leur langue, peuvent prendre plaisir à faire de l'origami.
C'est ce qui "accroche" le public et qui permet de surmonter les obstacles du début. C'est pour cette raison que nous avons publié ce livre afin gue les débutants puissent apprendre progressivement et sans difficulté le bel art qu'est l'origami.
En ce qui concerne le certificat d'instructeur d'origami délivré par la Nippon Origami Association, veuillez consulter la fin de ce livre.

ORIGAMI TEXTBOOK

もくじ ▶▶▶	contents	índice de materias	table des matières	
はじめに	preface	prefacio	*préface*	1
もくじ	contents	índice de materias	*table des matières*	2-5
〔折り方の記号〕（記号一覧）	symbols	signos	*symboles*	6-7
〔第1章　基礎技法と基本形〕（肩かけ・折り本・たこ・魚・菱形・かんのん・ざぶとん・二そう舟 基本形より）			（写真）	8-9
■作品を折りはじめる前に	before beginning to fold	antes de comenzar a plegar	*avant de plier*	10-11
■肩かけ基本形（三角折り）#1	Stole Base	Base de estola	*Base du étole*	10
■折り本基本形（四角折り）#2	Book Base	Base de libro	*Base du livre*	11
[1] チューリップの花	tulip flower	tulipán	*fleur de tulipe*	12
[2] 犬の顔	face of dog	cara de perro	*tête de chien*	12
[3] ねこの顔	face of cat	cara de gato	*tête de chat*	12
[4] うさぎの顔	face of rabbit	cara de conejo	*tête de lapin*	13
[5] コップ	cup	vaso	*gobelet*	14
[6] ぼうし	cap	gorra	*casquette*	14
[7] くるくるちょう	turning butterfly	mariposa que da vueltas	*papillon tournant*	15
[8] はと	dove	paloma	*pigeon*	16
[9] せみ	cicada	cigarra	*cigale*	17
[10] かぶと	helmet	casco	*casque de samouraï*	18
[11] ながかぶと	long helmet	casco largo	*casque long de samouraï*	19
[12] つのながかぶと	helmet with long horns	casco de cuernos largos	*casque de samouraï avec longues cornes*	19
[13] 鬼の指人形	puppet of ogre	casco para dedo en forma de demonio	*marionnettes d'ogre*	20
■たこの基本形 #3	Kite Base	Base de cometa	*Base du cerfvolant*	21
[14] 水鳥 I	water bird I	pájaro acuático I	*oiseau aquatique I*	22
[15] 水鳥 II	water bird II	pájaro acuático II	*oiseau aquatique II*	22
[16] おひなさま（おびな、めびな）	hina dolls (male doll, female doll)	muñecas hina (muñeco y muñeca)	*poupées de hina (poupée garçon, poupée fille)*	23
[17] ほかけぶね（フーフーヨット）	sailing boat (blown yacht)	Barco de vela (yate a soplos)	*bateau à voile (yacht soufflé)*	24
[18] スコッチ・テリア ◀ 佐野康博 SANO YASUHIRO	scottish terrier	terrier escocés	*terrier écossais*	25
■魚の基本形 #4、菱形の基本形 #5	Fish Base, Diamond Base	Base de pez, Base romboidal	*Base du poisson, Base du losange*	26
[19] 鯉	carp	carpa	*carpe*	27
[20] オットセイ	fur seal	oso marino	*otarie*	27
[21] さかな	fish	pez	*poisson*	28
[22] おしゃべりからす ◀ 大橋晧也 ŌHASHI KŌYA	chattering crow	cuervo parlanchín	*corbeau bavard*	29

ORIGAMI TEXTBOOK

	[23] 家 I	house I	casa I	*maison I*	30
	[24] オルガン	organ	órgano	*orgue*	30
	[25] GI ハット	GI hat	gorro de soldado	*béret*	31
	[26] キツネの面	fox mask	máscara de zorro	*masque de renard*	31
	[27] 王冠	crown	corona	*couronne*	32
	[28] 桃	peach	melocotón	*pêche*	33
	[29] はこ I	box I	caja I	*boîte I*	34
	■かんのん基本形 #6	Door Base	Base de puerta de dos hojas	*Base de porte à deux battants*	35
	[30] ちょうちん	lantern	lámpara	*lanterne*	36
	[31] さいふ	wallet	billetera	*portefeuille*	36
	[32] 家 II	house II	casa II	*maison II*	37
	[33] びん ◀佐野康博 SANO YASUHIRO	bottle	botella	*bouteille*	38
	[34] 二枚貝 ◀大橋晧也 ŌHASHI KŌYA	clam	almeja	*palourde*	39
	[35] ボート	boat	embarcación	*bateau*	40
	■ざぶとん基本形 #7	Blintz Base	Base de cojín	*Base du coussin*	41
	[36] やっこさん I	Yakko-san I	Yakko-san I	*Yakko-san I*	42
	[37] はこ II	box II	caja II	*boîte II*	43
	[38] 紅入れ	envelope for lip rouge	estuche de pintalabios	*enveloppe pour rouge à lèvre*	44
	[39] 飛行機	airplane	avión	*avion*	45
	[40] イス ◀中島種二 NAKAJIMA TANEJI	chair	silla	*chaise*	46
	[41] お多福	Otafuku (homely woman)	Otafuku (mujer ordinaria)	*Otafuku*	47
	■二そう舟基本形 #8	W-Boat Base	Base de catamarán	*Base du catamaran*	48
	[42] かざぐるま	pinwheel	molino	*moulin à vent*	49
	[43] ほかけぶね（だましぶね）	sailboat (trick catboat)	velero (falso velero)	*voilier (bateau magique)*	49
	[44] ちょうちょう	butterfly	mariposa	*papillon*	50
	[45] 百面相	faces	varios semblantes	*expressions diverses*	51
	[46] パハリータ（小鳥）	paharita	pajarita	*paharita*	52
	[47] テーブル	table	mesa	*table*	53
	■（コラム）折り紙の歴史（1）	history of folding paper	historia de la papiroflexia	*l'histoire du pliage*	54-57
	[第2章　基本形の発展］（正方・風船・鶴・かえる基本形、複合基本形、その他基本形より）			（写真）	58
	■正方基本形 #9	Square (Preliminary) Base	Base cuadrada	*Base carrée*	59
	[48] つのこうばこ	Tsunokōbako (star shaped box)	Tsunokōbako (caja con forma de estrella)	*Tsunokōbako (boîte étoilée)*	60

—3—

ORIGAMI TEXTBOOK

	[49] かき	persimmon	caqui	*plaquemine (kaki)*	61
	[50] カーネーション ◀ 薗部光伸 SONOBE MITSUNOBU	carnation	clavel	*œillet*	62
	[51] ロケット ◀ 桃谷好英 MOMOTANI YOSHIHIDE	rocket	cohete	*fusée*	63
	風船基本形 #10	Waterbomb Base	Base de balón	*Base du ballon*	64
	[52] 風船	ballon	balón	*ballon*	65
	[53] 雪うさぎ I	snow rabbit I	conejo hecho de nieve I	*lapin des neiges I*	66
	[54] きんぎょ I	goldfish I	pez de colores I	*poisson rouge I*	66
	[55] 雪うさぎ II	snow rabbit II	conejo hecho de nieve II	*lapin des neiges II*	67
	[56] やっこさん II	Yakko-san II	Yakko-san II	*Yakko-san II*	68
	[57] 星 ◀ 大橋晧也 ŌHASHI KŌYA	star	estrella	*étoile*	69
	[58] ソンブレロ ◀ 河合豊彰 KAWAI TOYOAKI	sombrero	sombrero	*sombrero*	70
	[59] 教会	church	iglesia	*église*	71
	鶴の基本形 #11	Bird Base	Base de grulla	*Base de la grue*	72
	[60] 折り鶴	paper crane	grulla de papel	*grue en papier*	73
	[61] はばたく鶴	fluttering crane	grulla aleteante	*grue battant des ailes*	73
	[62] エンゼルフィッシュ ◀ 加藤詮明 KATO MICHIAKI	angelfish	angelote	*scalaire*	74
	[63] うさぎ ◀ 千野利雄 CHINO TOSHIO	rabbit	conejo	*lapin*	75
	[64] 水のみ鳥	drinking bird	ave bebiendo agua	*oiseau buveur*	76
	[65] おかご	palanquin	palanquín	*palanquin*	77
	かえるの基本形 #12	Frog Base	Base de rana	*Base de la grenouille*	78
	[66] あやめの花	flower of iris	flor de lirio	*fleur d'iris*	79
	[67] かえる	frog	rana	*grenouille*	80
	[68] 宝船	treasure boat	barco del tesoro	*barque à trésor*	81
	[69] きくざら（星）	Kikuzara(chrysanthemum dish)(pop-up star)	Kikuzara (Plato en forma de crisantemo)(estrella)	*Kikuzara (plat chrysanthème)(étoile)*	82
	[70] 福助 ふくすけ	Fukusuke	Fukusuke	*Fukusuke*	83
	[71] おすもうさん	Sumo wrestler	Luchadores de Sumo	*lutteur de Sumo*	83
	[72] キャンディポット	candy pot	recipiente para dulces	*boite à bonbons*	84
	[73] 三方 さんぽう	Sanbō (utensil of offerings) I	Sanbō (recipiente para ofrendas) I	*Sanbo (bo à offrandes) I*	85
	[74] あしつき三方	Sanbō (utensil of offerings) II	Sanbō (recipiente para ofrendas) II	*Sanbo (bo à offrandes) II*	85
	[75] ぶた	pig	cerdo	*cochon*	86
	[76] 小鳥	bird	pájaro	*oiseau*	87
	■ （コラム）折り紙の歴史（2）	history of folding paper	historia de la papiroflexia	*l'histoire du pliage*	88-91

ORIGAMI TEXTBOOK

[第3章　応用技法] （その他複合基本形、切り込み、複合・ユニット、等分と幾何図形、長方形用紙） ……………（写真）92

[77]	ぴょんぴょんガエル	jumping frog	rana saltarina	*grenouille sauteuse*	93
[78]	ヨット◀青木光枝 AOKI MITSUE	yacht	balandro	*voilier*	94
[79]	ラバーズノット（恋人結び）	lover's knot	nudo del amor	*noeud des amoureux*	95
[80]	鳳凰(ほうおう)	Chinese phoenix	fénix Chino	*phénix Chinois*	96
[81]	赤毛布(ケット)	a person wearing a red blanket over the head	Hombre en manta roja (Mantaroja)	*une personne portant une couverture rouge sur la tête*	97
[82]	ハートのゆびわ◀熊坂　浩 KUMASAKA HIROSHI	heart ring	anillo de corazón	*bague de coeur*	98
[83]	きんぎょ II	goldfish II	pez de colores II	*poisson rouge II*	99
[84]	かめ	tortoise	tortuga	*tortue*	100
[85]	チューリップ◀笠原邦彦 KASAHARA KUNIHIKO	tulip	tulipán	*tulipe*	101
[86]	くんしょう	medal	medalla	*médaille*	102
[87]	くすだま	Kusudama	Kusudama (piñata esférica)	*Kusudama*	102
[88]	しゅりけん	dart	estrella ninja	*fléchette*	103
■辺の三等分		trisection of sides	tres lados iguales	*pli en trois*	104
[89]	糸入れ（めんこ）	thread case (Menko)	estuche de hilo (Menko)	*pochette de fil (Menko)*	105
[90]	つぼ	vase	bote	*vase*	106
■角の三等分（60°と30°の折り出し）		trisection of angle (folding at 60° and 30°)	Tres ángulos iguales (pliegues de 60° y 30°)	*trisection de l'angle (pliage à 60°et 30°)*	107
[91]	とんがり帽子 I	pointed hat I	sombrero puntiagudo II	*chapeau pointu II*	108
[92]	とんがり帽子 II	pointed hat II	sombrero puntiagudo II	*chapeau pointu II*	108
[93]	正三角形	equilateral triangle	triángulo equilátero	*triangle équilatéral*	109
■正五角形（近似形）と正六角形の作り方		the way to make a regular pentagon (approximate form) and a regular hexagon / cómo hacer un pentágono regular (forma aproximada) y un hexágono regularl / *la méthode pour réaliser un pentagone régulier (forme approximative) et un hexagone régulierr*			110
[94]	正五角形から作る花	flower made from a regular pentagon	flor hecha usando un pentágono regular	*fleur fabriquée à partir d'un pentagone régulier*	111
[95]	六角たとう	hexagonal Tato (folded paper)	Tatou hexagonal	*Tato (papier plié) hexagonal*	112
■長方形の作り方（1：$\sqrt{2}$）		make a rectangular paper	cómo hacer un rectángulo	*réaliser une forme rectangulaire*	113
[96]	ふね	boat	barco	*bateau*	114
[97]	ものいれ	accessory case	caso accesorio	*boîte du changement*	115
[98]	六角手紙折り	hexagon letter fold	pliegue de carta hexagonal	*pliage de lettre hexagonale*	116
[99]	折居(おりすえ)（はこ）	Orisue (box)	Orisue (caja)	*Orisue (boîte)*	117
[100]	妹背山(いもせやま)	Imoseyama	Imoseyama	*Imoseyama (deux grues)*	118
	折紙講師資格の申請方法	Certification of Origami Instructors	Certificado de Profesor de Origami	*Diplôme d'enseignement de l'origami*	119
	奥付	imprint	impresiones	*colophon*	124

索引 P120-123

-5-

ORIGAMI TEXTBOOK

折り方の記号 SYMBOLS

symbols how to be folded
signos de cómo debe plegarse
symboles indiquant les différentes façons de plier

音符がよめれば音楽がわかるように、折り図の記号をよくおぼえれば、折り紙は折れます。

Just as it is necessary to know how to read the notes in order to play an instrument or sing a song, so in origami it is important to become well acquainted with the various folding symbols.

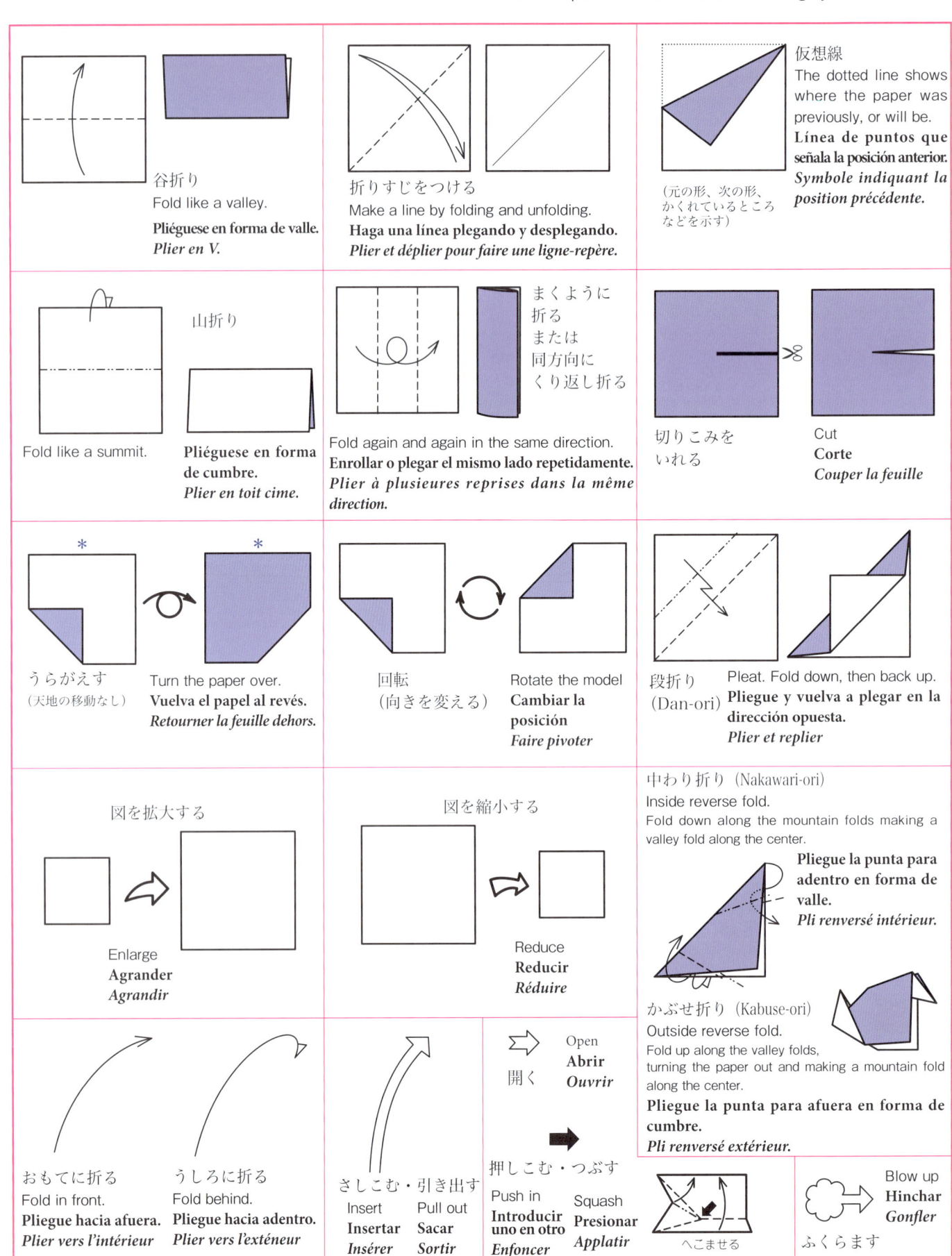

谷折り Fold like a valley. **Pliéguese en forma de valle.** *Plier en V.*	折りすじをつける Make a line by folding and unfolding. **Haga una línea plegando y desplegando.** *Plier et déplier pour faire une ligne-repère.*	仮想線 The dotted line shows where the paper was previously, or will be. **Línea de puntos que señala la posición anterior.** *Symbole indiquant la position précédente.* (元の形、次の形、かくれているところなどを示す)
山折り Fold like a summit. **Pliéguese en forma de cumbre.** *Plier en toit cime.*	まくように折るまたは同方向にくり返し折る Fold again and again in the same direction. **Enrollar o plegar el mismo lado repetidamente.** *Plier à plusieurs reprises dans la même direction.*	切りこみをいれる Cut **Corte** *Couper la feuille*
うらがえす（天地の移動なし） Turn the paper over. **Vuelva el papel al revés.** *Retourner la feuille dehors.*	回転（向きを変える） Rotate the model **Cambiar la posición** *Faire pivoter*	段折り (Dan-ori) Pleat. Fold down, then back up. **Pliegue y vuelva a plegar en la dirección opuesta.** *Plier et replier*
図を拡大する Enlarge **Agrandar** *Agrandir*	図を縮小する Reduce **Reducir** *Réduire*	中わり折り (Nakawari-ori) Inside reverse fold. Fold down along the mountain folds making a valley fold along the center. **Pliegue la punta para adentro en forma de valle.** *Pli renversé intérieur.* かぶせ折り (Kabuse-ori) Outside reverse fold. Fold up along the valley folds, turning the paper out and making a mountain fold along the center. **Pliegue la punta para afuera en forma de cumbre.** *Pli renversé extérieur.*
おもてに折る Fold in front. **Pliegue hacia afuera.** *Plier vers l'intérieur.*　　うしろに折る Fold behind. **Pliegue hacia adentro.** *Plier vers l'extéñeur.*	さしこむ・引き出す Insert　Pull out **Insertar　Sacar** *Insérer　Sortir*	開く Open **Abrir** *Ouvrir* 押しこむ・つぶす Push in　Squash **Introducir uno en otro　Presionar** *Enfoncer　Applatir*　へこませる　ふくらます Blow up **Hinchar** *Gonfler*

ORIGAMI TEXTBOOK

Vd. puede tocar diversos instrumentos o cantar canciones cuando sabe leer la partitura.
De igual manera podrá plegar el origami, cuando aprenda Vd. todos los signos de cómo debe plegarse.
Si on a appris à lire des notes on peut jouer de la musique au chanter des chansons.
De même si on apprend à reconnaître les symboles et les plis de base, on peut faire de l'origami.

「中わり折り」と「かぶせ折り」は、あらかじめ折りすじをつけておくと、折りやすいでしょう。
Make a line by folding and unfolding before doing "Inside reverse fold" or "Outside reverse fold".
Si marca de antemano las líneas de "pliegues hacia adentro" y "pliegues hacia afuera" resultará más fácil hacer las figuras.
Avant de faire le "pli renversé intérieur" ou le "pli renversé extérieur", faire une ligne-repère en pliant et dépliant suivant la ligne désirée.

〔中わり折り〕

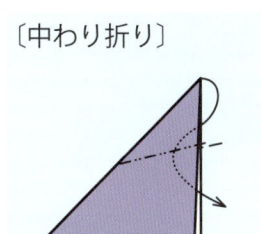

① 折って形の見当をつけます
Get an image of shape by folding.
Pliegue para obtener una idea de la forma.
Avoir une image de forme par pliage.

② もどします
Return to former position.
Regrese a la posición inicial.
Retourner

〔中わり折り〕 ③ ついた折りすじにそって紙の間に折りさげます
Along the creases, push the tip down so that it is in between the two sides of paper.
Pliegue hacia adentro sobre la línea de pliegue marcada al inicio.
En suivant les lignes de pliage préalablement faites, replier à l'intérieur.

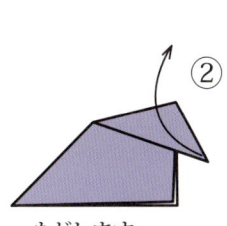

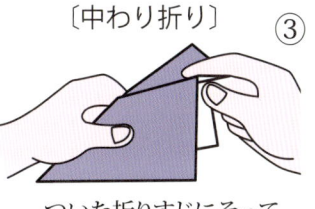

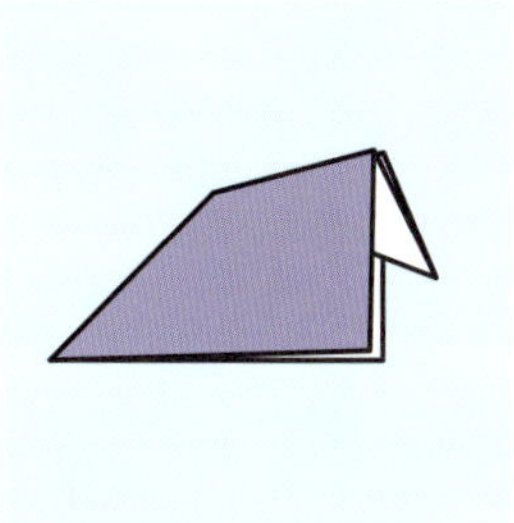

Inside reverse fold.
Pliegue la punta para adentro en forma de valle.
Pli renversé intérieur.

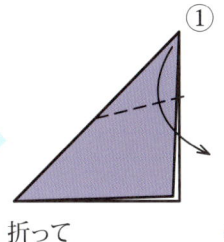

〔かぶせ折り〕

① 折って形の見当をつけます
Get an image of shape by folding.
Pliegue para obtener una idea de la forma.
Avoir une image de forme par pliage.

② もどします
Return to former position.
Regrese a la posición inicial.
Retourner

〔かぶせ折り〕 ③ 大きくひろげて折りすじにそってめくるように折ります
Open the paper widely, and fold the tip outward along the creases.
Abra y pliegue hacia atrás sobre la línea de pliegue.
Ouvrir la feuille totalement, et en suivant les lignes de pliage faites à l'avance, plier le papier comme en le retournant.

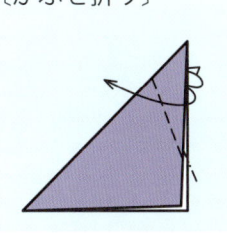

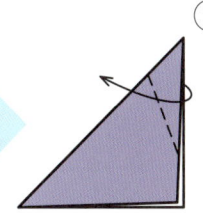

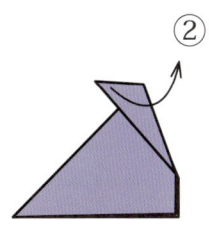

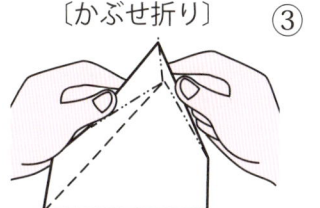

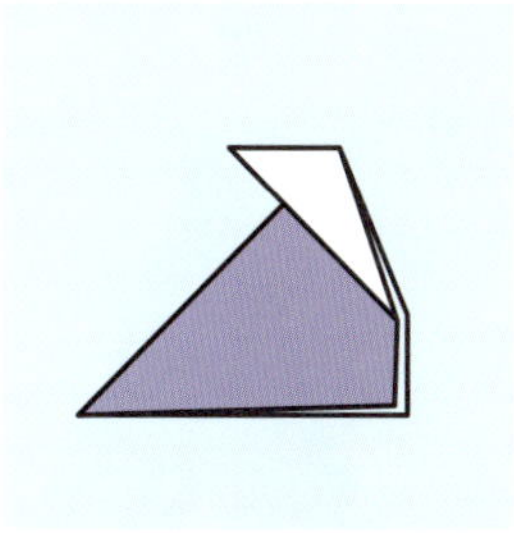

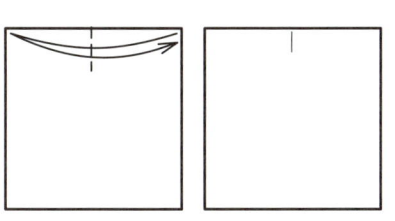

Outside reverse fold.
Pliegue la punta para afuera en forma de cumbre.
Pli renversé extérieur.

折ってしるしをつける
Fold the paper to mark it.
Pliegue para dejar una marca.
Plier le papier pour le marquer.

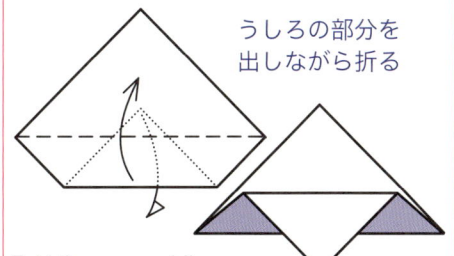

うしろの部分を出しながら折る
Fold the paper while leaving the lower tip outside.
Pliegue trayendo hacia adelante la parte de atrás.
Plier le papier en laissant la partie inférieure à l'extérieur.

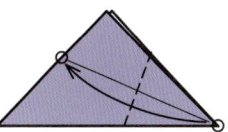

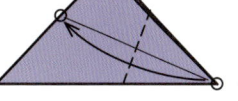

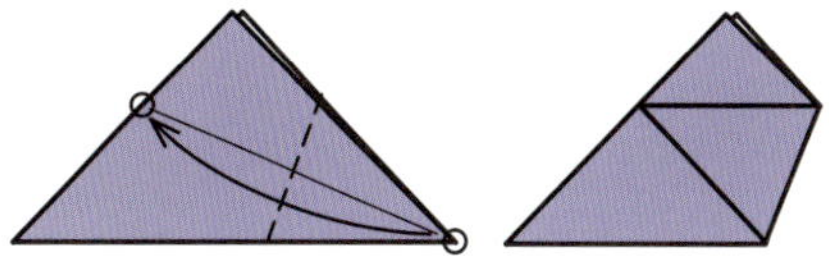

○と○をあわせて折る
Fold with putting ○ over the other ○.
Pliegue colocando ○ sobre ○.
Plier en superposant ○ et ○ ensemble.

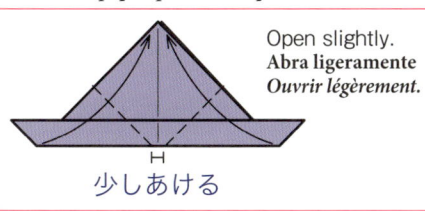

少しあける
Open slightly.
Abra ligeramente.
Ouvrir légèrement.

平行 Parallel / Paralelo / Parallèle
垂直、直角 Vertical, right angle / Perpendicular, ángulo recto / Vertical, angle droit

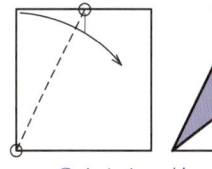

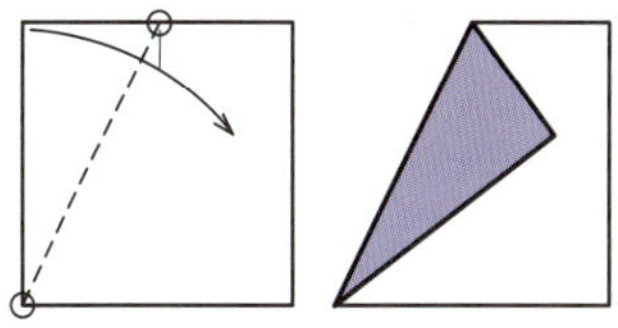

○をとおる線で折る
Fold at a line which pass through two ○.
Pliegue a lo largo de la línea que une ○ y ○.
Plier suivant une ligne qui passe par les ○.

等分（辺、角度）
equally divided (sides, angles).
partes iguales (lados, ángulos)
diviser en parties égales (côtés, angles).

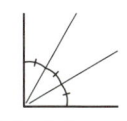

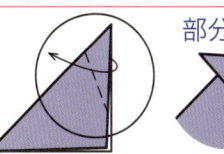

部分図
partial diagram
vista parcial
diagramme partial

—7—

ORIGAMI TEXTBOOK

〔第 1 章　基礎技法と基本形〕

この本では、折り図の記号を理解するため、言葉による説明をなるべく少なくしています。
次の図の形をよく見て折りましょう。
ひとつの基本形からさまざまな作品への発展を楽しみましょう。

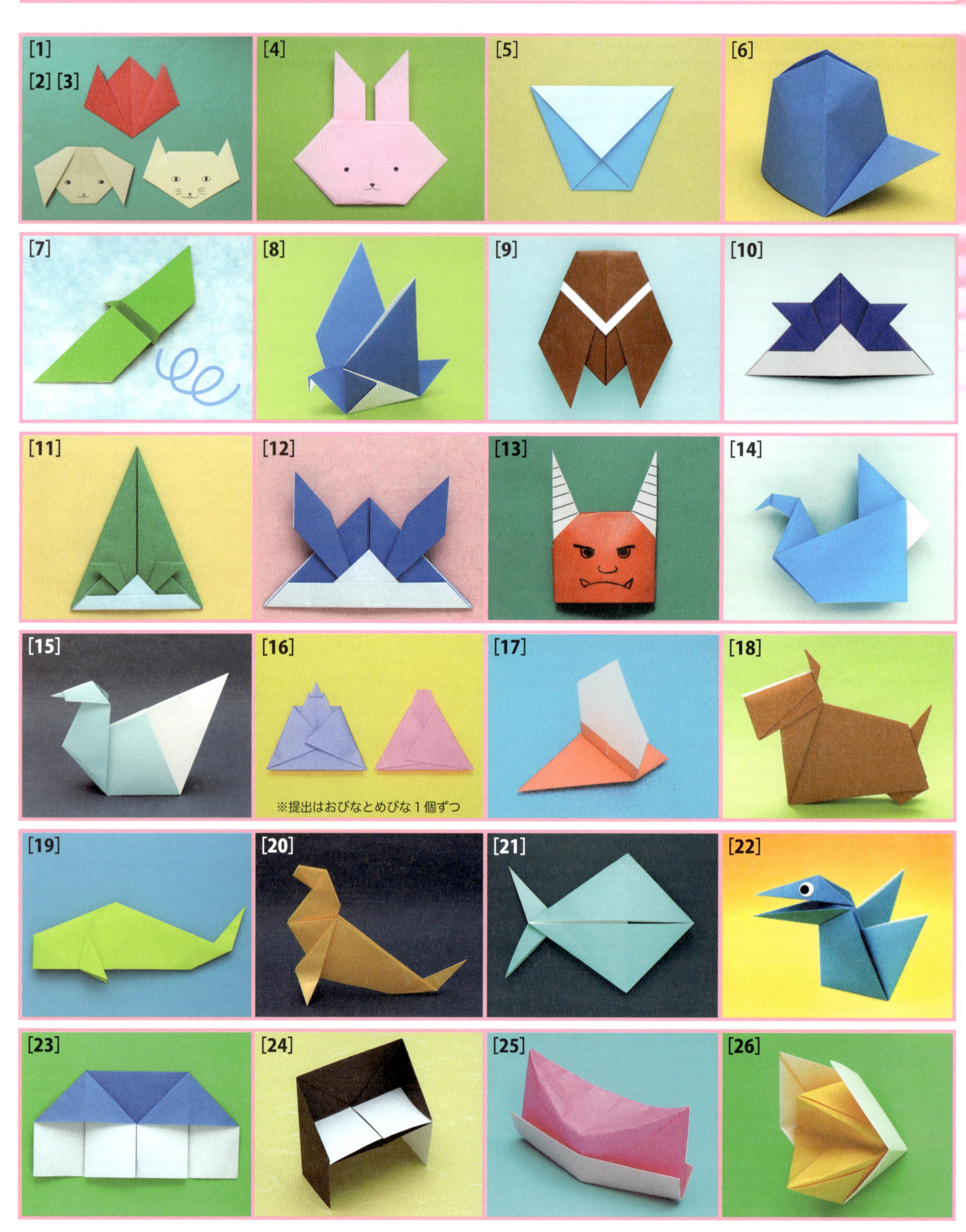

[1] [2] [3] [4] [5] [6]
[7] [8] [9] [10]
[11] [12] [13] [14]
[15] [16] [17] [18]

※提出はおびなとめびな1個ずつ

[19] [20] [21] [22]
[23] [24] [25] [26]

ORIGAMI TEXTBOOK

Chapter 1 Basic techniques and Basic forms   Capítulo 1 Técnicas fundamentales y figuras base   *Chapitre 1 Techniques de base et formes de base*

For the better understanding of the signs used in the folding diagrams, there are not many descriptions by words. Look carefully the forms in the following figures.

Para un mejor entendimiento de los símbolos en los diagramas de pliegues, hemos reducido al mínimo las indicaciones por escrito. Observe bien la forma en los siguientes diagramas y proceda a hacer los pliegues.

Pour une meilleure compréhension des signes utilisés dans les diagrammes de pliage, peu de mots sont utilisés. Regardez attentivement les formes dans les figures suivantes.

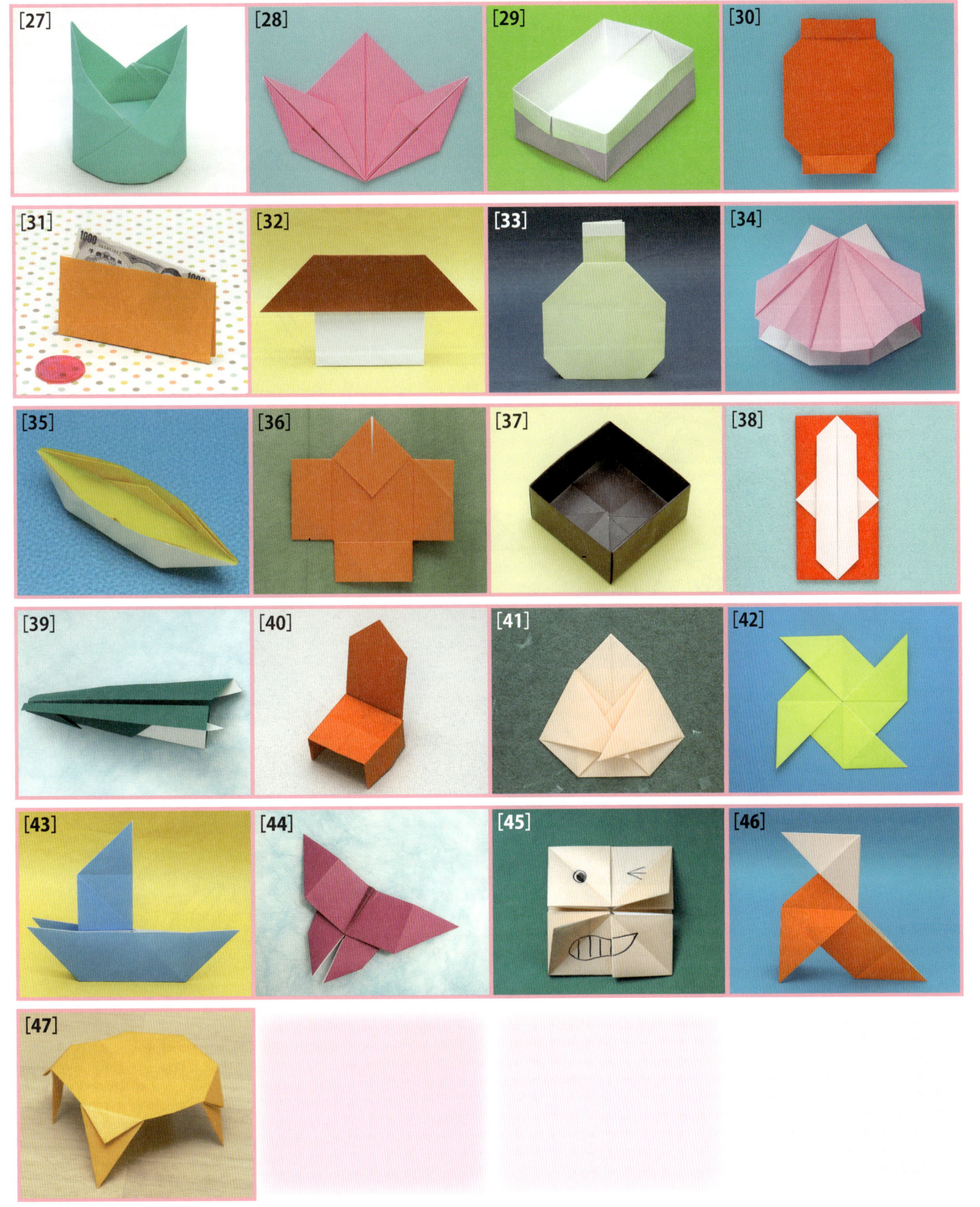

ORIGAMI TEXTBOOK

作品を折り始める前に　before beginning to fold　**antes de comenzar a plegar**　*avant de plier*

肩かけ 基本形（三角折り）
Stole Base
Base de estola
Base du étole

Base

Base

ひとつの基本形からさまざまな作品への発展を楽しみましょう。
Let's enjoy the various models that were developed from one basic form.
Diviértase haciendo diferentes figuras a partir de una sola figura base.
Apprécions les différents modèles qui ont été développés à partir d'une forme de base.

① #1

⑧⑨もう一方も同じようにします。
Repeat the procedure at the other end of the paper.
Haga lo mismo hacia el otro extremo.
Faire de même en allant du milieu vers la gauche.

⑨ ⑧ ⑦ ⑥ ② ③ ④ ⑤

②③かどとかどを正確にあわせます。
Put one corner over another exactly.
Sobreponga una esquina a la otra de forma exacta.
Placer un coin de la feuille sur le coin opposé.

④⑤片折の手でかどを押さえたまま、もう一方の手で紙をなでるようにおろし、折り目をつけます。
Hold down the double corner with one finger, and make a fold line with another finger, smoothing down the paper.
Sujete las dos esquinas con un dedo y haga un pliegue con otro dedo, sujetando el papel suavemente.
Maintenir en place la feuille avec une main et descendre avec un doigt de l'autre main vers le milieu de la ligne de pliure.

⑥⑦その手の横に片方の手をもってきて外側へ向かってしっかり折り目をつけます。
Put another finger next to that one, and move it towards the end of the paper, making a sharp line.
Ponga un dedo al lado del otro, y muévalo hacia un extremo del papel, haciendo una sola línea clara.
Marquer en apuyant avec le doigt vers la droite.

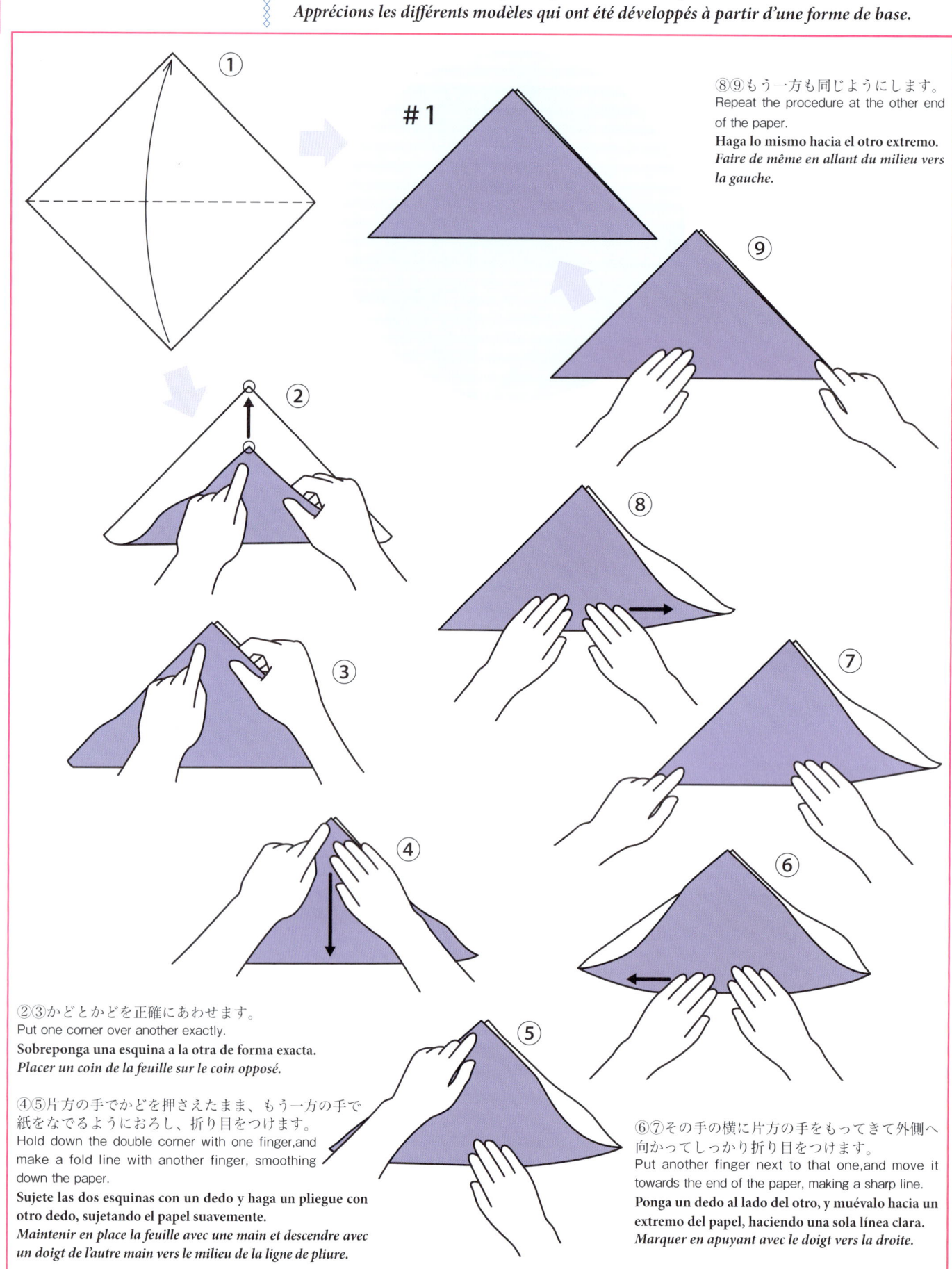

ORIGAMI TEXTBOOK

ていねいに折り進むことが、よい作品をしあげる基本です。 In order to make a fine model it is essential to fold the paper carefully, step by step.
Para hacer una hermosa obra es esencial que pleguemos el papel cuidadosamente, paso a paso. Pour faire un bon ouvrage il faut faire chaque pil avec soin.

折り本基本形（四角折り）
Book Base
Base de libro
Base du livre

辺と辺をあわせて折ることは、三角折りに比べると少し難しくなります。
These different folding methods all result in the same shape.
Su nombre proviene del parecido que tiene a un cometa occidental. También se compara a veces con un cono de helado.
Il y a diverses façons de plier la feuille pour réaliser ces bases.

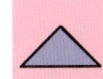

Base

Base

#2

紙には、繊維の流れ（紙の目）があり、
流れと同じ方向を「たて目」、その直角方向を「横目」といいます。
The paper has a direction in the grain. The "vertical direction" is parallel to the grain direction and "horizontal direction" is its perpendicular.
El "tejido del papel" se dice "en vertical" cuando es en la misma dirección, y "en horizontal" cuando es en dirección perpendicular al tejido. (la flecha indica la dirección del tejido).
Le papier a un sens dans le grain. "Le sens vertical" est parallèle à la direction du grain et "le sens horizontal" est perpendiculaire à celui-ci.

ぴょんぴょんガエルなどは、この向き（やわらかく、折りやすく感じる方）で半分に折って始めると、バネになる部分の反撥力が増して、よく跳びます。
In order to make the jumping frog, start to fold in half in the direction you feel soft and easy to fold.
Para hacer la rana saltadora se recomienda antes de empezar primero plegar el papel por la mitad en esta dirección (produce una sensación de suavidad y es fácil de plegar).
Pour mieux faire sauter la grenouille, commencer à plier en deux dans le sens qui a la moindre résistance au pliage.

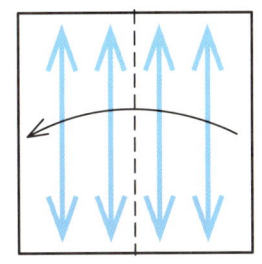

(←→が目の方向です)

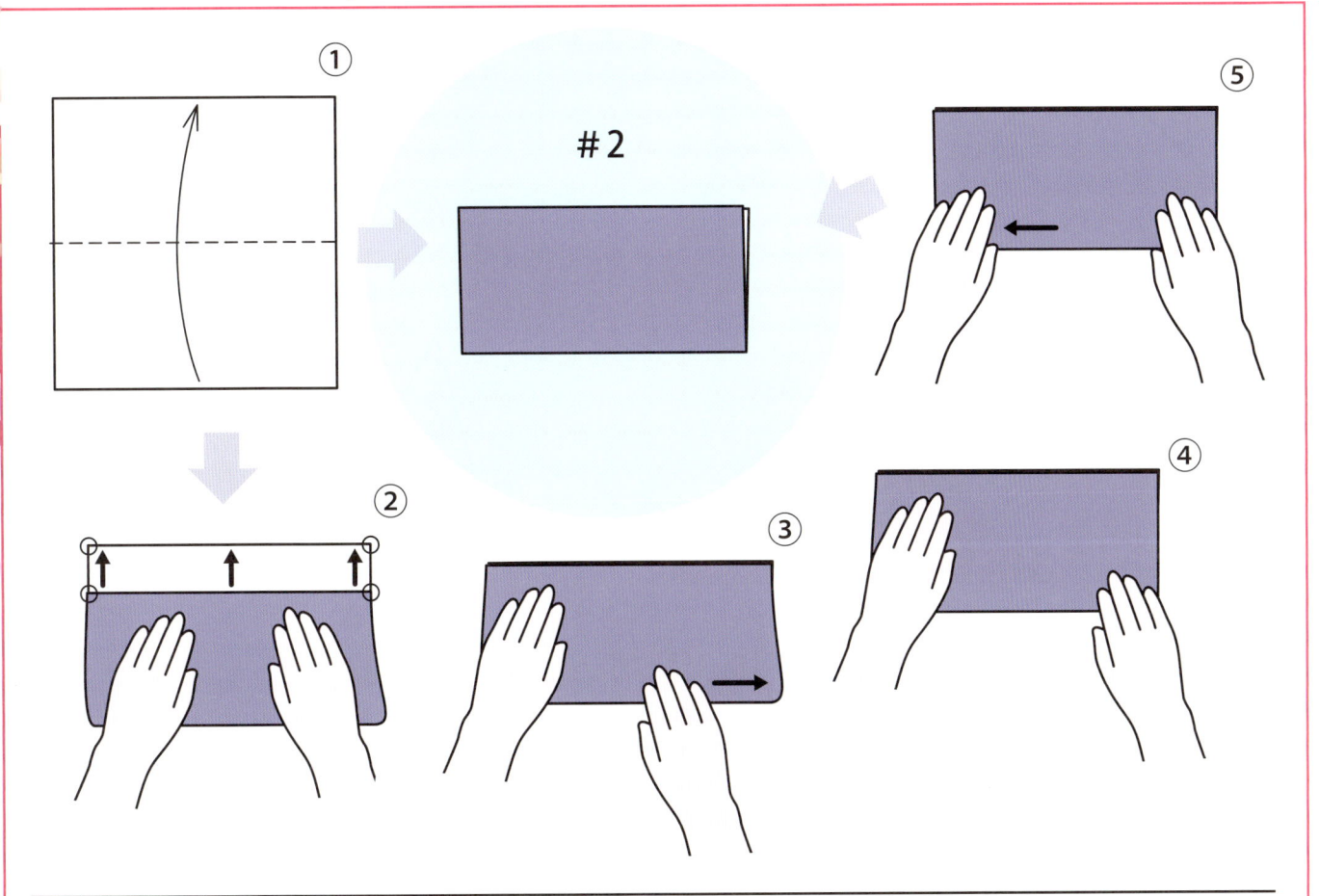

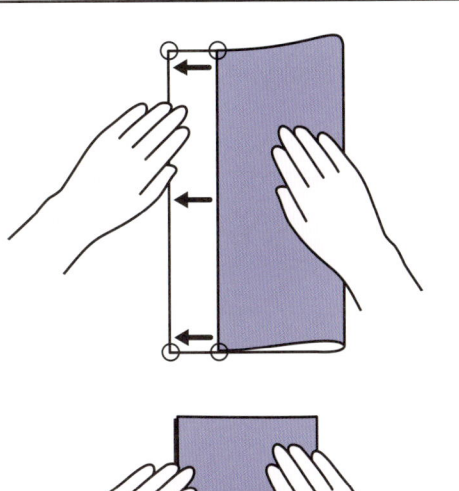

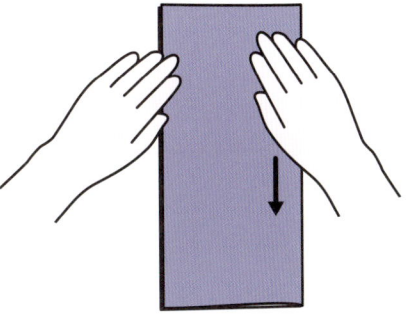

たて向きでも折れるようにしましょう。
Be ready to fold even vertically.
Practique también plegando rectángulos en vertical.
Soyez préparer à plier de même suivant la verticale.

[77] ぴょんぴょんガエル
jumping frog (P93)
rana saltarina
grenouille sauteuse

-11-

ORIGAMI TEXTBOOK

[1] チューリップの花
tulip flower
tulipán
fleur de tulipe

[2] 犬の顔　　[3] ねこの顔
face of dog　**face of cat**
cara de perro　cara de gato
tête de chien　*tête de chat*

谷折りと山折りだけで、このような作品ができます。
By combining only mountain and valley folds it is possible create all these faces.
Con la sola combinación de pliegues en forma de valle y en forma de cumbre, se pueden hacer estas caras
Rien qu'en combinant un pli en V et un pli en toit on peut réaliser les objets suivants.

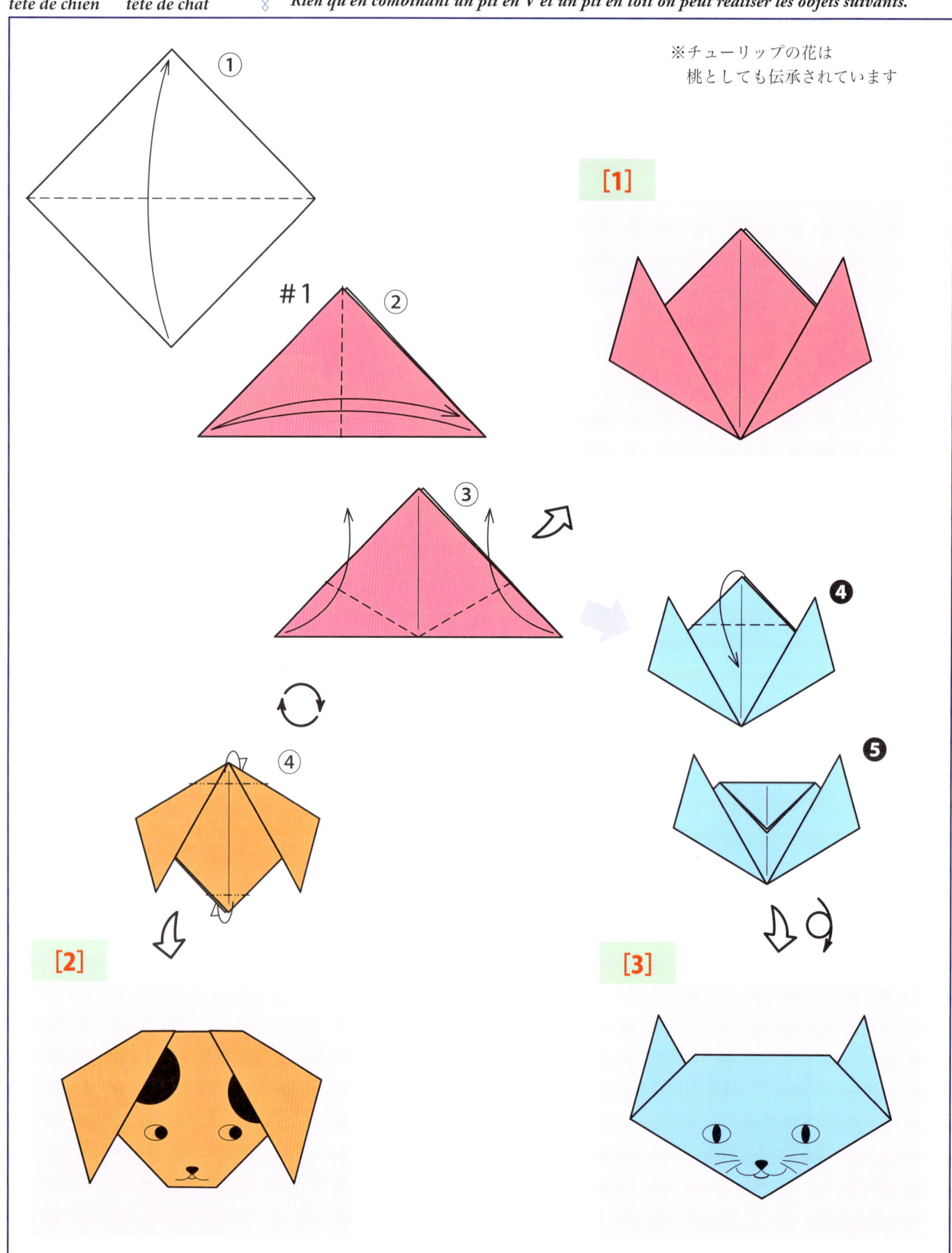

※チューリップの花は
桃としても伝承されています

[1]

[2]

[3]

ORIGAMI TEXTBOOK　　　-12-

[4] うさぎの顔
face of rabbit
cara de conejo
tête de lapin

前ページの作品のバリエーションです。耳の間を少しあけるように折りましょう。
This is a variation of the model in the previous page. Fold the ears a little apart.
Esta es la versión de la figura en la página anterior. Pliegue las orejas dejando un espacio entre ellas.
Ceci est une variante du sujet de la page précédente. Plions les oreilles légèrement écartées.

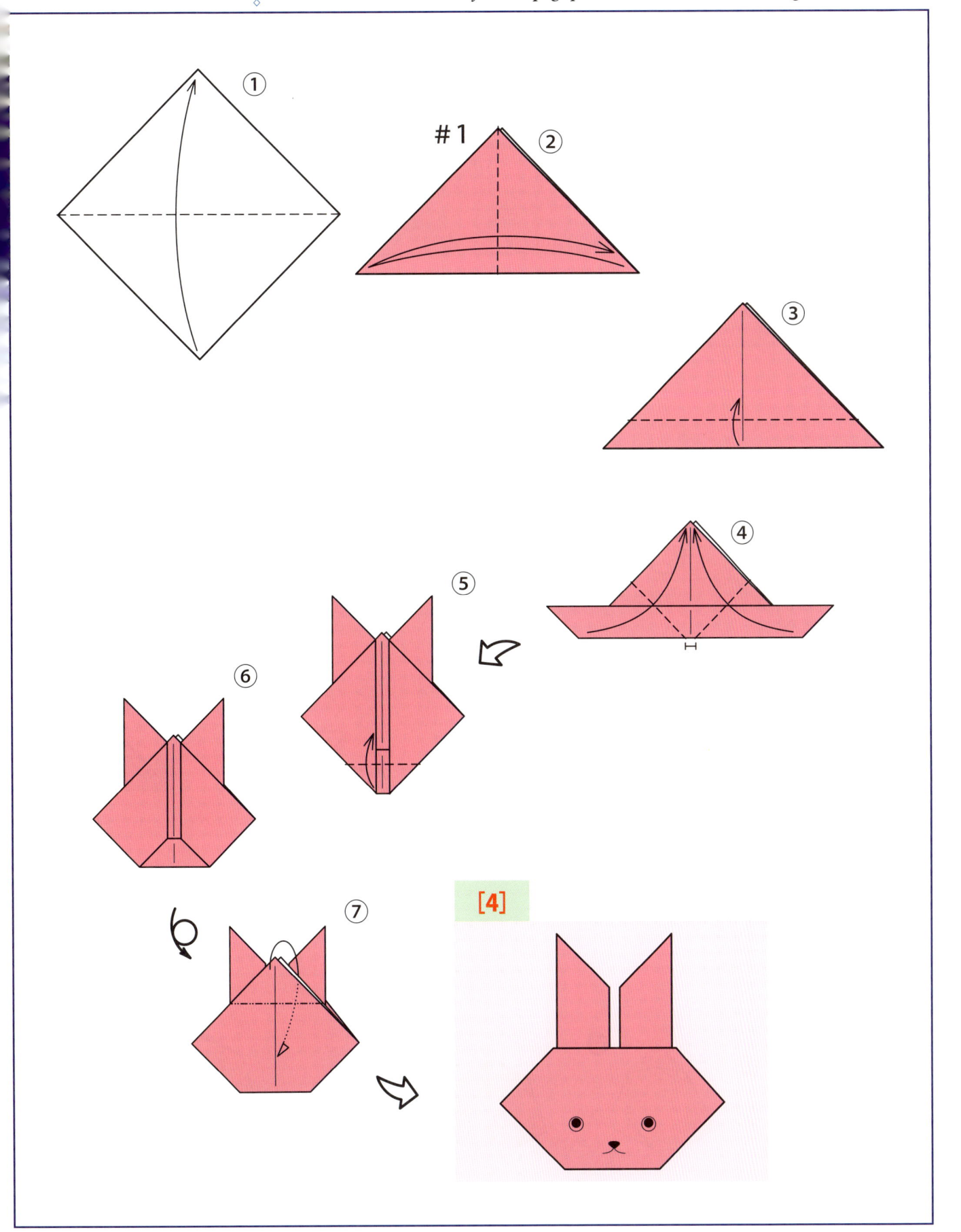

#1

[4]

—13—

ORIGAMI TEXTBOOK

[5] コップ　[6] ぼうし
cup　　　cap
vaso　　 gorra
gobelet　*casquette*

折り紙には実際に使えるものがたくさんあり、このコップもその一つです。
Many origami models have practical uses. This is one of them.
Muchas figuras de origami tienen usos prácticos. Éta es una de ellas.
Les objets en origami sont parfois fonctionnels. Cest le cas du modèle cidessous.

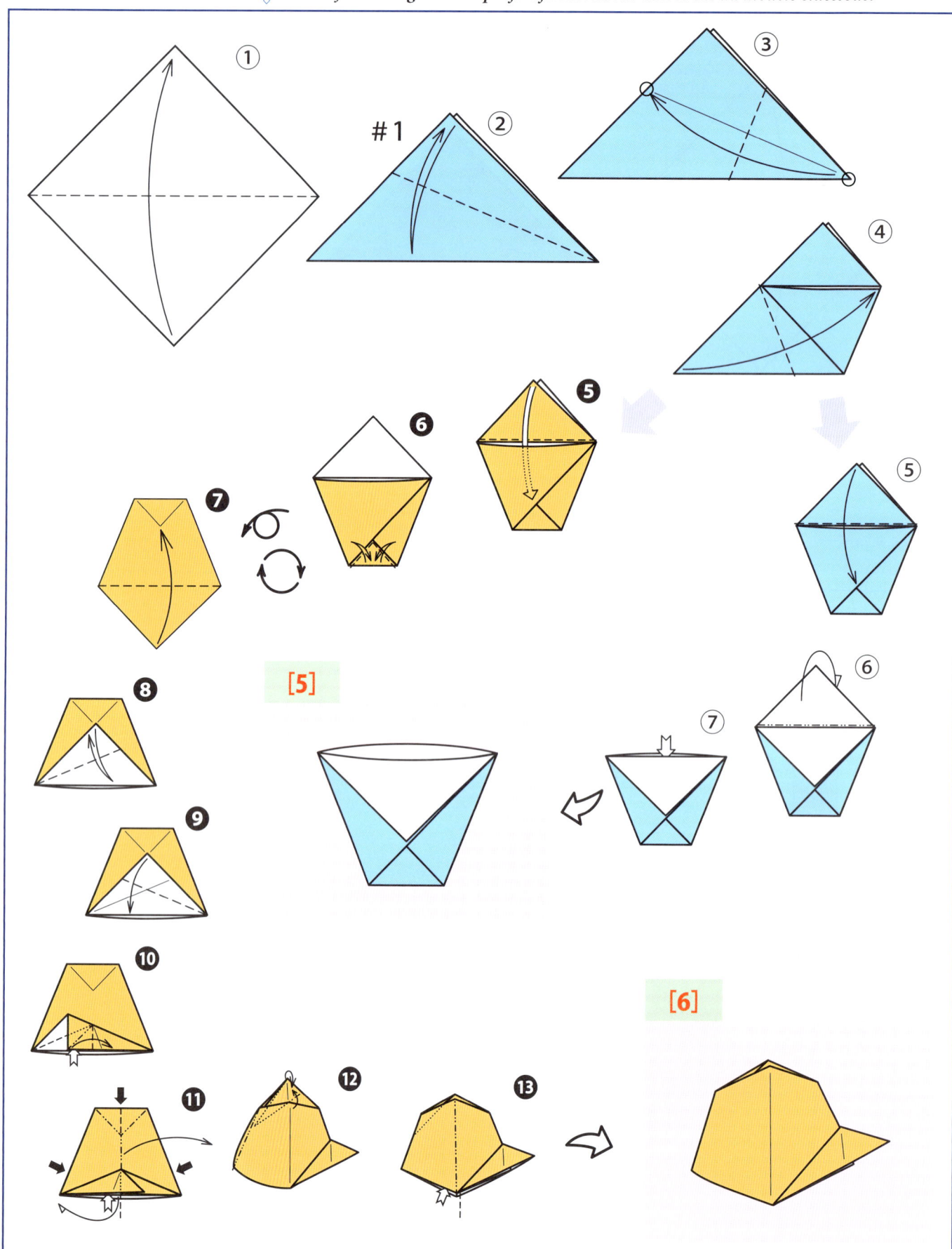

[5]

[6]

ORIGAMI TEXTBOOK　　　-14-

[7] くるくるちょう
turning butterfly
mariposa que da vueltas
papillon tournant

くるくるまわりながら落ちます。
It falls down while turning.
Cae dando vueltas.
Il tombe en tournant.

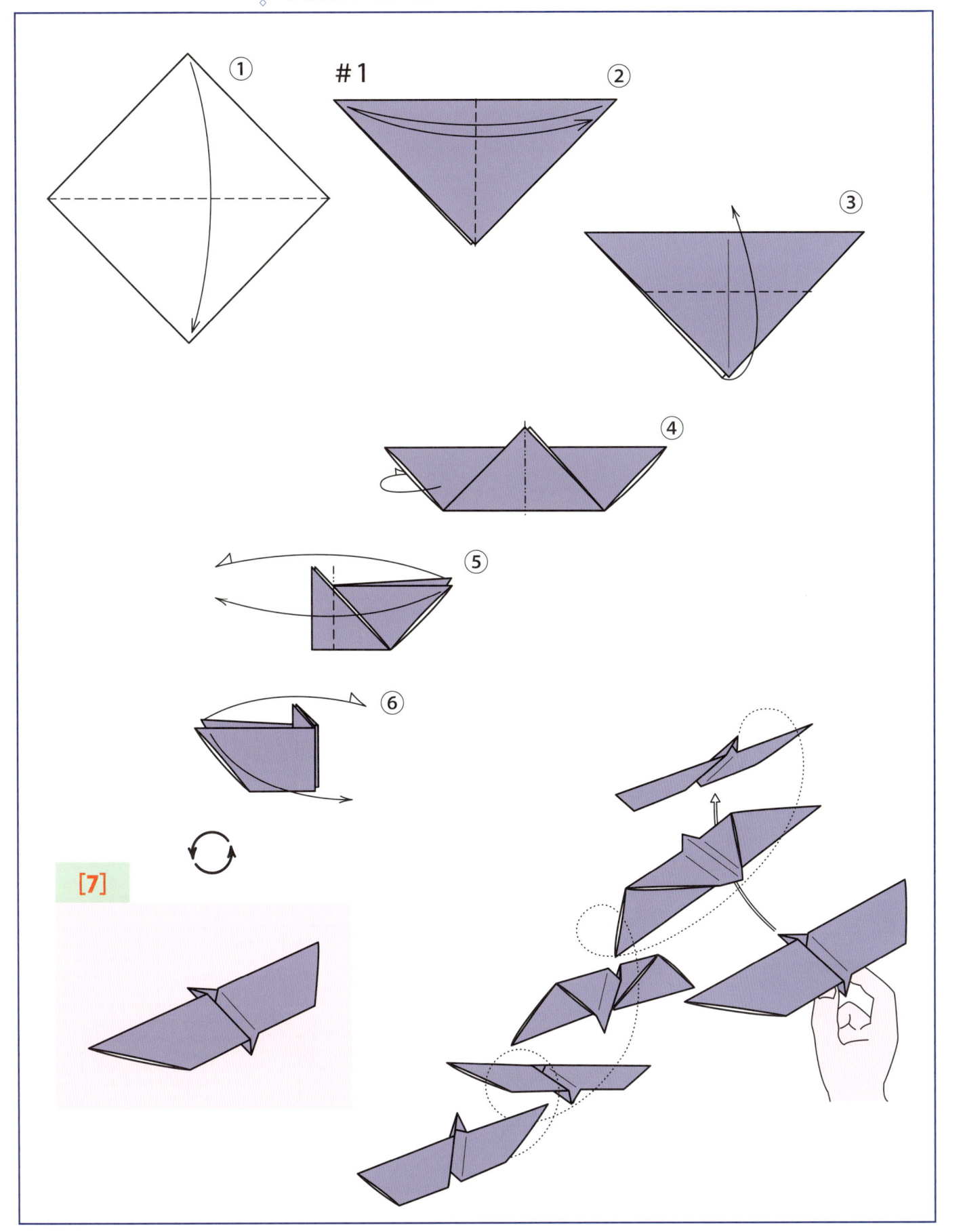

#1

[7]

[8] はと

dove

paloma

pigeon

大きさや色を変えてモビールにすると楽しい作品です。

Try using different sizes or colors of paper. Hanging a few colorful doves together can make a delightful mobile.

Si cambia el tamaño o el color del papel y cuelga las figuras, puede hacer un bonito móvil.

En variant la taille et la couleur des pigeons et en les suspendant on pourra réaliser un mobile.

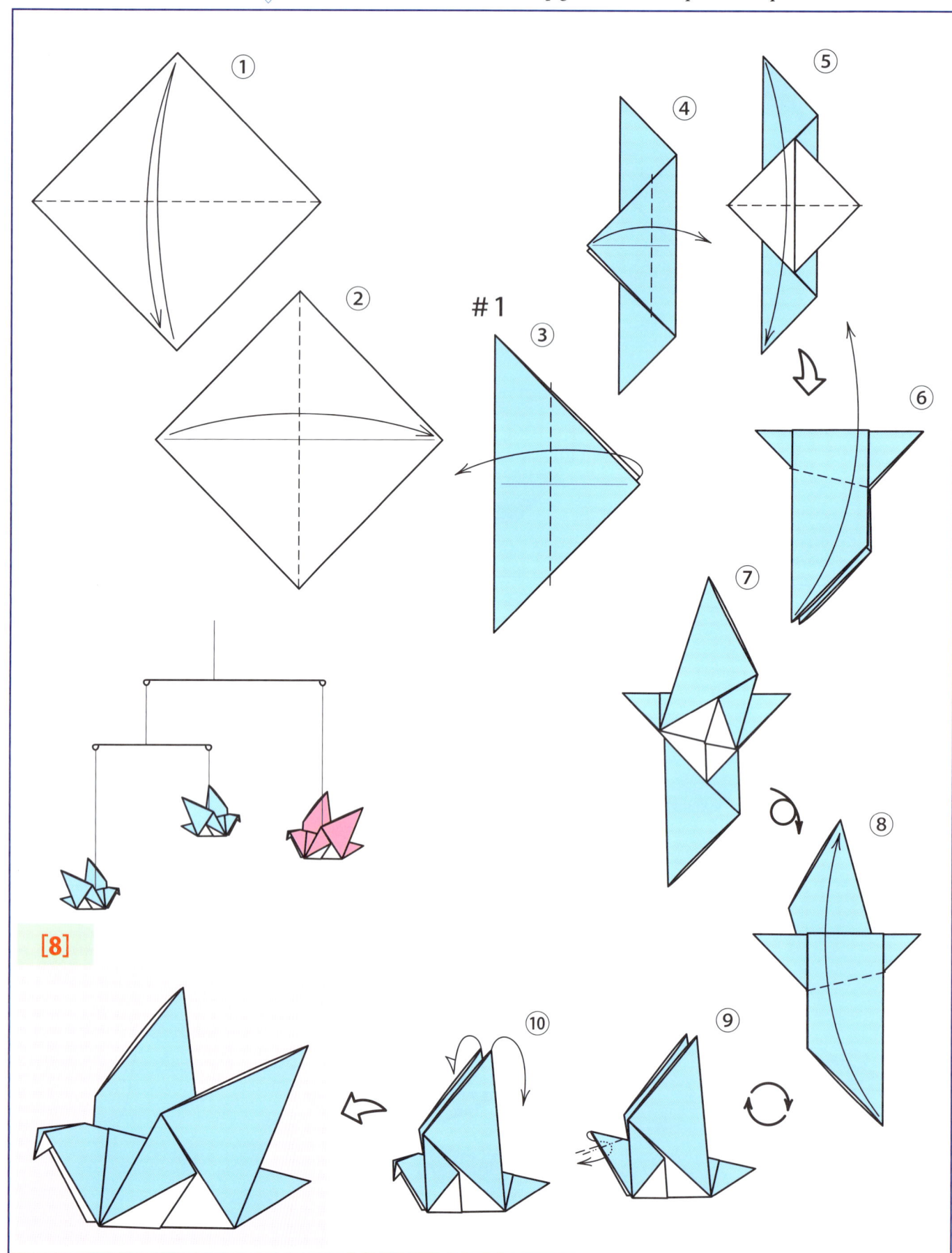

ORIGAMI TEXTBOOK —16—

[9] せみ

cicada

cigarra

cigale

目を折ったり、羽の色を変えたり、さまざまな形で伝承されている作品です。
⑧ではまん中の折りすじに両側からあわせるように折ります。
This model has been handed down in various forms, such as folding eyes or changing the color of wings. At ⑧, fold both sides to meet the center line.
Esta figura tradicional tiene varias formas, con ojos plegados, con diferente color de las alas, etc. En ⑧ ambos lados se pliegan hacia adentro hasta encontrarse en la línea de pliegue del centro.
Ce sujet a été transmis sous diverses formes, telles que pliant les yeux, ou changeant la couleur des ailes. Au ⑧, plier les deux côtés suivant la ligne du mileu.

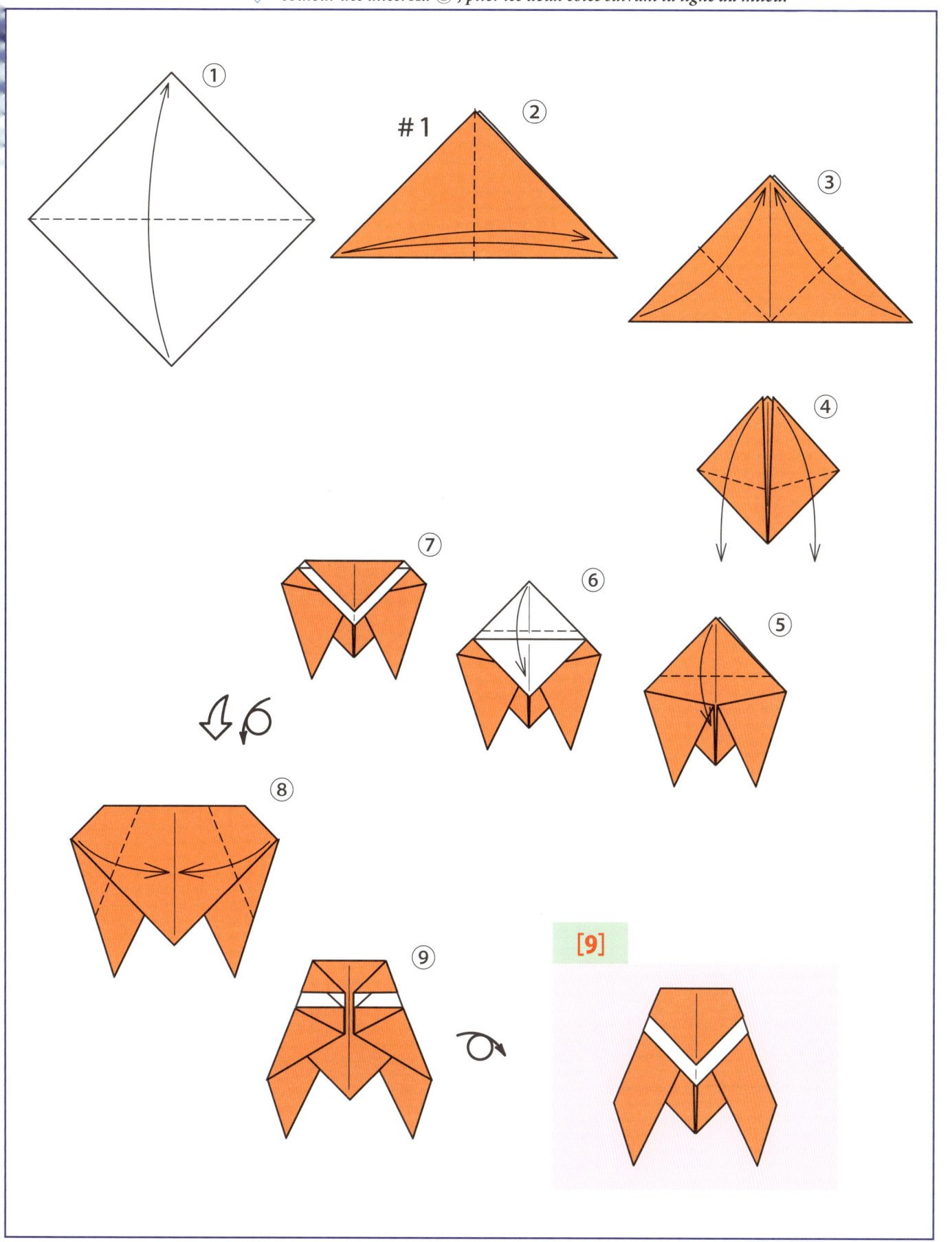

-17-

ORIGAMI TEXTBOOK

[10] かぶと
helmet
casco
casque de samouraï

5月5日は「こどもの日」。こどもたちの健やかな成長を祈って飾られます。
May 5 is "Children's Day". This model is presented while praying for the healthy growth of children.
En Japón el 5 de mayo es el "Día de los niños". En este día el casco se coloca como adorno para que los niños crezcan sanos y fuertes.
5 mai est "La journée de l'enfant". Ce sujet est placé sur un présentoir en souhaitant la bonne croissance des enfants.

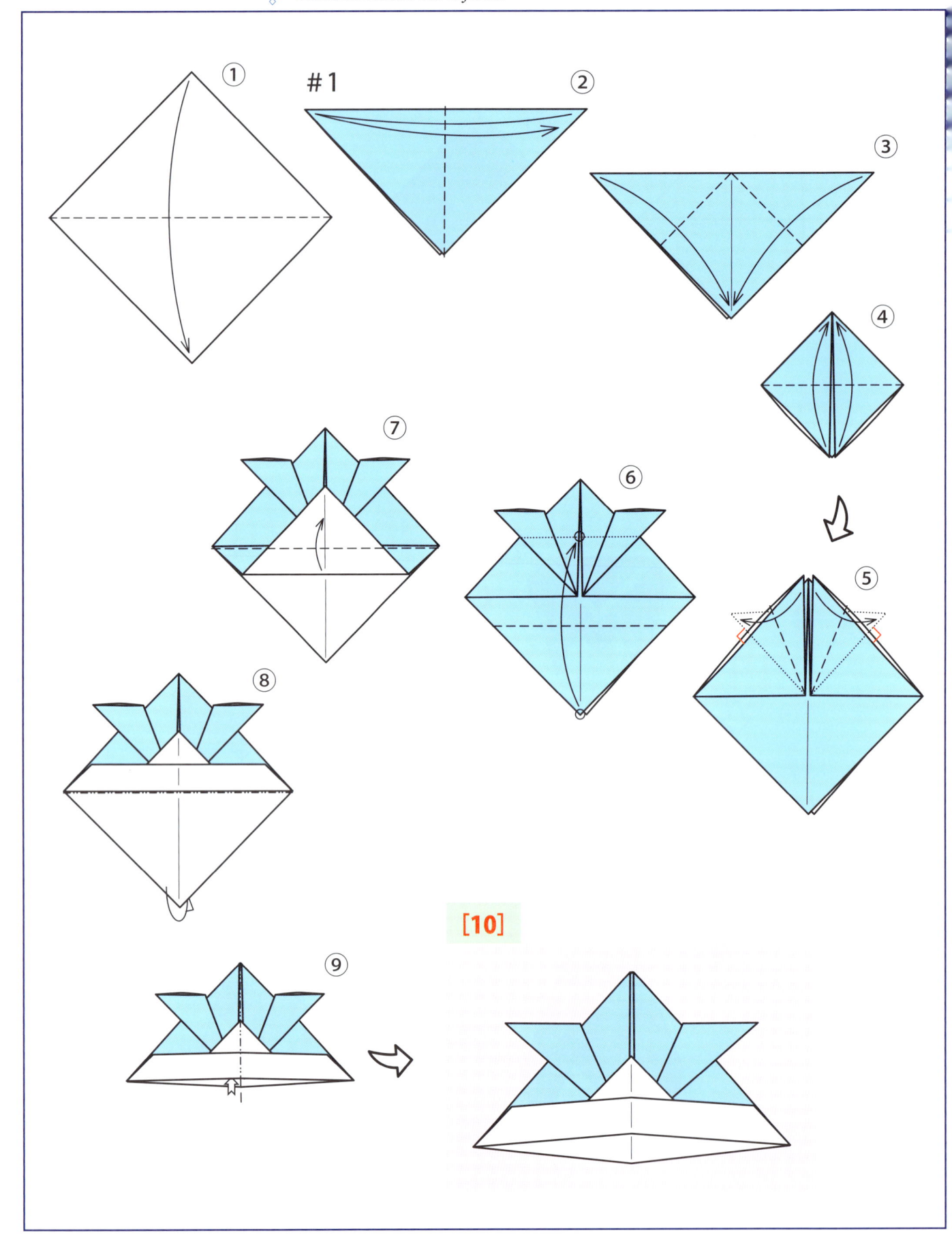

[10]

ORIGAMI TEXTBOOK

-18-

[11] ながかぶと
long helmet
casco largo
casque long de samouraï

[12] つのながかぶと
helmet with long horns
casco de cuernos largos
casque de samouraï avec longues cornes

つのながかぶとは、P13のうさぎの顔のバリエーション作品です。❺の形から伝承作品の「み（箕）」ができます。

A helmet with long horns is a variation piece of the face of rabbit described in P13. The traditional work, "winnow", is made from the form of ❺.

El casco de cuernos largos es una variación de la cara de conejo de la página 13. De la forma ❺ puede hacerse la figura tradicional "criba".

Le casque avec des cornes longues est un variante de la tête de lapin décrite à la P13. Le sujet traditionel, "panier de vannage", peut être fabriqué à partir de la forme ❺.

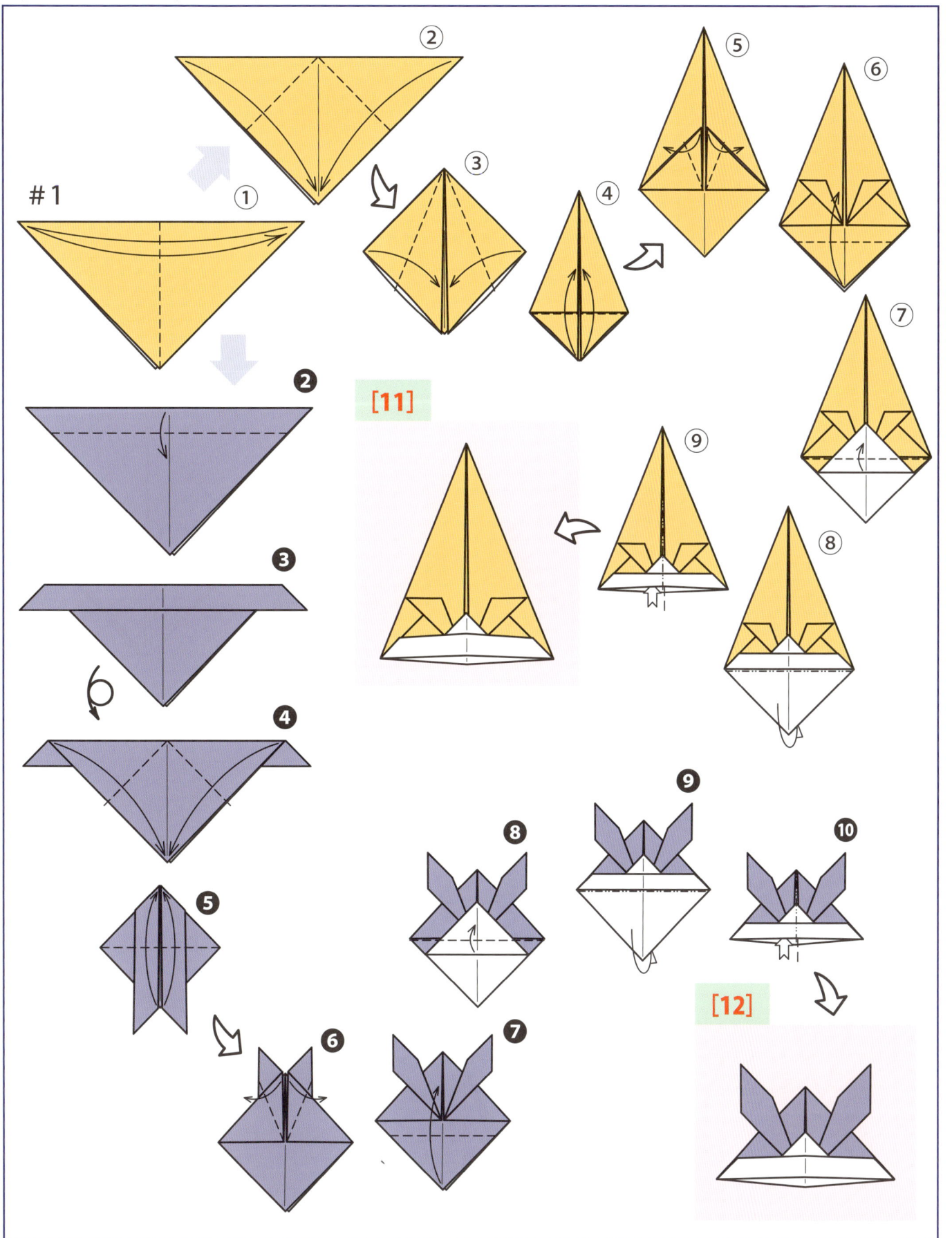

-19-

ORIGAMI TEXTBOOK

[13] 鬼の指人形
puppet of ogre
casco para dedo en forma de demonio
marionnettes d'ogre

日本の昔話に多く登場する、愛すべき悪役です。鬼の他に犬、ねこ、うさぎ、ぶた、きつねなど他の動物にも変化します。
This villain appears commonly in many of Japanese folk tales. It can be transformed into other animals such as a dog, a cat, a rabbit, a pig, a fox, etc.
Este demonio es un villano encantador que aparece con frecuencia en las leyendas japonesas. Además de demonio, el casco puede transformarse en perro, gato, conejo, cerdo, zorro y otros animales.
Il est un méchant célèbre qui apparaît dans de nombreux contes populaires japonais. Le méchant peut être transformé en d'autres animaux comme le chien, le chat, le lapin, le cochon, le renard, etc.

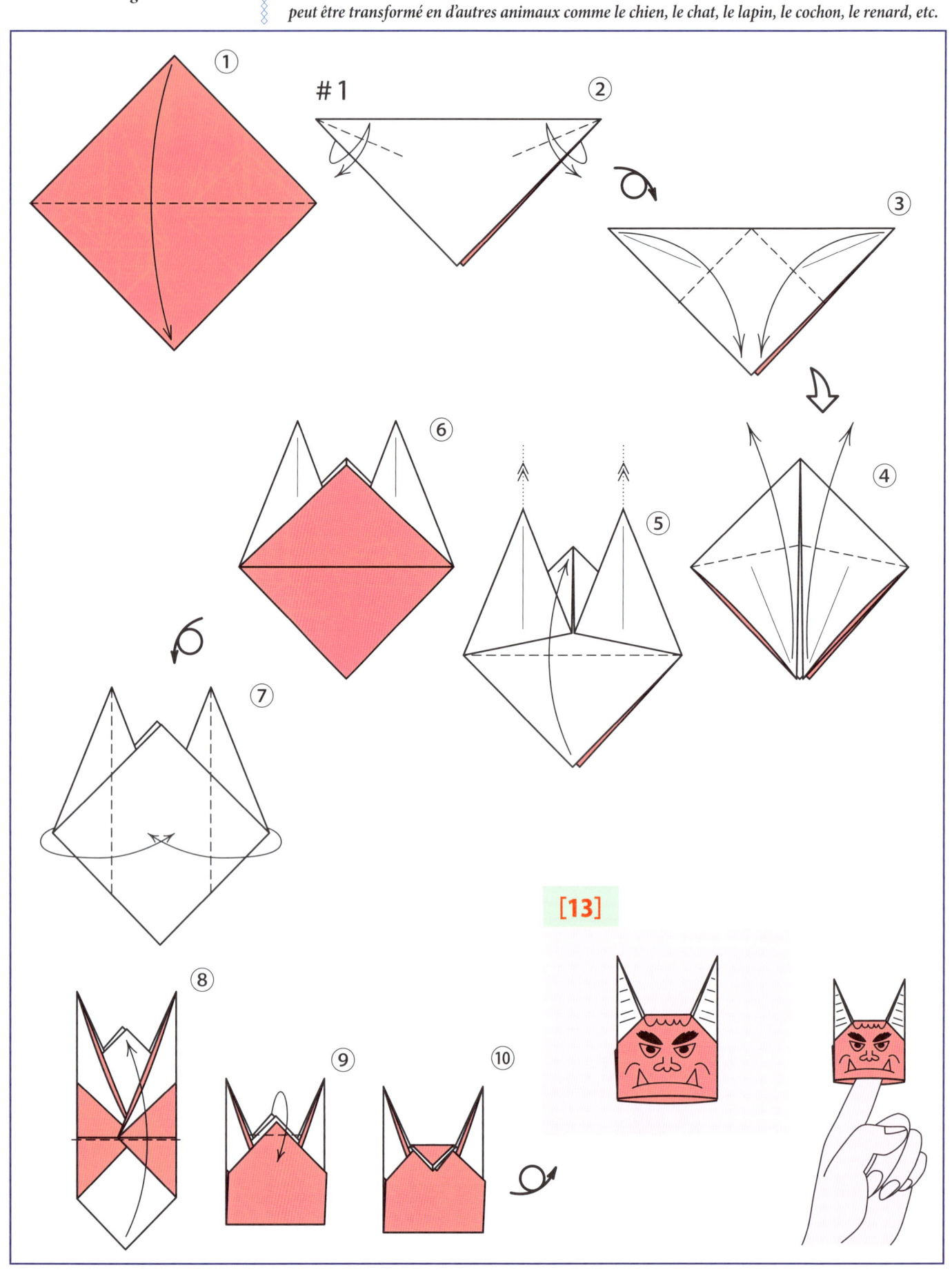

Base

#1

[13]

ORIGAMI TEXTBOOK

-20-

たこの基本形
Kite Base
Base de cometa
Base du cerf-volant

形が洋凧に似ているところからこの名前がつきました。アイスクリームに見立てられることもあります。
This name comes from the shape of the western kite. It is also known as an ice cream.
Su nombre proviene del parecido que tiene a un cometa occidental. También se compara a veces con un cono de helado.
Ce nom vient de la forme du cerf-volant occidental. Il est également connu sous le nom de "la crème glacée.

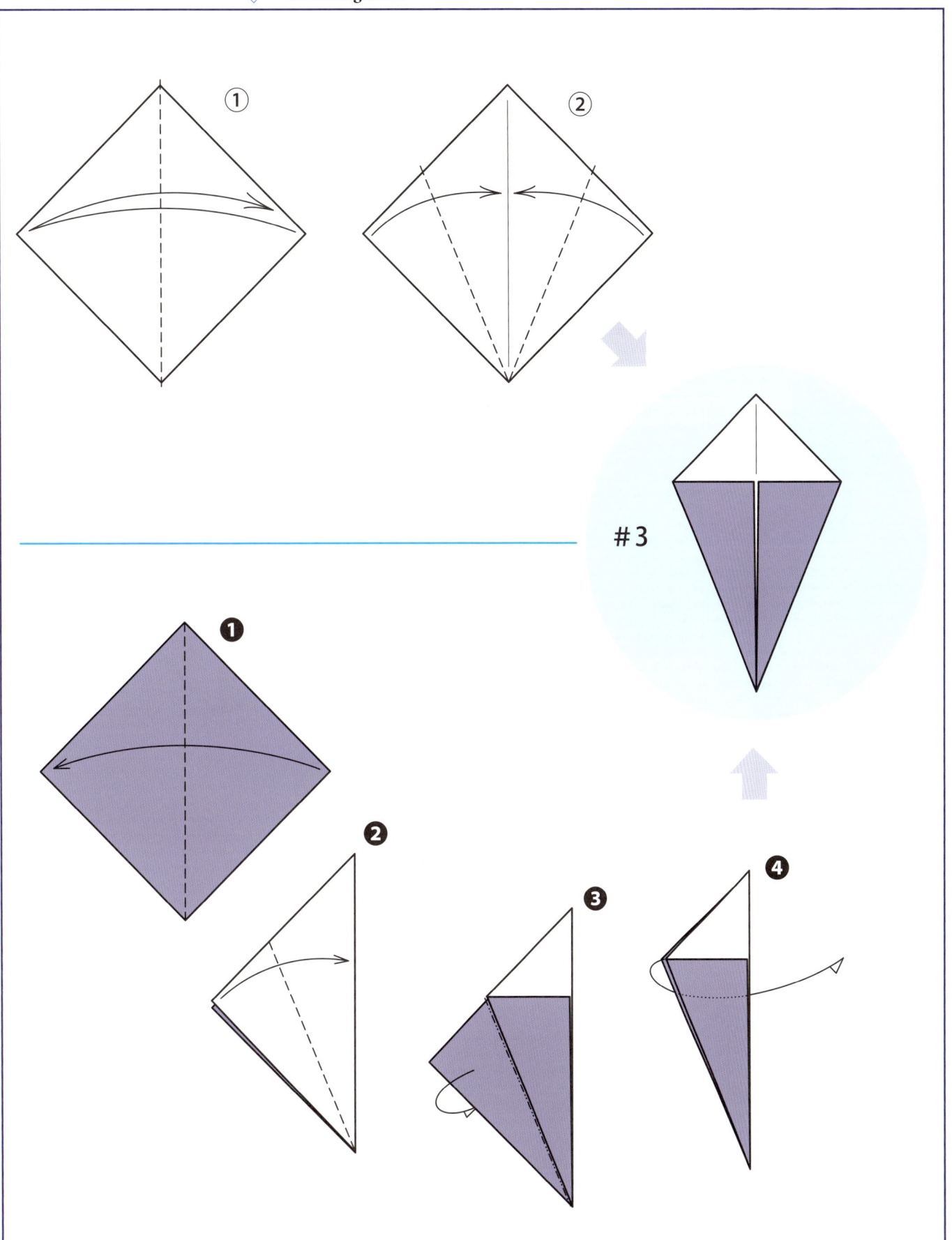

#3

ORIGAMI TEXTBOOK

[14] 水鳥 I　　[15] 水鳥 II
water bird I, II
pájaro acuático I, II
oiseau aquatique I, II

左が中わり折り、右がかぶせ折りを使って折ったものです。
The diagrams on the left show the water bird made using inside reverse folds, those on the right use outside reverse folds.
El pájaro de la izquierda se ha hecho sólo por medio de pliegues hacia adentro, y el de la derecha se ha hecho sólo por medio de pliegues hacia afuera.
Pour réaliser l'oiseau de gauche il suffit de faire des plis rentrants alors que pour celui de droite il suffit de faire des plis couvrants.

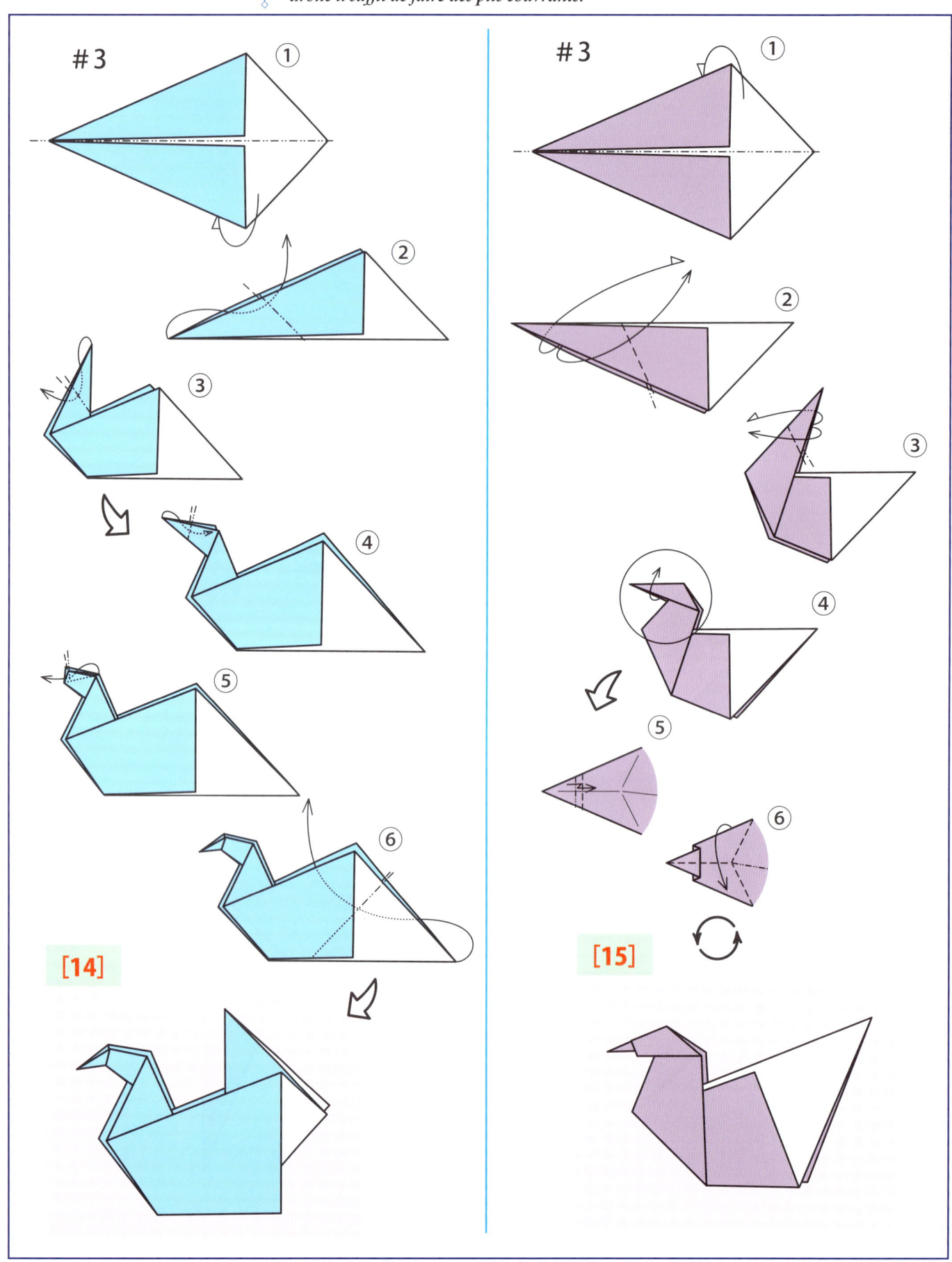

#3

[14]

#3

[15]

ORIGAMI TEXTBOOK

-22-

[16] おひなさま (おびな、めびな)
hina dolls (male doll, female doll)
muñecas hina (muñeco y muñeca)
poupées de hina (poupée garçon, poupée fille)

雛人形は3月3日の雛祭りに飾られる人形です。
A display of hina dolls is set up to celebrate the Doll festival (Girls' festival) on March 3rd.
Estos muñecos son adornos representativos del "Festival de las niñas" que se celebra el 3 de marzo en Japón..
Des familles mettent en place une exposition de poupées hina pour célébrer le festival des poupées (le festival des filles) le 3 Mars.

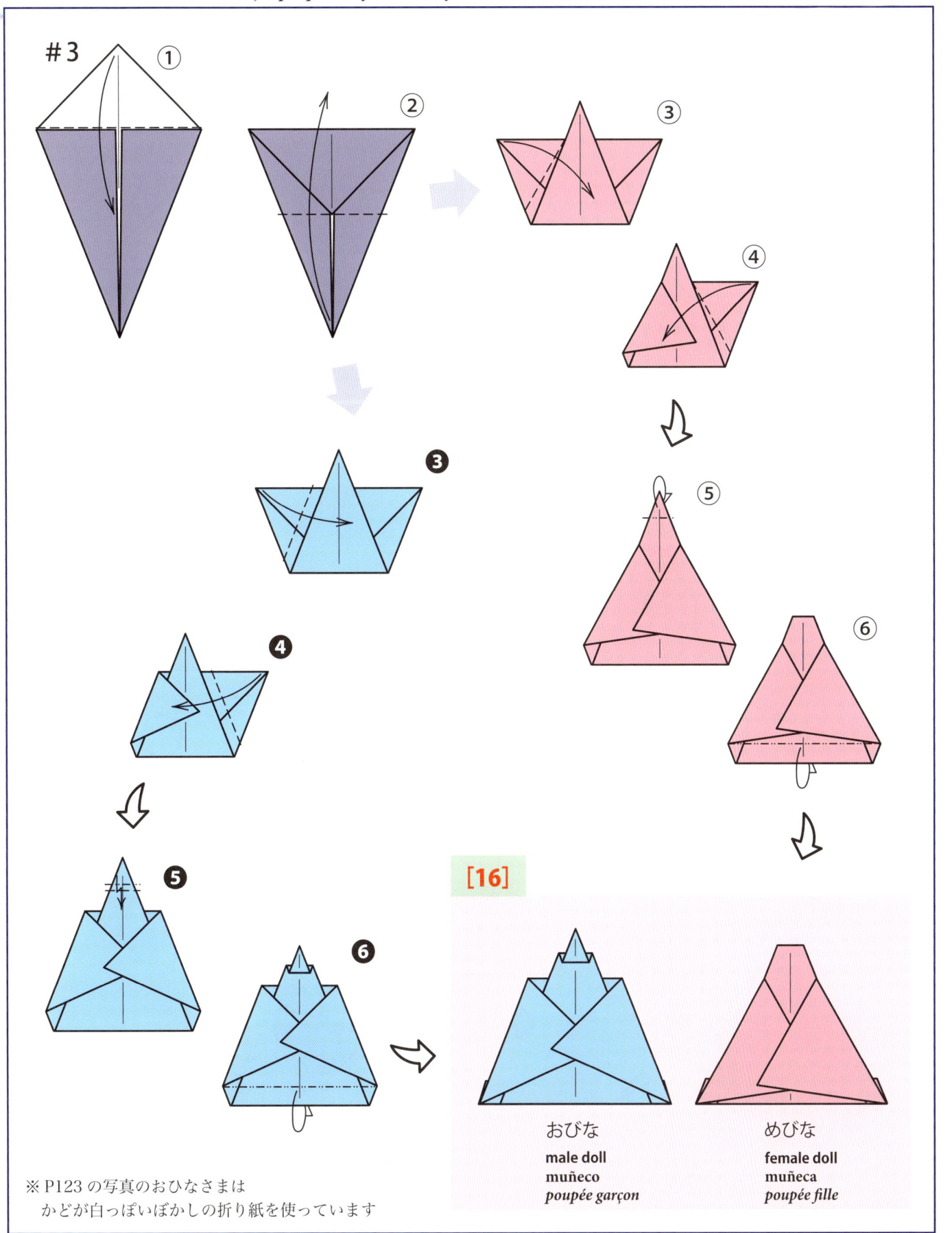

#3

[16]

おびな
male doll
muñeco
poupée garçon

めびな
female doll
muñeca
poupée fille

※ P123 の写真のおひなさまは
かどが白っぽいぼかしの折り紙を使っています

-23-　　ORIGAMI TEXTBOOK

[17] ほかけぶね
（フーフーヨット）
sailing boat (blown yacht)
barco de vela (yate a soplos)
bateau à voile (yacht soufflé)

うしろから吹くと前に進みます。
The boat moves on when blown from behind.
El barco avanzará si lo sopla desde atrás.
Le bateau avance quand on souffle par derrière.

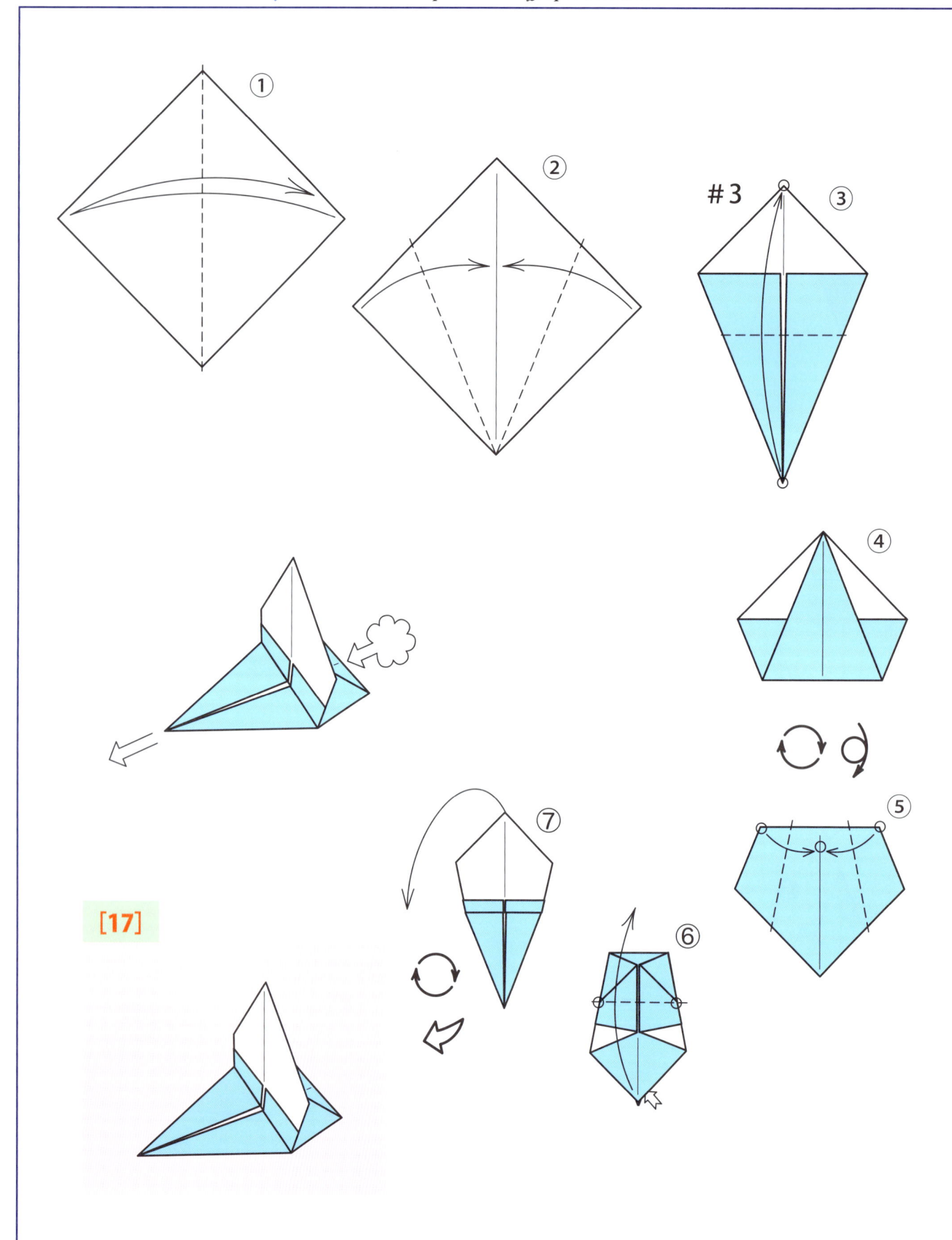

[17]

[18] スコッチ・テリア
scottish terrier
terrier escocés
terrier écossais

動物の場合、特徴をつかむことが大切です。
It is important to understand the characteristic lines of the animal you are folding.
Es importante conocer la silueta característica de un animal, cuando se hacen figuras de animales.
Il est important de connaître la forme caractéristique de l'animal lorsqu'on réalise des modèles d'animaux.

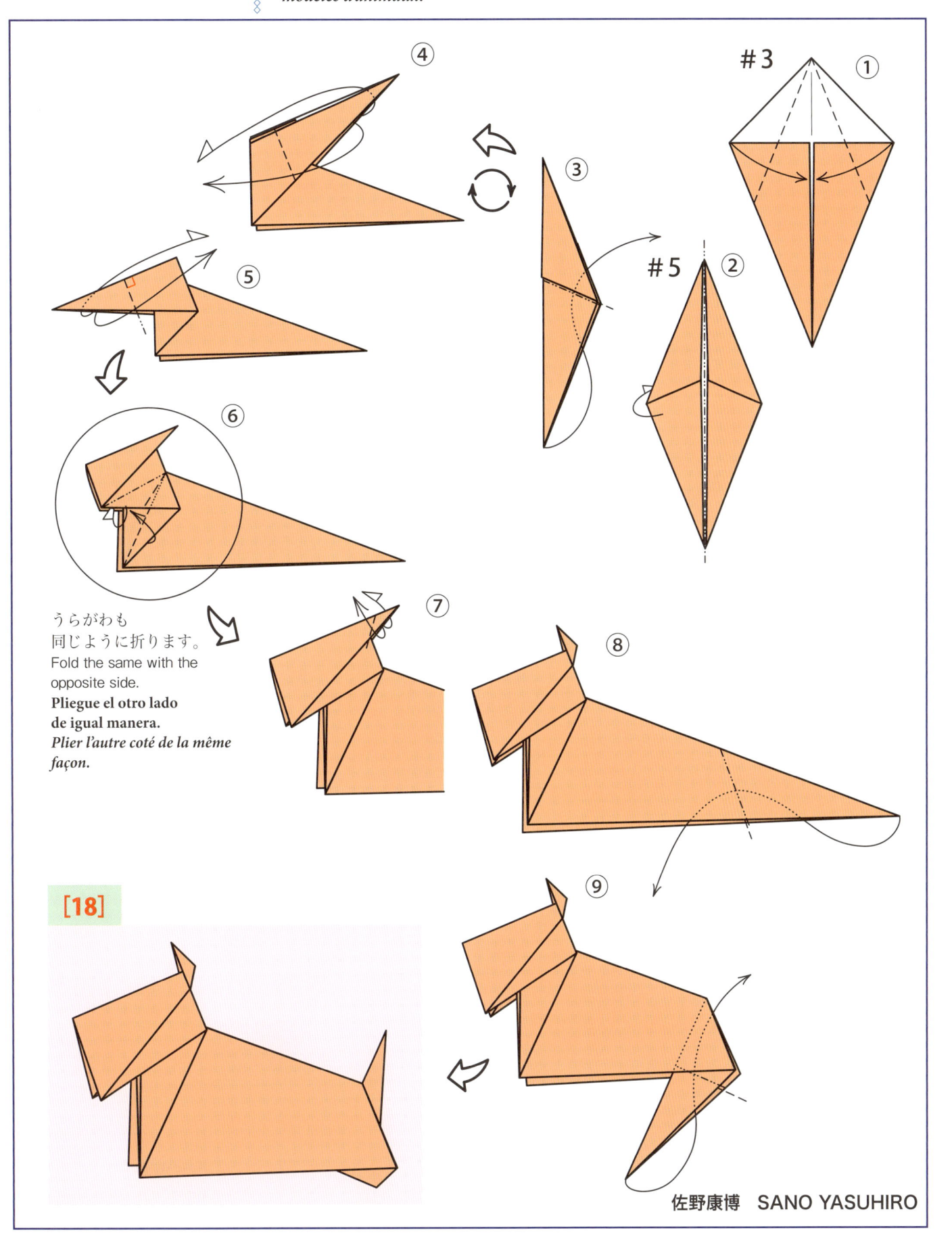

うらがわも
同じように折ります。
Fold the same with the opposite side.
Pliegue el otro lado de igual manera.
Plier l'autre coté de la même façon.

[18]

佐野康博　SANO YASUHIRO

ORIGAMI TEXTBOOK

魚の基本形	菱形の基本形
Fish Base	**Diamond Base**
Base de pez	Base romboidal
Base du poisson	*Base du losange*

たこの基本形から折ります。P27の鯉やP28のさかなをはじめ、魚を多く折ることができる形なので名づけられました。

Starting from the Kite Base, we can fold many kinds of fish such as the carp (P17) or the fish (P28). That is why it is called the Fish Base.

Tienen como base la figura del cometa. Reciben este nombre por ser las figuras base para muchas figuras de peces, como por ejemplo la carpa de la página 27 y el pez de la página 28.

A partir de la base du cerf-volant, on peut plier de nombreux types de poissons comme la carpe (P17) et le poisson (P28). C'est pour cela qu'elle est appelée la base du poisson.

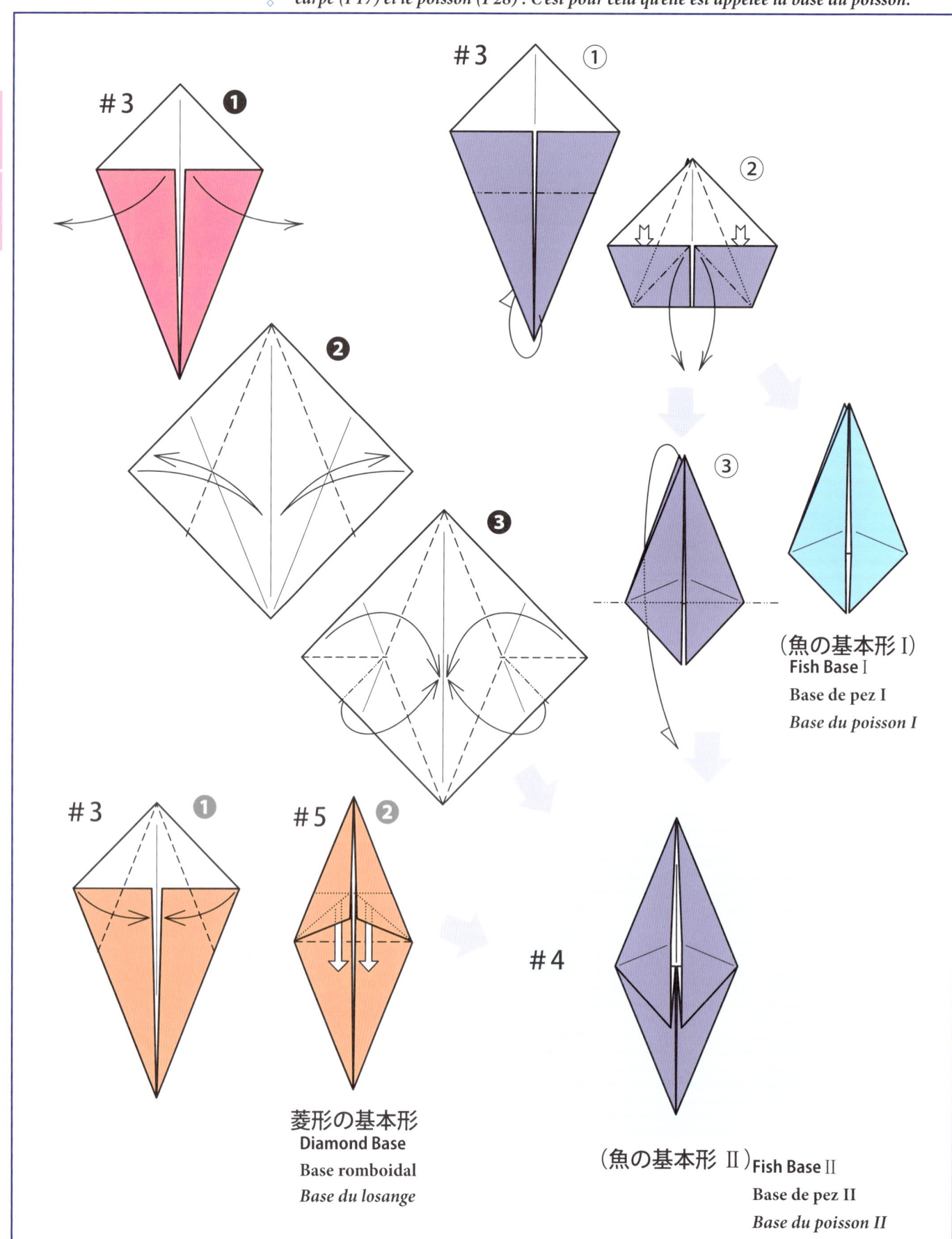

（魚の基本形Ⅰ）Fish Base Ⅰ
Base de pez Ⅰ
Base du poisson Ⅰ

菱形の基本形
Diamond Base
Base romboidal
Base du losange

（魚の基本形Ⅱ）Fish Base Ⅱ
Base de pez Ⅱ
Base du poisson Ⅱ

ORIGAMI TEXTBOOK

[19] 鯉　　[20] オットセイ
carp　　**fur seal**
carpa　　oso marino
carpe　　*otarie*

P27の鯉とP49のかざぐるまかP102のくんしょうを竹ぐしにつけて鯉のぼりを作りましょう。

Attach to a stick the mouth of the carp (P27) and the windmill (P49) or the Medal (P102) to make a paper carp streamer.

Puede colocar una brocheta de bambú a la carpa, la medalla de la página 102 o al molinillo de la página 49 para hacer un banderín.

Attacher une baguette à la bouche de la carpe (P27) et au moulin à vent (P49) ou à la médaille (P102) pour en faire une bannière.

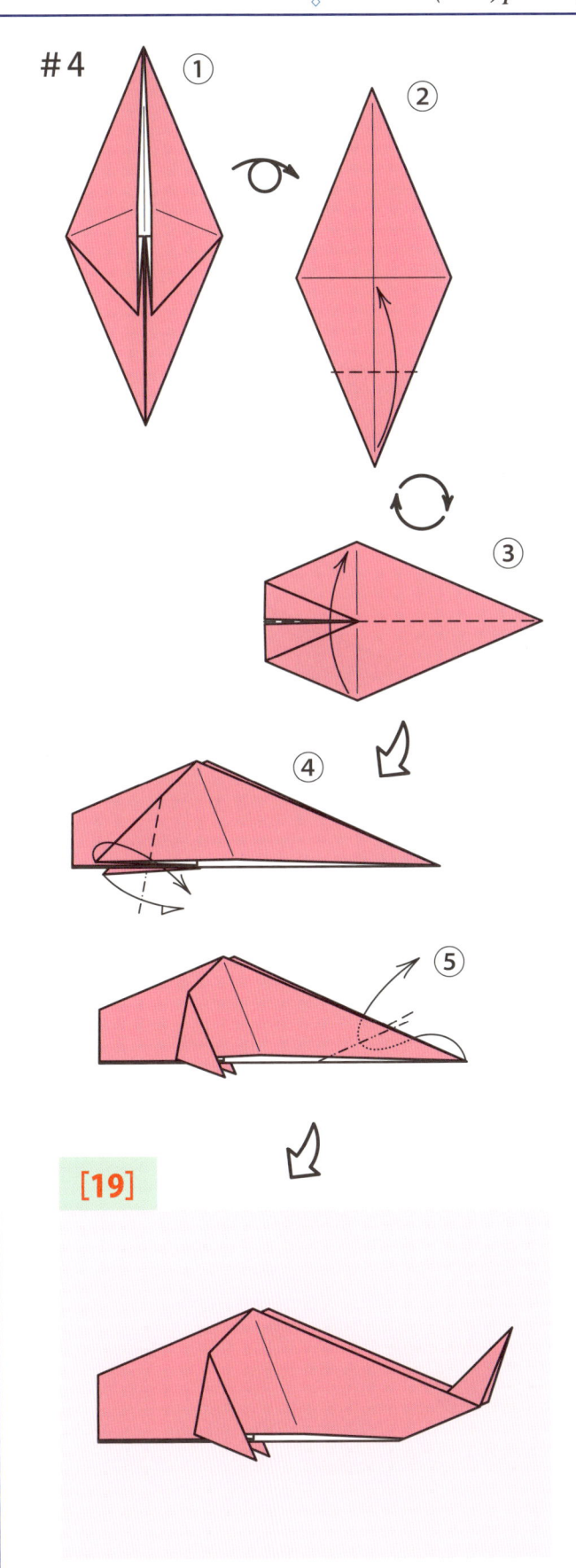

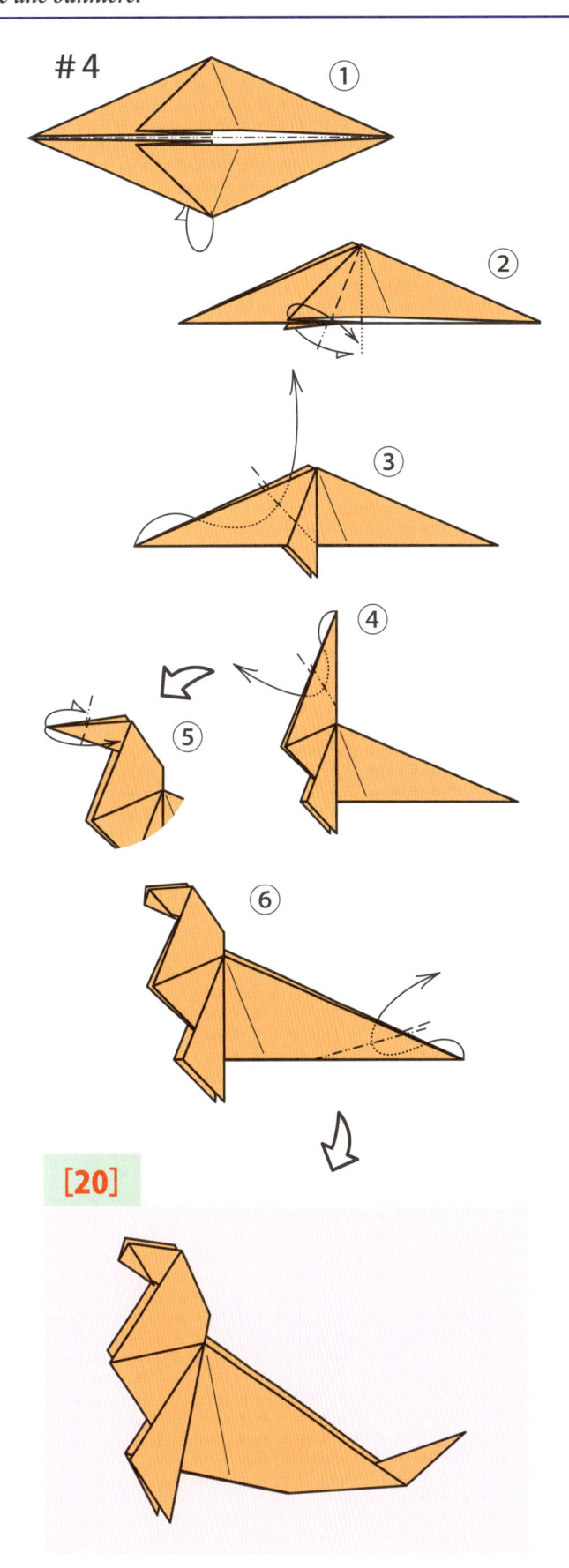

Base

Base

[19]

[20]

-27-

ORIGAMI TEXTBOOK

[21] さかな
fish
pez
poisson

⑤で、つまんで折るテクニックを練習しましょう。
In step ⑤ , let's practice the techniques of folding by pinching.
En ⑤ practique la técnica de asir y plegar.
Dans ⑤ , nous allons pratiquer les techniques de pliage par pincement.

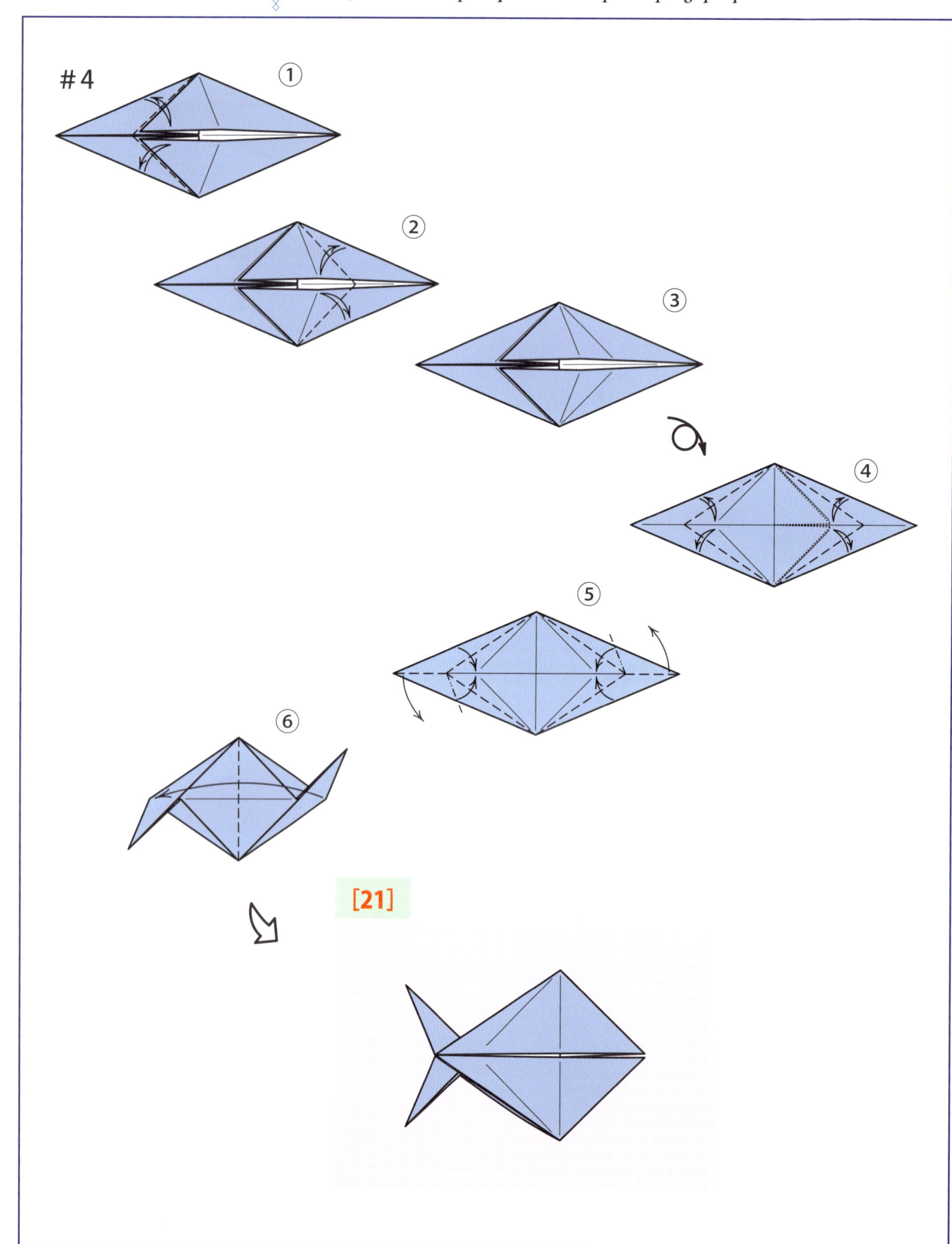

#4

[21]

-28-

[22] おしゃべりからす
chattering crow
cuervo parlanchín
corbeau bavard

内側から引き出すテクニック③をおぼえましょう。
Try to master the technique shown in step ③ which is used to pull out the inner corners of paper.
Vamos a aprender la técnica del paso ③ que es un método de sacar las esquinas de la parte interior.
Bien étudier la technique du numéro ③ qui consiste à sortir les deux ailes.

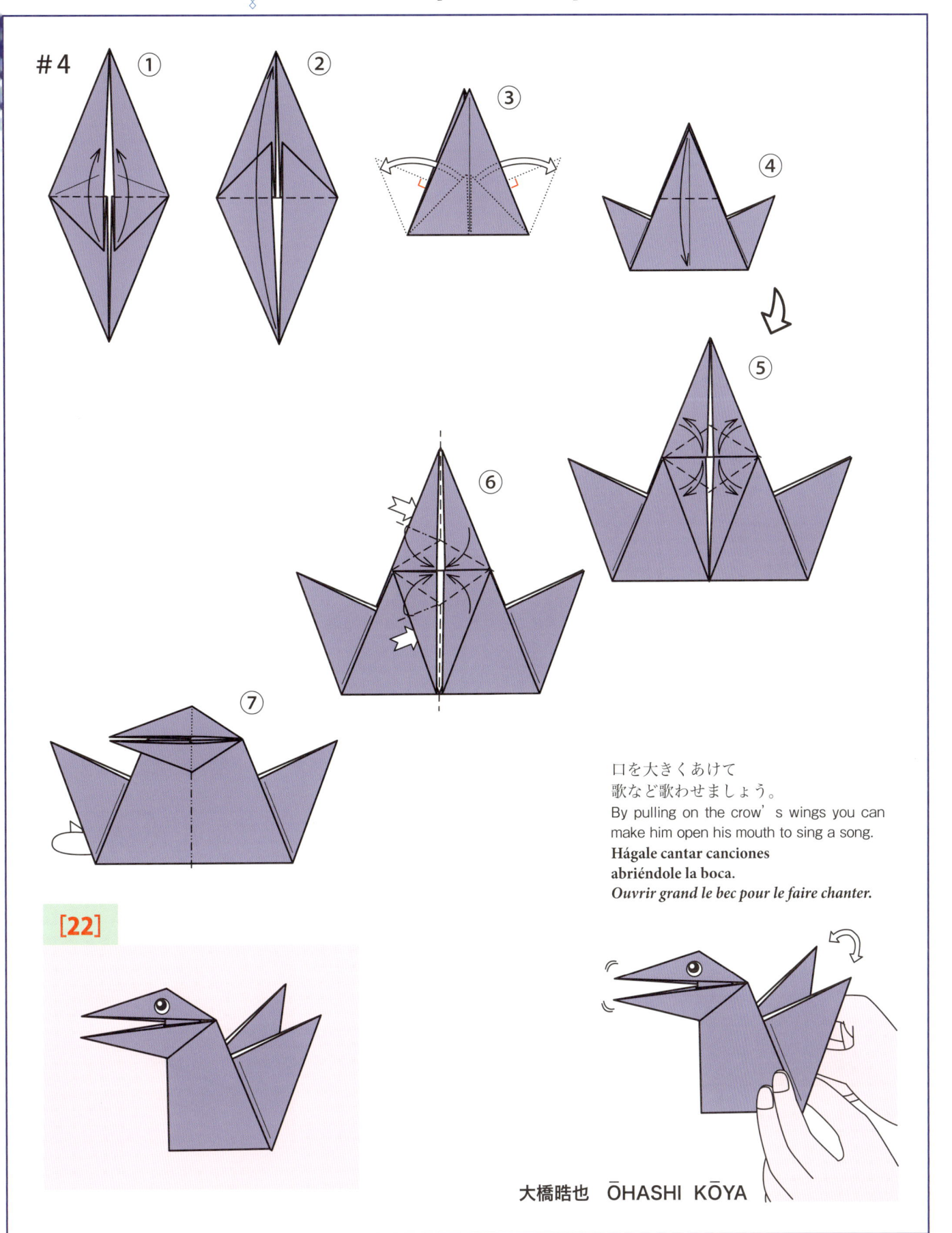

#4

口を大きくあけて
歌など歌わせましょう。
By pulling on the crow's wings you can make him open his mouth to sing a song.
Hágale cantar canciones abriéndole la boca.
Ouvrir grand le bec pour le faire chanter.

[22]

大橋晧也　ŌHASHI KŌYA

-29-

ORIGAMI TEXTBOOK

[23] 家Ⅰ　　[24] オルガン
house Ⅰ　　**organ**
casa Ⅰ　　**órgano**
maison Ⅰ　　*orgue*

ちょっと工夫すると、色々な家やオルガンが折れます。
Change the design and use your own ideas to create different kinds of houses and organs.
Con un poco de imaginación, puede hacer diversas casas y órganos.
Avec un peu d'imagination on peut faire diverses maisons et orgues.

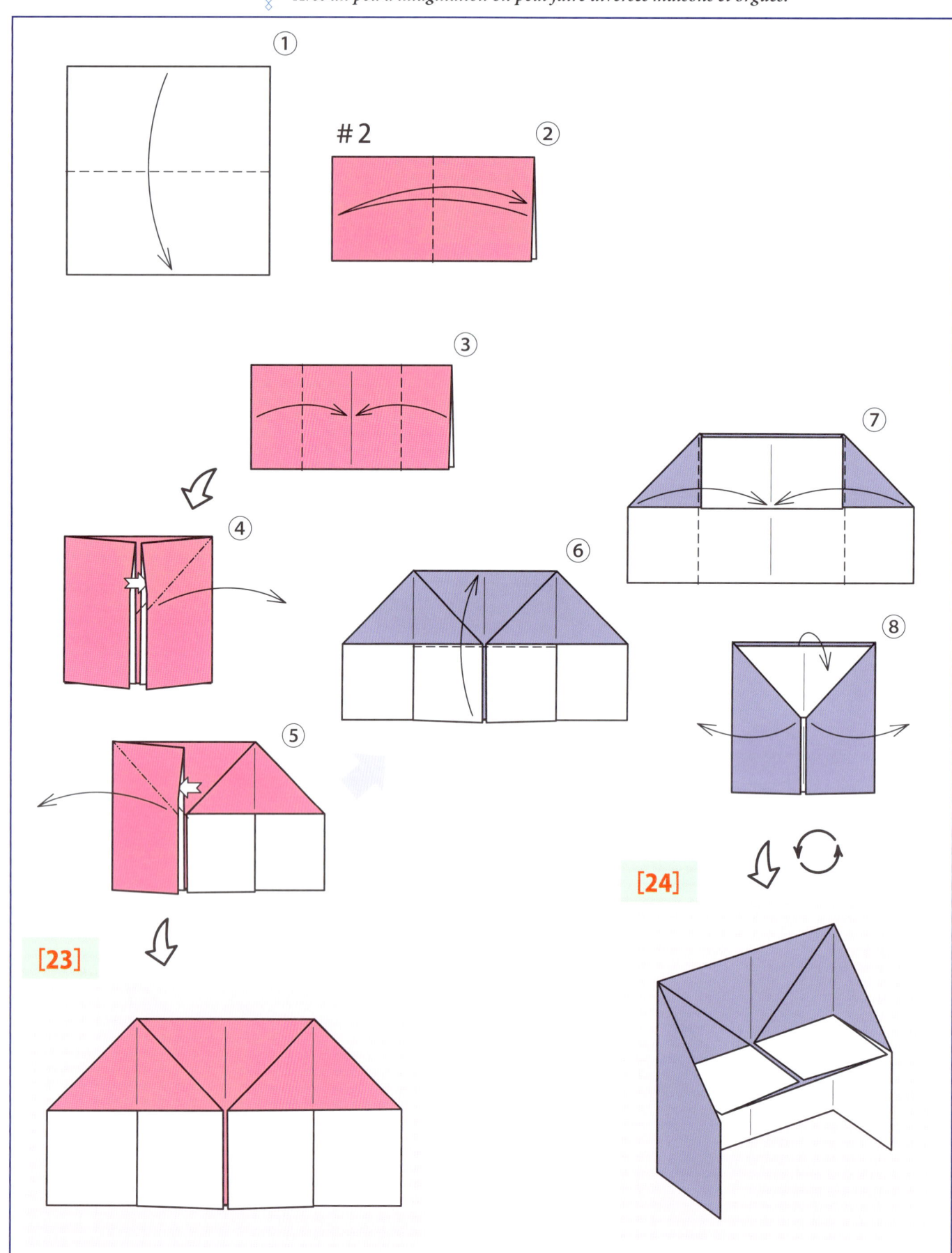

[23]

[24]

ORIGAMI TEXTBOOK　　　　　　　　　　-30-

[25] GIハット　[26] キツネの面
GI hat　　**fox mask**
gorro de soldado　máscara de zorro
béret　　*masque de renard*

GIハットとはアメリカ兵の帽子です。今は「ハンバーガーやさんのぼうし」として折られるようです。GIハットの⑤を天地を逆にすると、さいふです。

"GI helmet" is the American soldier's helmet. Now this model is considered as a "hamburger shop clerk's hat". Upside down of ⑤ of "GI helmet" is a wallet.

GI hat es la gorra de soldado americano. Actualmente se pliega como "gorra del cocinero de hamburguesas". Invirtiendo la gorra de soldado americano en el paso ⑤ obtendremos una billetera.

"Casque GI" est un casque de soldat américain. Maintenant, ce modèle est considéré comme "le chapeau des vendeurs d'hamburgers". L'envers de ⑤ du "Casque GI" est un porte-monnaie.

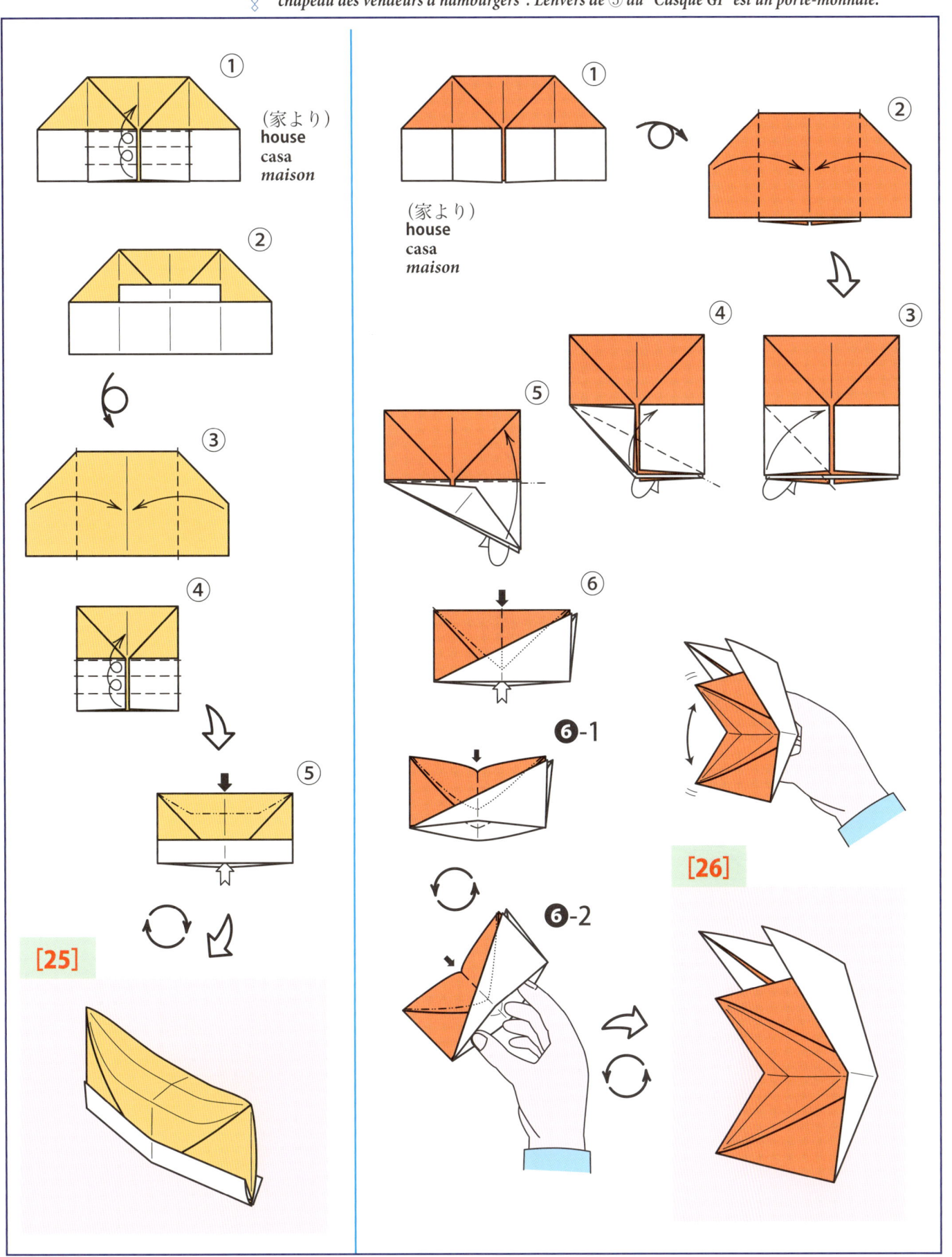

(家より) house casa *maison*

[25]

[26]

ORIGAMI TEXTBOOK

[27] 王冠
crown
corona
couronne

ナプキン折りの代表的な形です。
It is a typical form of napkin folding.
Es la forma representativa de pliegue de servilleta.
C'est une forme typique du pliage des serviettes

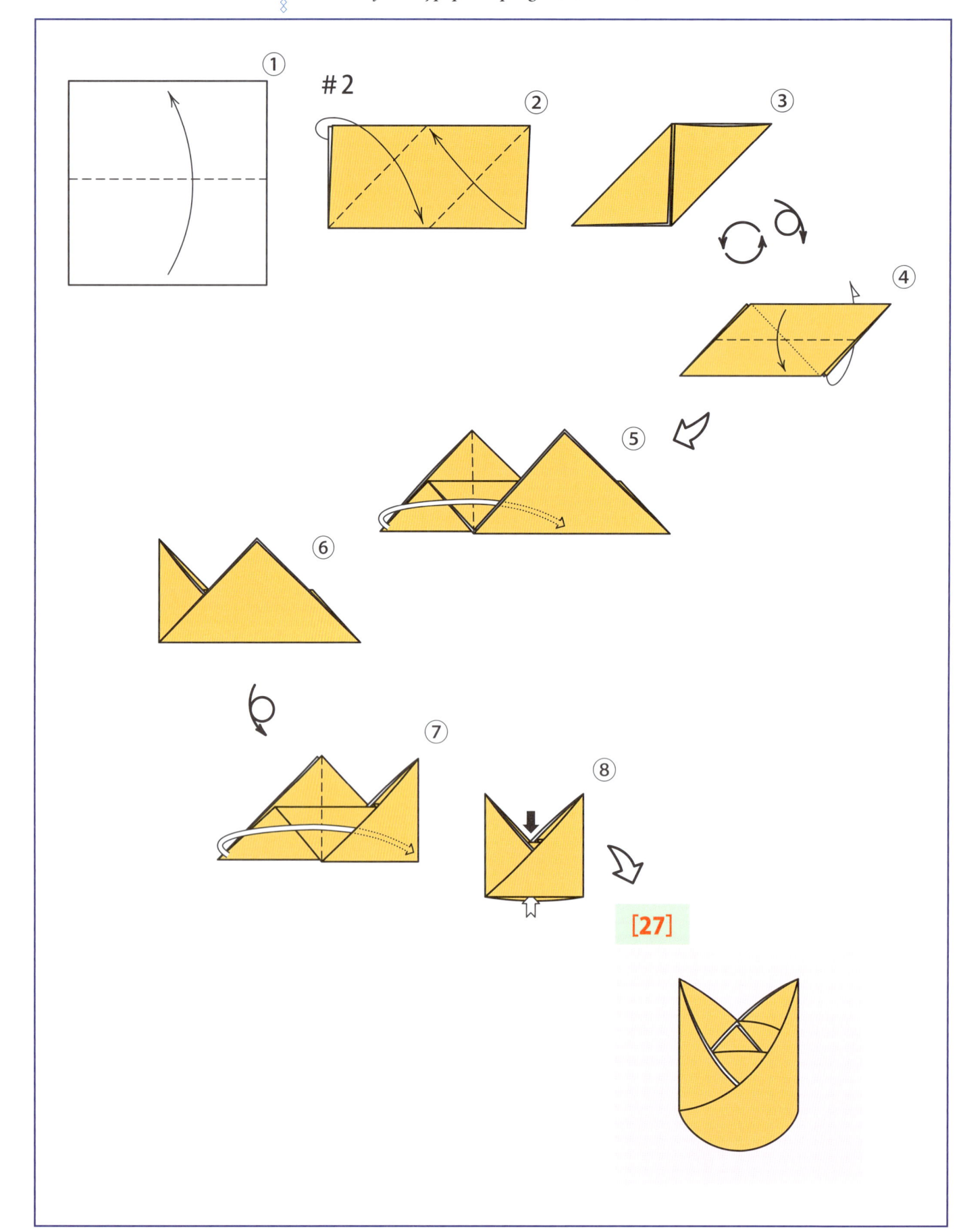

ORIGAMI TEXTBOOK

[28] 桃
peach
melocotón
pêche

工夫すると葉の色を変えることができます。
it is possible to change the color of the leaves as one likes.
Puede cambiar el color de las hojas.
Il est possible de changer la couleur des feuilles à volonté.

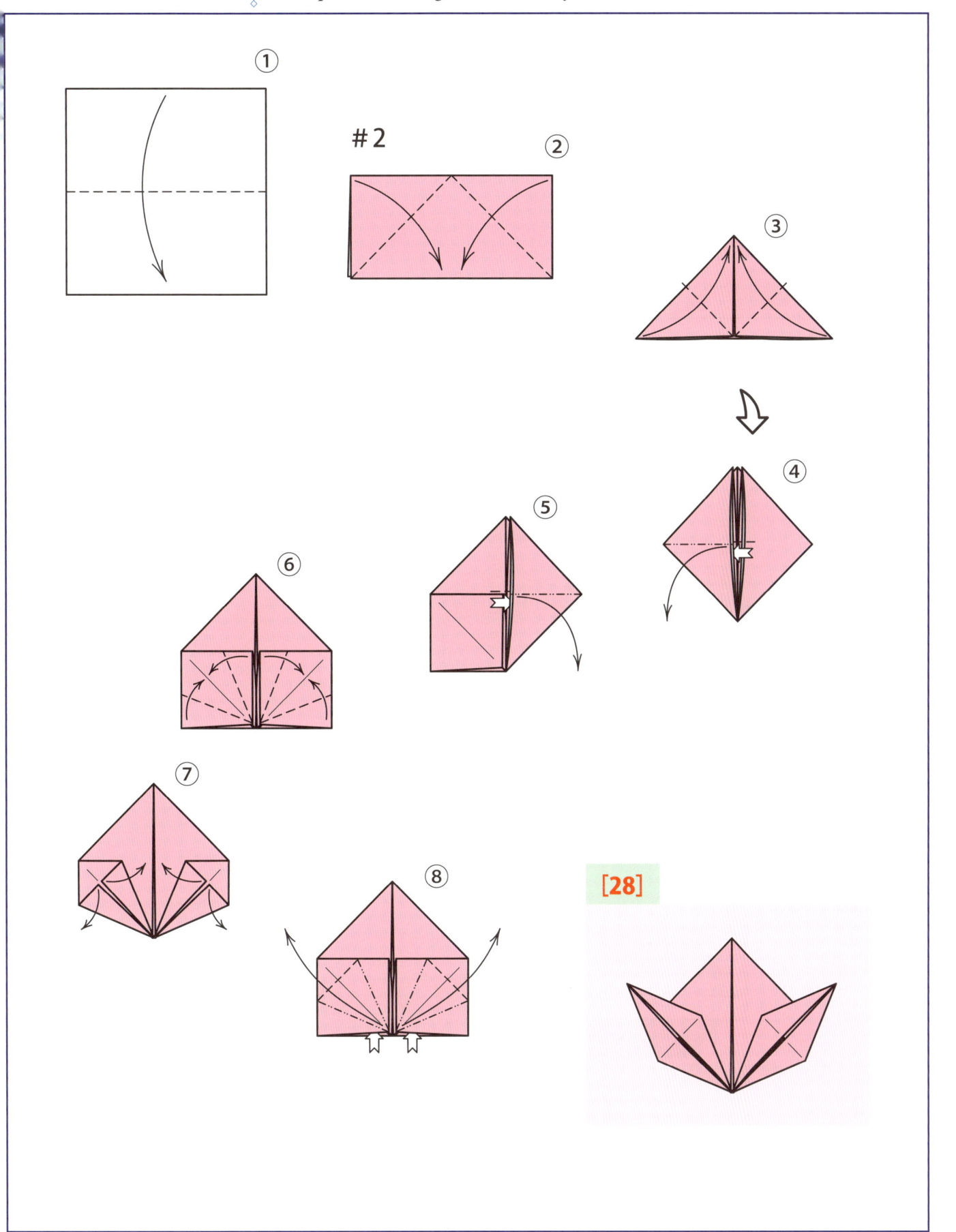

#2

[28]

[29] はこ I
box I
caja I
boîte I

⑧で、箱の形にするテクニックをおぼえましょう。ちらしなどの長方形の紙でも折れます。③の仮想線は下に隠れている部分を表しています。

Virtual lines of ③ represents the part hidden behind. In step ⑧, learn the technique to realize the form of a box. This model can be made of a rectangle paper such as a flyer.

Puede utilizar papel rectangular de volantes y otros. La línea imaginaria en ③ representa la parte de abajo que no es visible. Memorice la técnica para dar la forma de caja en ⑧.

Des lignes virtuelles de ③ représente la partie cachée derrière. Dans l'étape ⑧, il convient d'apprendre la technique pour réaliser la forme d'une boîte. Ce modèle peut être réalisé à partir d'un papier rectangulaire, comme un prospectus ou autre.

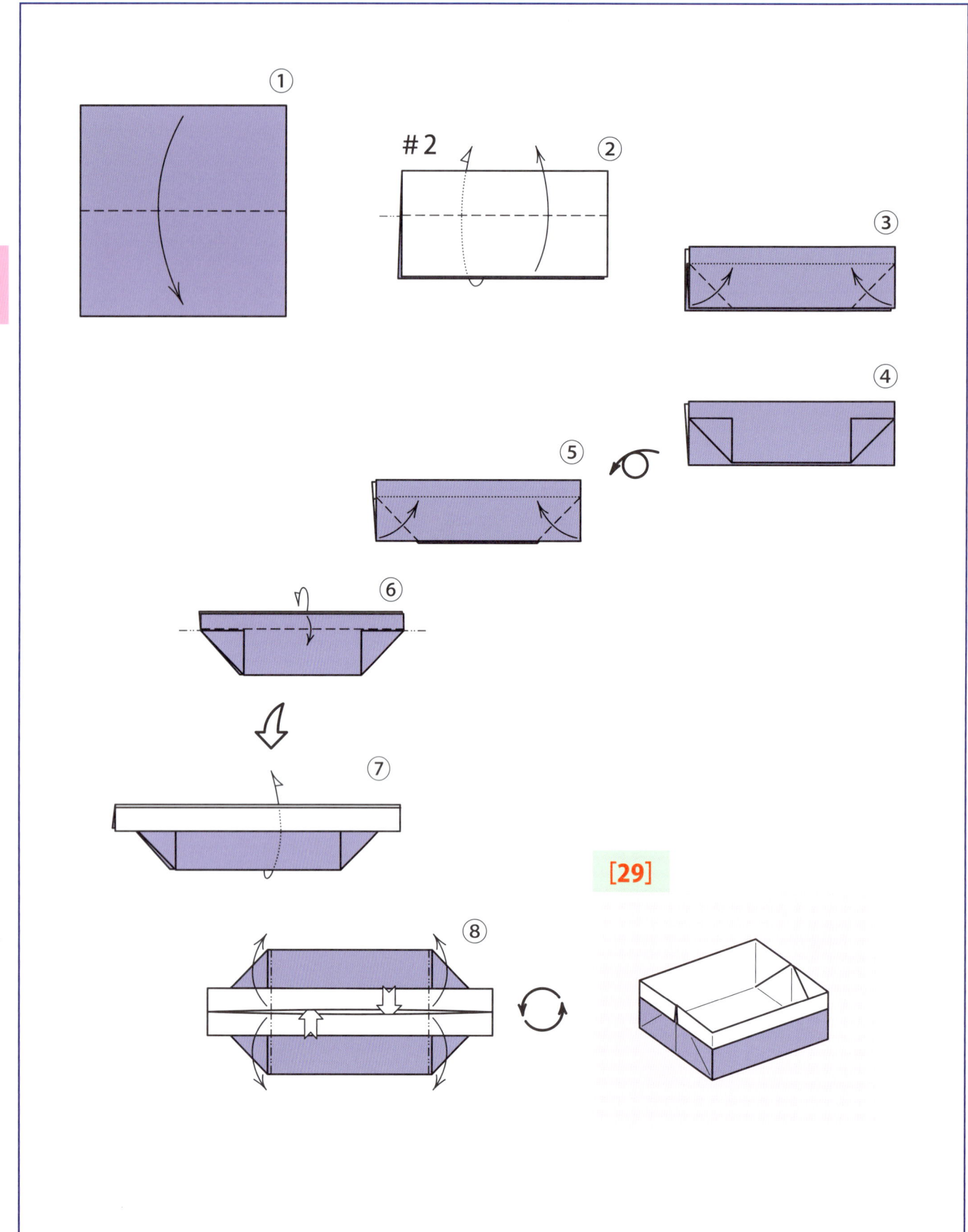

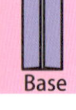

Base

[29]

ORIGAMI TEXTBOOK

-34-

かんのん基本形
Door Base
Base de puerta de dos hojas
Base de porte à deux battants

観音の厨子のようにまん中から左右両開きの扉に似ているので「かんのん基本形」と名づけられました。

This is named "Door Base" as it looks like a casement.

Se denomina "base de puerta" por parecerse una puerta que abre y cierra hacia ambos lados.

Ceci est appelé "base de porte a deux battants" car il ressemble à une portes à volets.

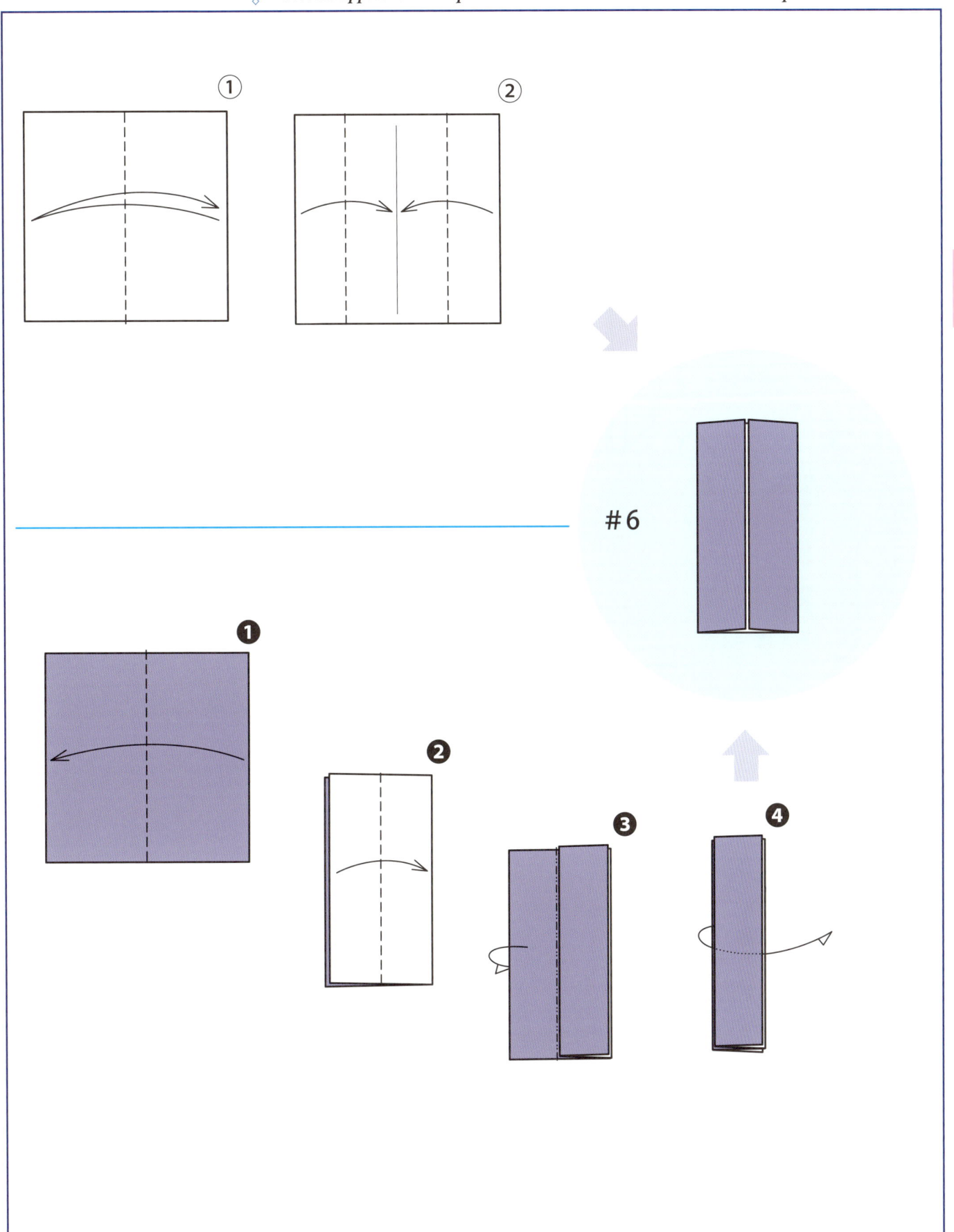

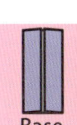

#6

ORIGAMI TEXTBOOK

[30] ちょうちん　[31] さいふ
lantern　　　**wallet**
lámpara　　　*billetera*
lanterne　　　*portefeuille*

ちょうちんは①の折る位置で形が変わります。ここでは、図のような形になるように折りましょう。

Depending on the position to fold in step ①, the shape of the lantern changes. Be sure to have the shape correspond to that in the figure.

La forma de la lámpara cambiará de acuerdo al lugar de pliegue en ①.
Pliegue como se indica para obtener la forma presentada.

Selon la position des plis de l'étape ①, la forme de la lanterne change. Assurez-vous que la forme corresponde au modèle représenté dans l'image.

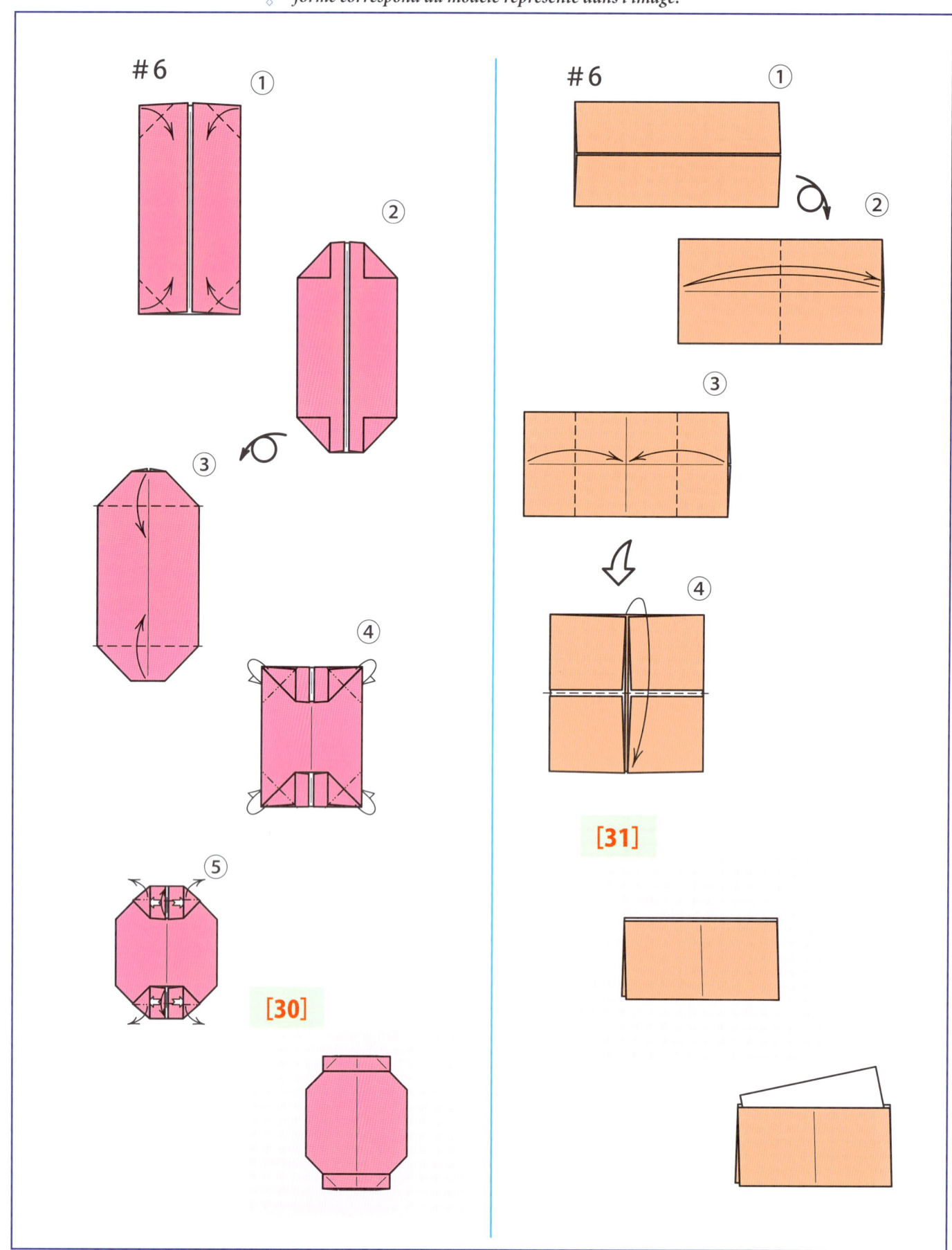

#6

[30]

#6

[31]

—36—

ORIGAMI TEXTBOOK

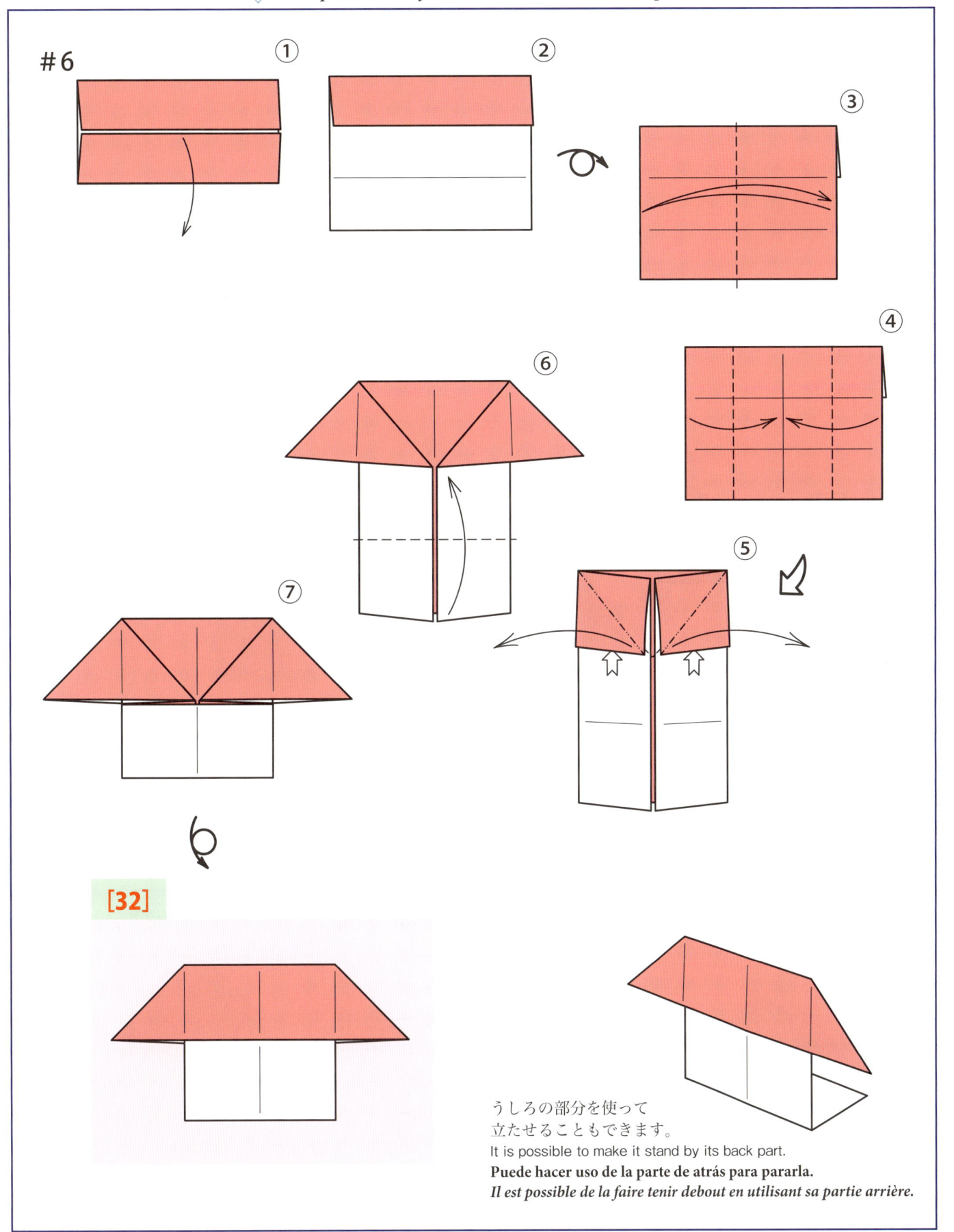

[32] 家 II
house II
casa II
maison II

うしろの部分を使って立たせることもできます。
It is possible to make it stand by its back part.
Puede hacer uso de la parte de atrás para pararla.
Il est possible de la faire tenir debout en utilisant sa partie arrière.

#6

[32]

うしろの部分を使って
立たせることもできます。
It is possible to make it stand by its back part.
Puede hacer uso de la parte de atrás para pararla.
Il est possible de la faire tenir debout en utilisant sa partie arrière.

-37-

ORIGAMI TEXTBOOK

[33] びん
bottle
botella
bouteille

⑬で中わり折りをすることで、立たせることができます。
By doing the Inside Reverse Fold in step ⑬, it is possible to get it stand.
Puede pararla haciendo pliegues hacia adentro en ⑬.
En faisant le pli renversé intérieur à l'étape ⑬, il est possible de la faire tenir debout.

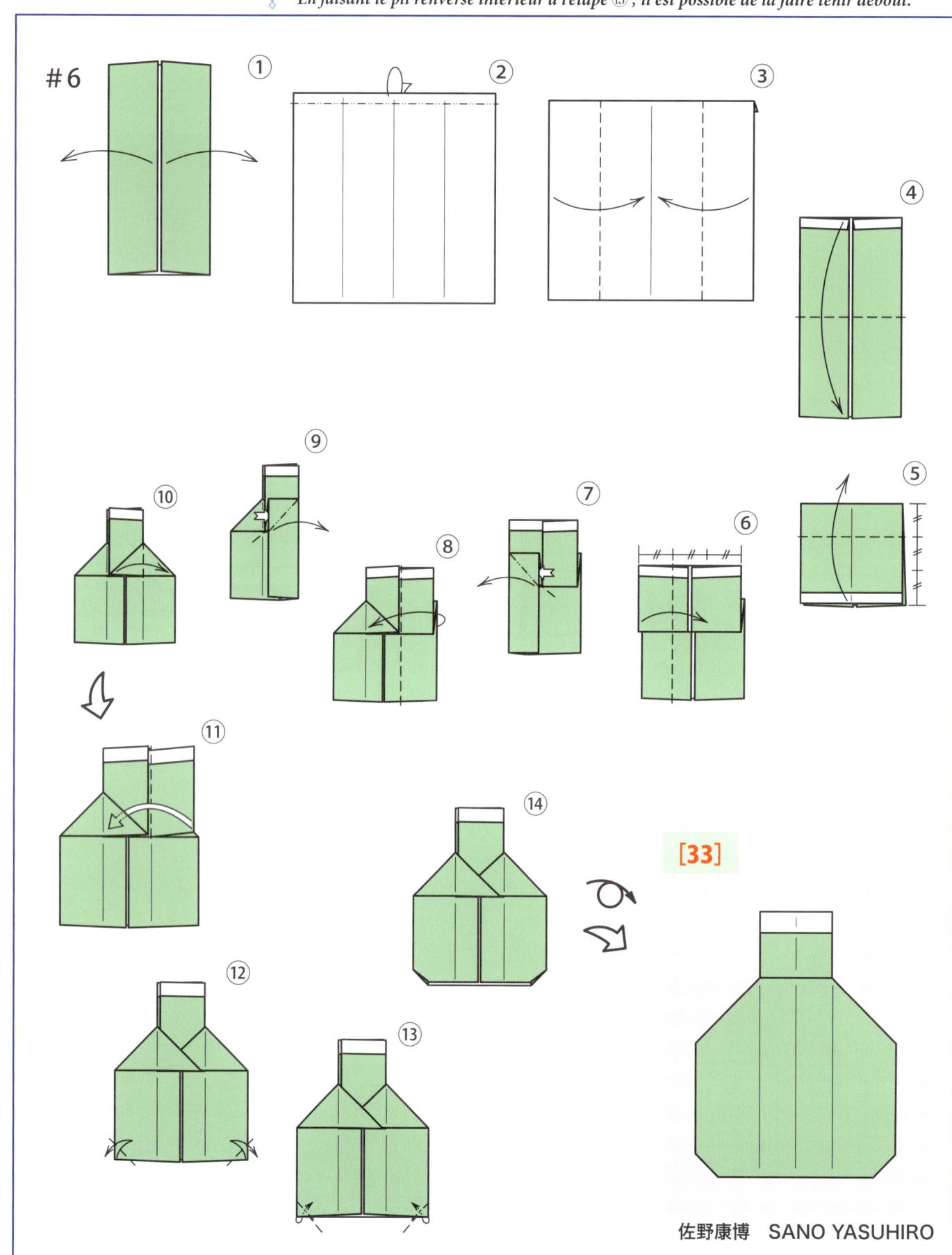

#6

[33]

佐野康博　SANO YASUHIRO

ORIGAMI TEXTBOOK　　　　　　　　　　　　　　　　-38-

[34] 二枚貝
clam
almeja
palourde

かんのん基本形を半分の幅に折りたたみ、左右にずらしながら扇型に開きます。
Start from the Door Base to make pleat folds and open the paper in the shape of a fan while shifting the pleats to the right and left.
Plegar por la mitad la base de puerta de dos hojas y luego abrirla deslizándola hacia ambos lados en forma de abanico.
Ce jouet est un chef-d'aeubre d'origami qui culbute en faisant un bruit rhytmé.

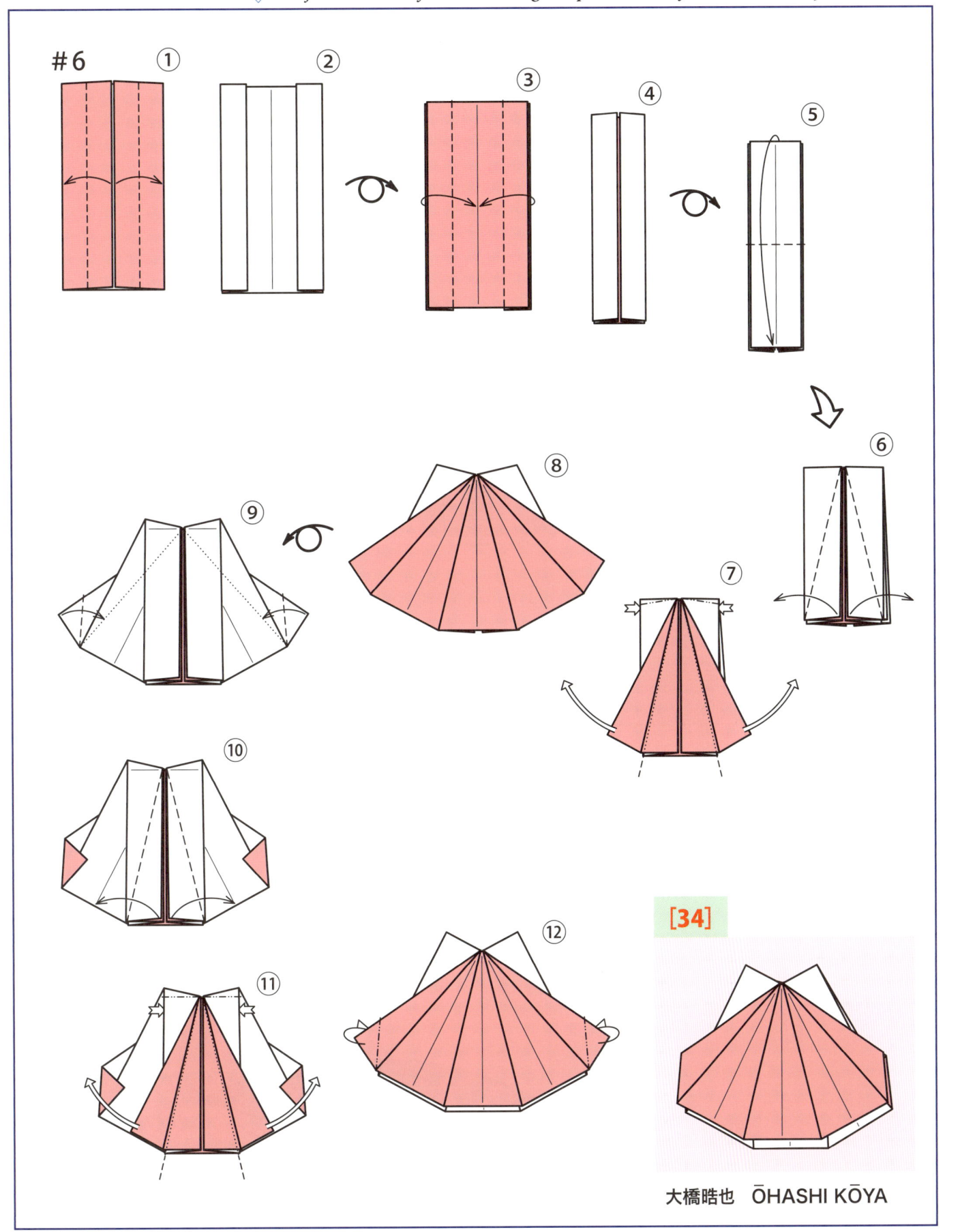

#6

[34]

大橋晧也　ŌHASHI KŌYA

-39-

ORIGAMI TEXTBOOK

[35] ボート

boat

embarcación

bateau

ひっくりかえすテクニックを練習してください。

This boat will allow you to practice the technique of turning the model inside out.

Esta embarcación le permitirá aprender la técnica de desplegar la figura de dentro hacia afuera.

Il est conseillé de pratiquer la technique qui consiste à retourner le modèle a l'envers.

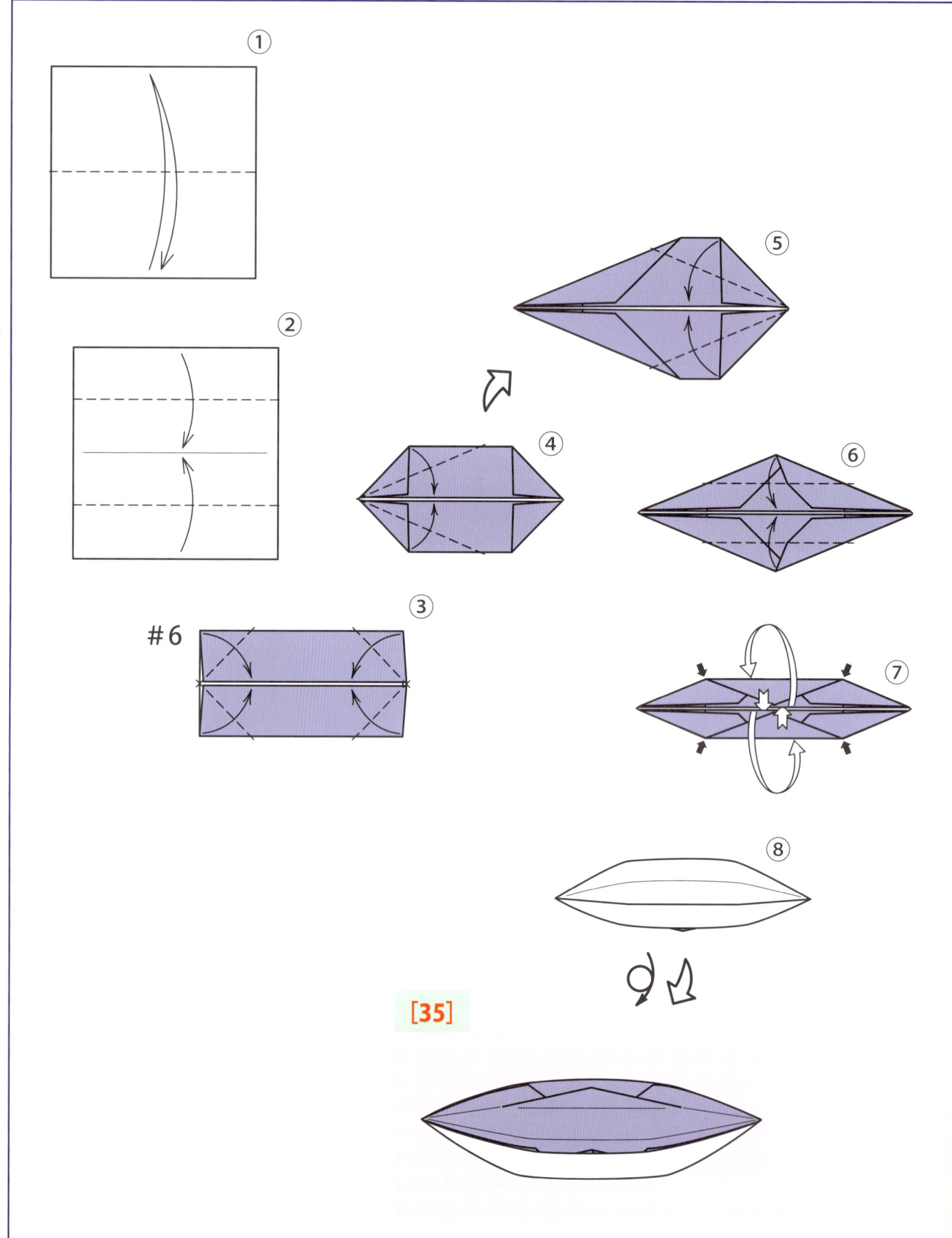

Base

#6

[35]

ORIGAMI TEXTBOOK

-40-

ざぶとん基本形
Blintz Base
Base de cojín
Base du coussin

4つのかどを中心にあわせて折った正方形で、「ざぶとん折り」ともいいます。
This model, called also "Blintz Base", is a square that is folded from 4 corners to the center.
Forma cuadrada que se hace juntando las cuatro esquinas en el centro y se llama "base de cojín".
Ce modèle, appelé aussi "la base du coussin", est un carré qui est plié au 4 coins vers le centre.

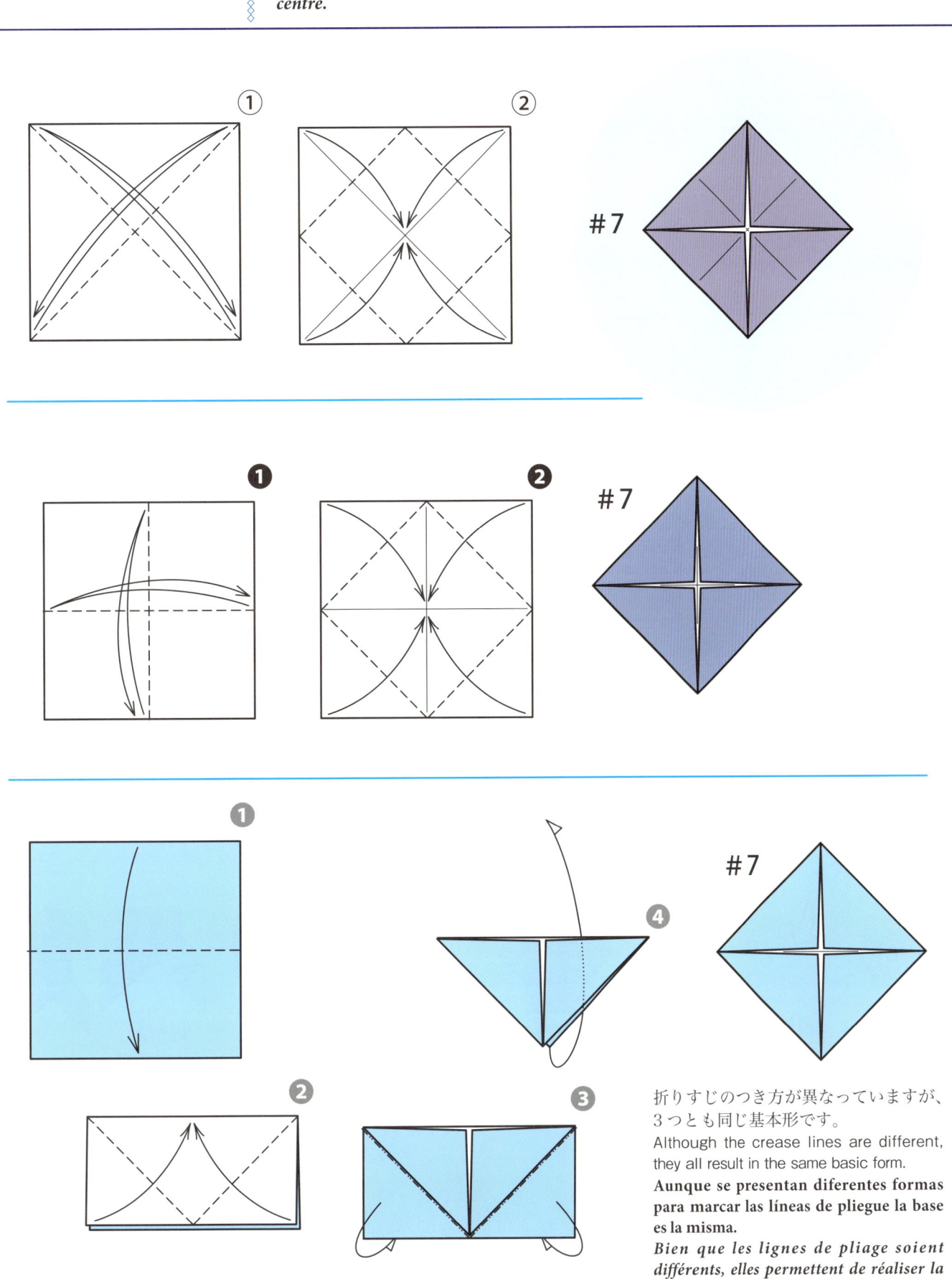

#7

Base

#7

#7

折りすじのつき方が異なっていますが、3つとも同じ基本形です。
Although the crease lines are different, they all result in the same basic form.
Aunque se presentan diferentes formas para marcar las líneas de pliegue la base es la misma.
Bien que les lignes de pliage soient différents, elles permettent de réaliser la même forme de base.

-41-

ORIGAMI TEXTBOOK

[36] やっこさん Ⅰ
Yakko-san Ⅰ
Yakko-san Ⅰ
Yakko-san Ⅰ

江戸時代には「薦僧」と呼ばれていた折り紙作品が、明治時代からしだいに、見立てが奴凧に変わり、そして奴に定着したと考えられています。
This model had been called "Komosou" in the Edo period. Since the Meiji period, it gradually began to look like "Yakko-kite" and finally became "Yakko".
La figura de origami conocida como "Komoso" durante el Período de Edo pasó a asemejarse un cometa en forma de sirviente en el Período de Meiji, y se considera que al final se estableció como la figura de un sirviente.
Ce modèle était appelé "Komosou" pendant la période Edo. Depuis la Période Meiji, il a progressivement évolué pour ressembler au "Cerf-volant Yakko" et finalement est devenu simplement "Yakko".

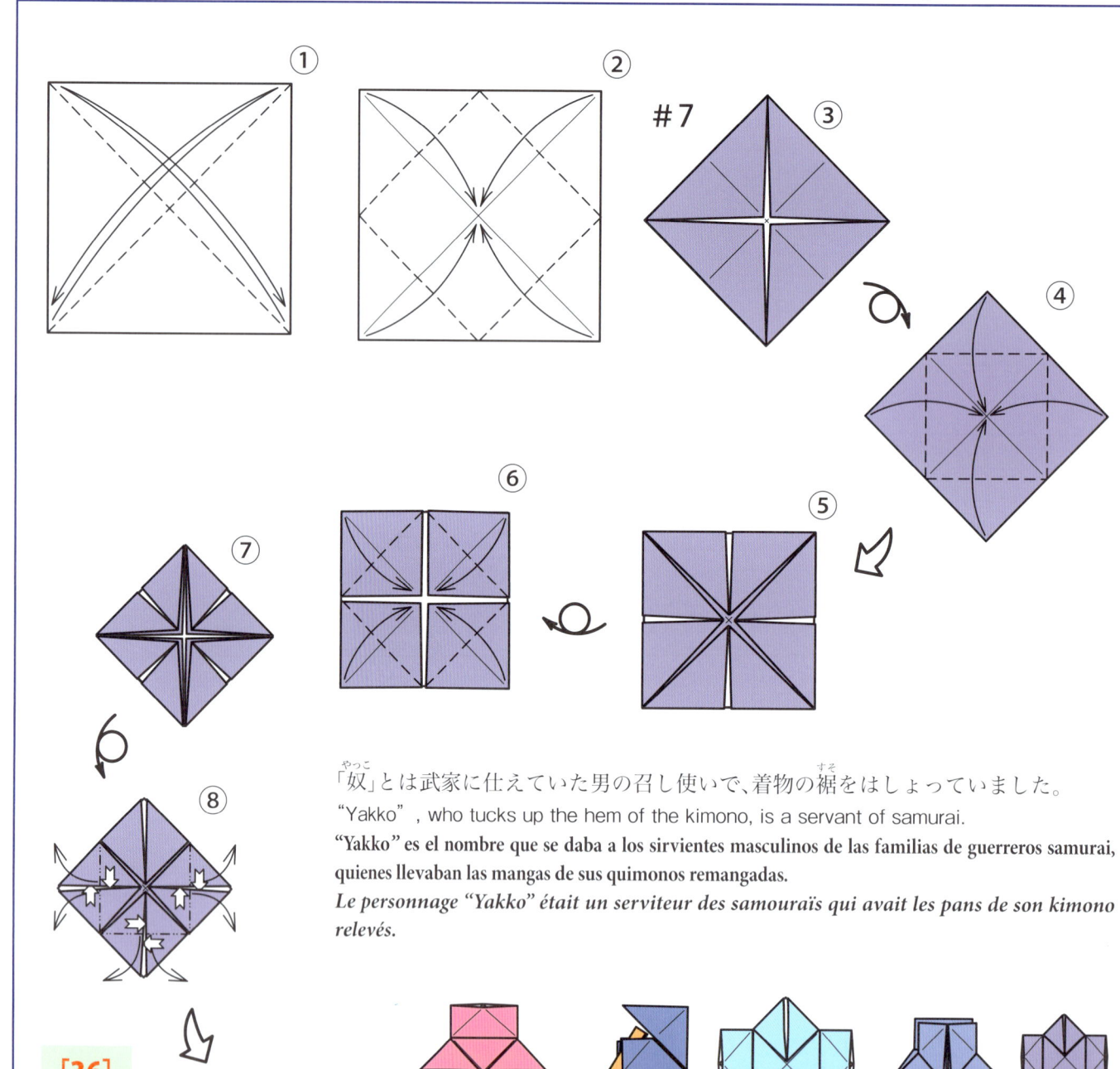

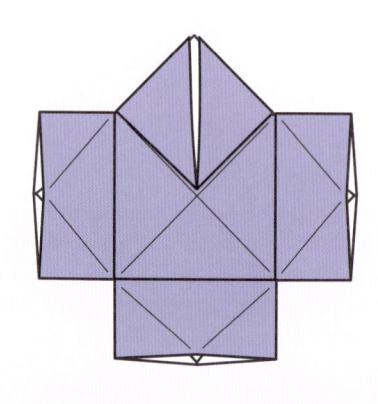

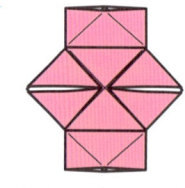

#7

[36]

「奴」とは武家に仕えていた男の召し使いで、着物の裾をはしょっていました。
"Yakko", who tucks up the hem of the kimono, is a servant of samurai.
"Yakko" es el nombre que se daba a los sirvientes masculinos de las familias de guerreros samurái, quienes llevaban las mangas de sus quimonos remangadas.
Le personnage "Yakko" était un serviteur des samouraïs qui avait les pans de son kimono relevés.

きりこどうろう
kiriko dōrō
paper lantern
Lámpara de papel
lanterne en papier

こむそう
komusō
mendicant priest
Komusō
prêtre mendiant

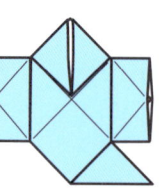

おばけ
ghost
Fantasma
fantôme

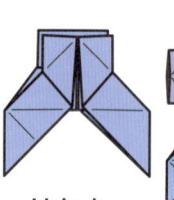

はかま
hakama
(divided skirt)
Hakama
hakama (pantalon large de cérémonie)

たたみかえると、いろいろな形に変化します。
Modifying the final folding allows us to have a variety of different models.
Con unas simples variaciones, podrá hacer diferentes figuras.
La modification du pliage final nous permet d'avoir une variété de modèles différents.

ORIGAMI TEXTBOOK －42－

[37] はこ II
Box II
Caja II
Boîte II

紙の大きさを変えたり、③⑤の折る比率を変えることで大小の箱ができます。
Larger or smaller boxes can be made by either changing the size of the paper or by altering the proportions used in step ③ and ⑤.
Cambiando el tamaño del papel o la proporción entre ③ y ⑤, obtendrá cajas más grandes o más pequeñas.
En changeant la taille de la feuille ou les proportions des numéros ③ et ⑤, on peut faire des boîtes plus grandes ou plus petites.

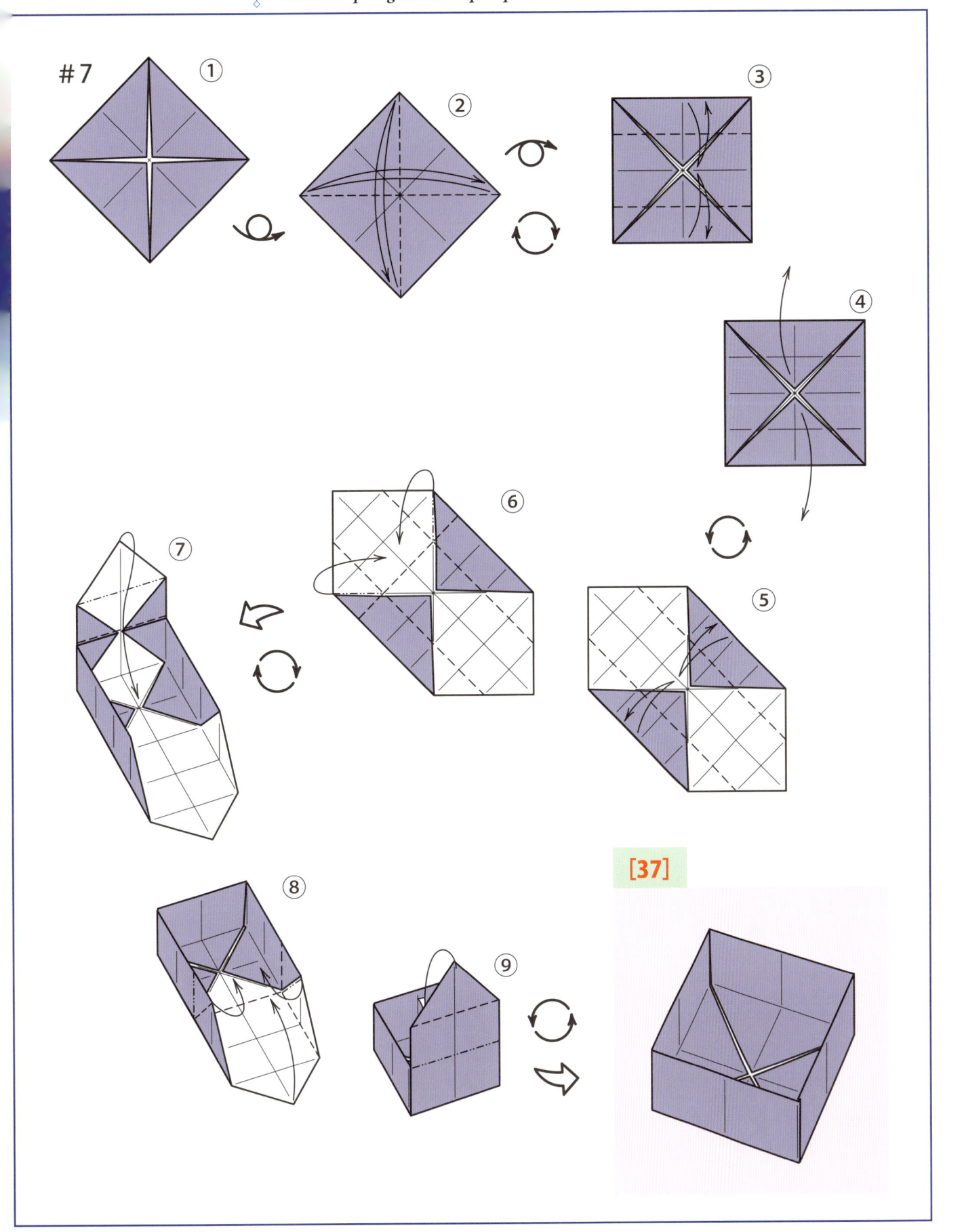

#7

[37]

-43-　　ORIGAMI TEXTBOOK

[38] 紅入れ

envelope for lip rouge

estuche de pintalabios

enveloppe pour rouge à lèvre

中に物が入る実用折り紙です。⑪で折る位置を変えてティッシュケースとしても使われています。なお、⑤の形からさまざまな創作作品が生まれています。

This is for a practical use to put things inside. By changing the position to fold in step ⑪, it can be used as a tissue case. A variety of models have been created from the form of step ⑤.

Es un origami de uso práctico que sirve como estuche. Cambiando el lugar de pliegue en ⑪ puede usarlo también como estuche de papel tisú. A partir de la forma en ⑤ pueden crearse diferentes figuras originales.

Ce modèle peut être utilisé pour mettre des choses à l'intérieur. En modifiant la position de pliage de l'étape ⑪, ce modèle peut être utilisé comme une enveloppe pour mouchoirs en papier. Remarquez que différents modèles ont été créés à partir de la forme de l'étape ⑤.

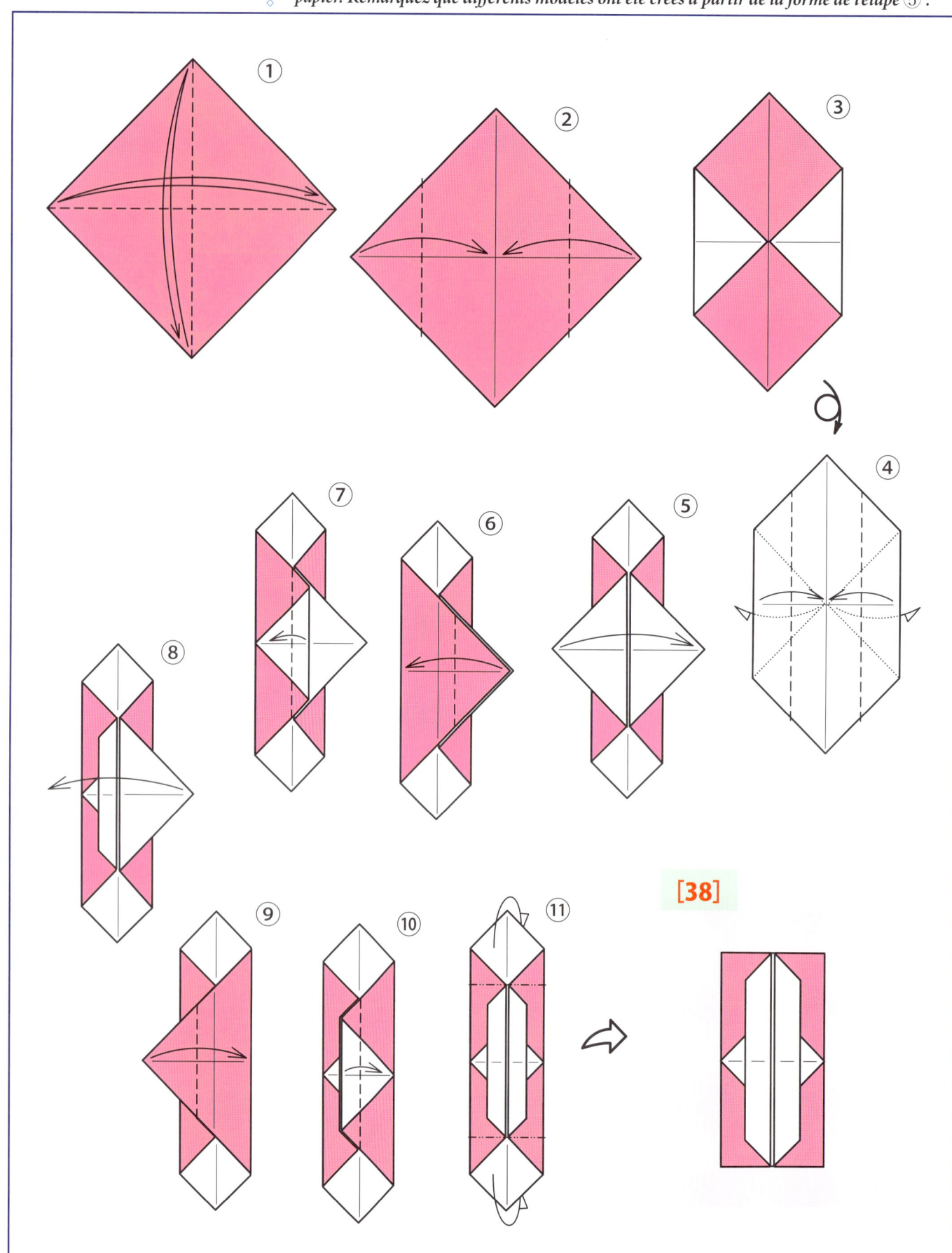

ORIGAMI TEXTBOOK

[39] 飛行機
airplane
avión
avion

まっすぐ飛ばすようにしましょう。
Throw the plane horizontally to make it fly the farthest.
Hágalo volar horizontalmente.
Faire voler cet avion horizontalement.

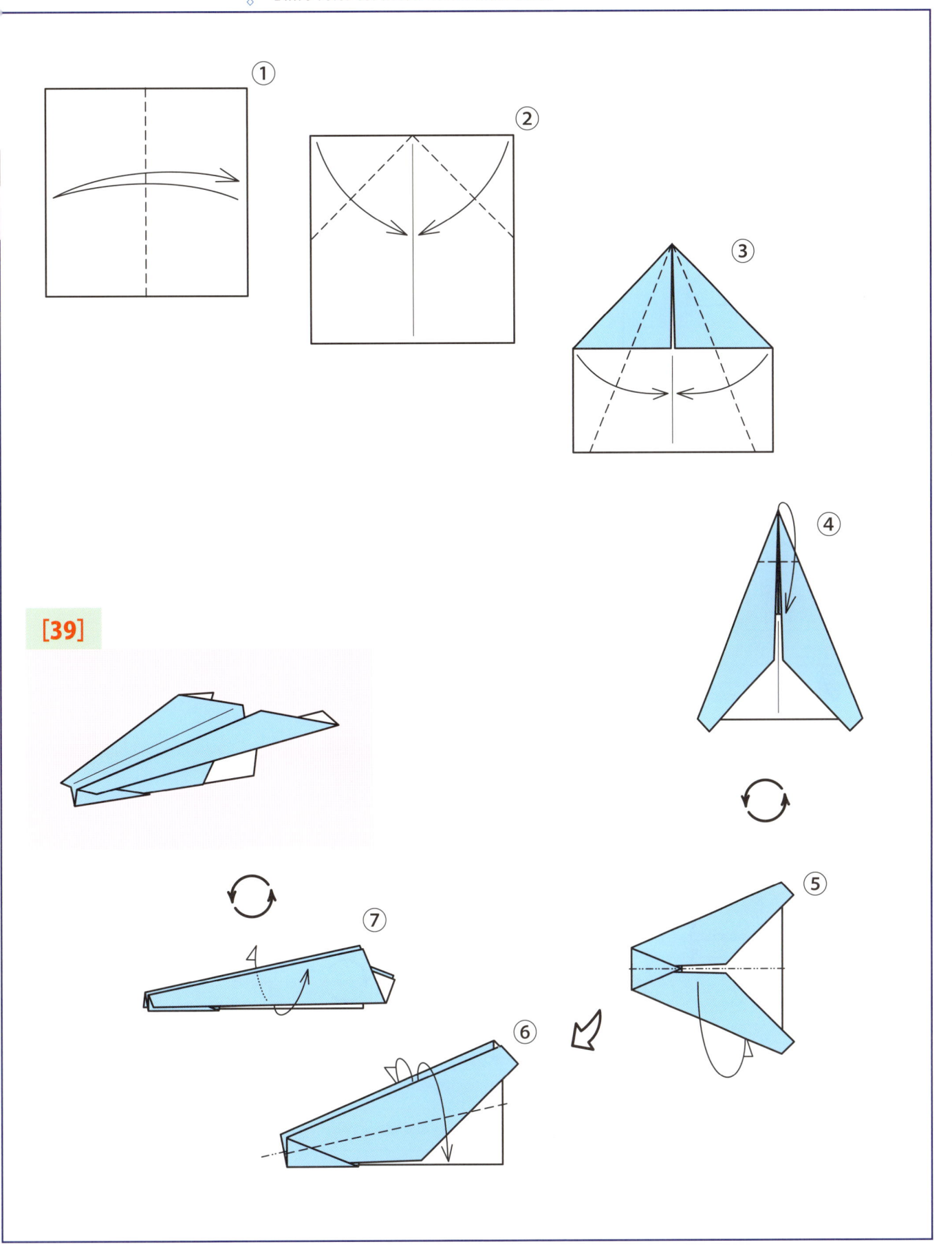

[39]

-45-

ORIGAMI TEXTBOOK

[40] イス
chair
silla
chaise

⑪はできあがりの形をよく見て、形をととのえましょう。
In step ⑪, adjust the shape while looking the final shape well.
En ⑪ observe la forma final y haga los ajustes necesarios.
A l'étape ⑪ , ajustez la forme en observant la forme finale.

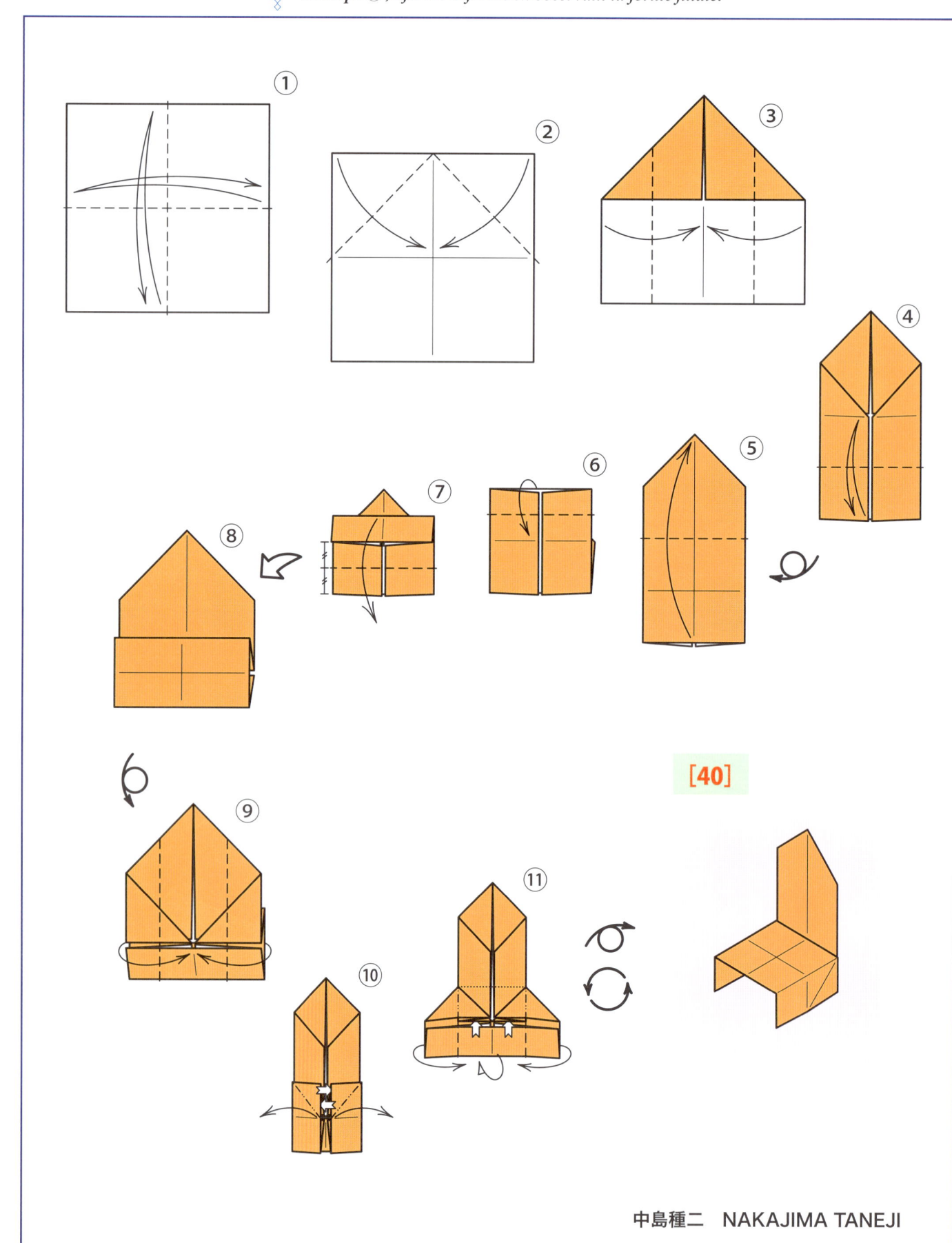

[40]

中島種二　NAKAJIMA TANEJI

ORIGAMI TEXTBOOK -46-

[41] お多福
Otafuku (homely woman)
Otafuku (mujer ordinaria)
Otafuku

雛人形、福助、人形などさまざまな見立てで伝承されている作品です。
This model is handed down as hina dolls, fukusuke, dolls, and so on.
Figura tradicional semejante a las muñecas hina, Fukusuke, muñecas, etc.
Ce modèle a été transmis sous les termes suivant: poupées hina, fukusuke, poupées, etc.

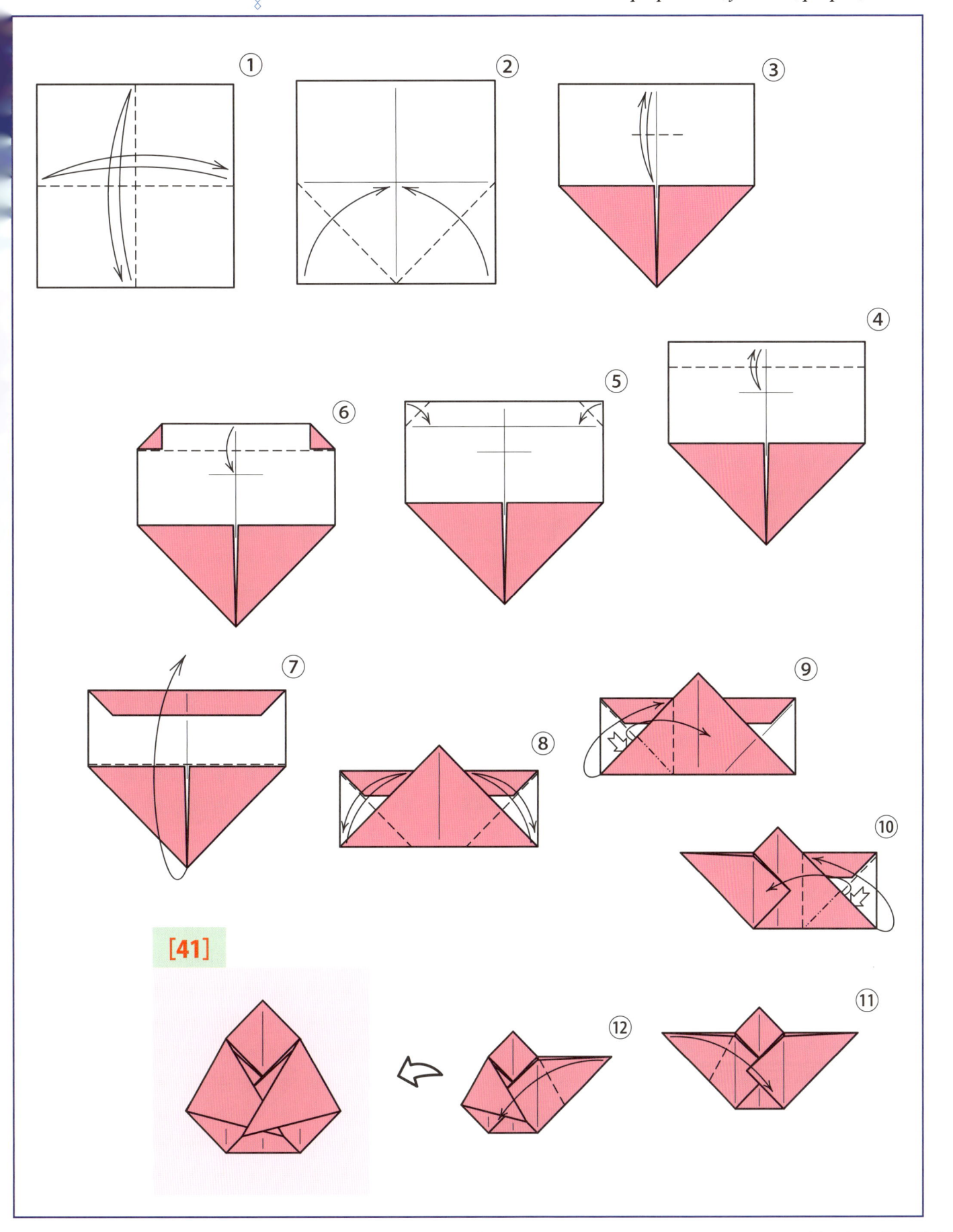

[41]

-47-

ORIGAMI TEXTBOOK

二そう舟基本形
W-Boat Base
Base de catamarán
Base du catamaran

❻の形が二そう舟です。舟が二艘並んだ形です。
The form of ❻ is a double boat. Two boats are aligned.
❻ **tiene forma de barco doble. Es una figura de dos barcos alineados.**
ILa forme de l'étape ❻ est un catamaran où deux flotteurs sont alignés.

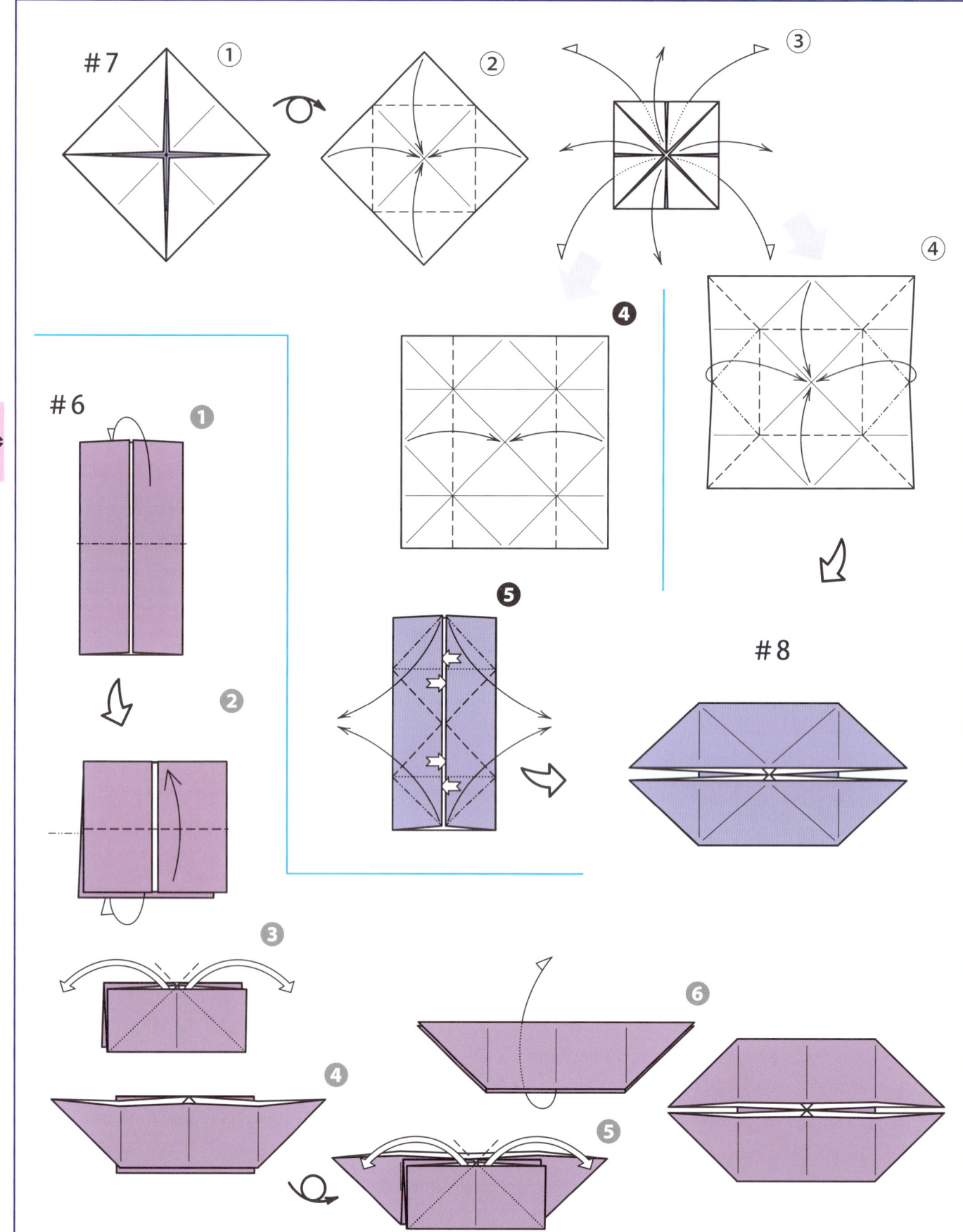

#7

#6

#8

ORIGAMI TEXTBOOK

-48-

[42] かざぐるま
pinwheel
molino
moulin à vent

[43] ほかけぶね(だましぶね)
sailboat (trick catboat)
velero (falso velero)
voilier (bateau magique)

簡単な変化で色々工夫ができます。
Simple variationes of this base can result in a wide variety of different models.
Con unas simples variaciones, podrá hacer diferentes figuras.
À partir de la base du catamaran plusieurs variations sont possibles.

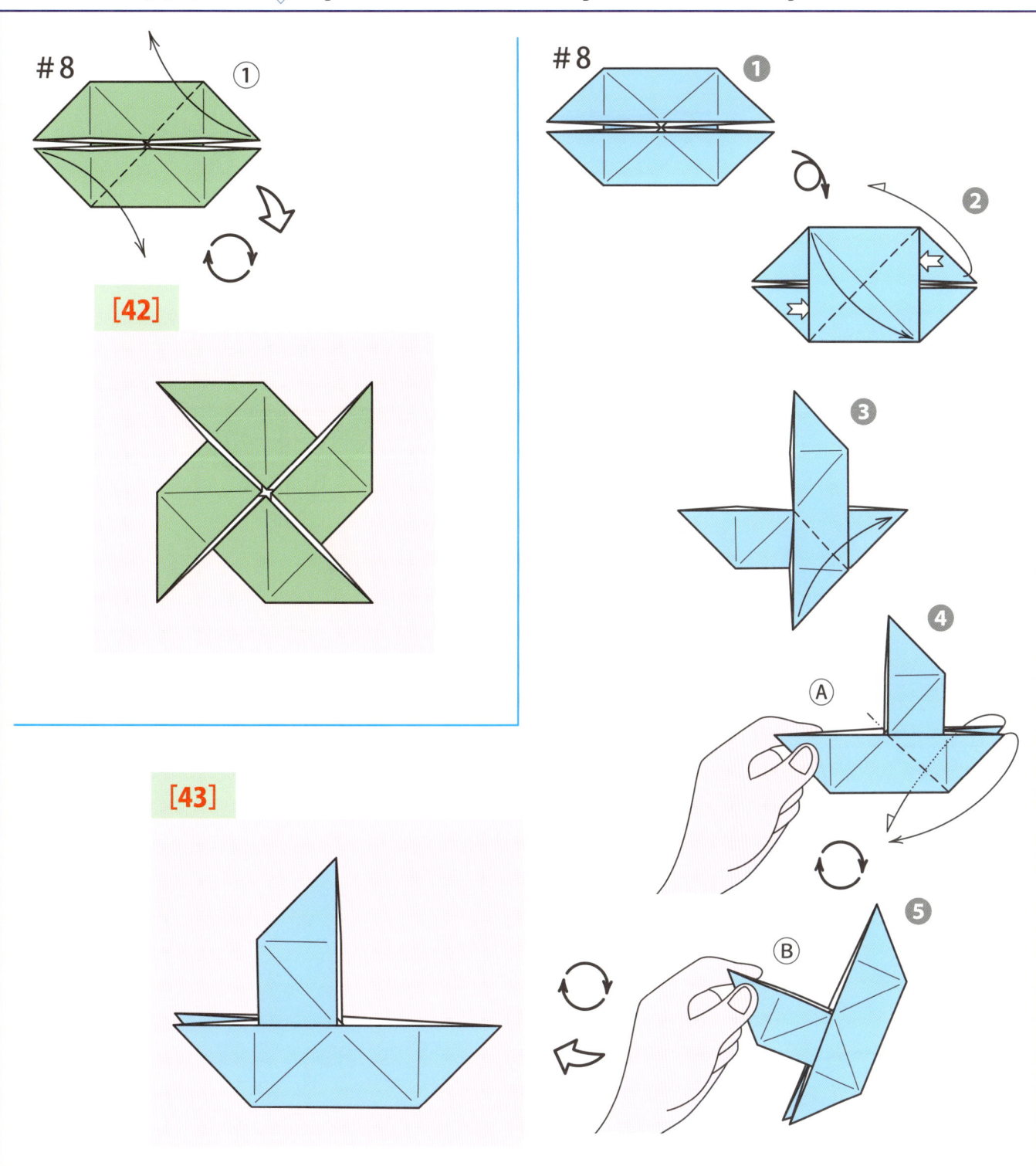

#8

[42]

#8

Base

[43]

あいてに⒜のように持たせて目をつぶらせ、矢印のように動かします。あいてが目をあけた時は⒝のようになっています。
Have someone hold the base of the sailboat as shown in Ⓐ and shot his eyes. Move the flaps down as shown by the arrows. When he opens his eyes, he will now be holding the sail as shown in Ⓑ.
Haga que una persona lo agarre como se muestra en Ⓐ y hágale cerrar los ojos. Después mueva la figura en la dirección de la flecha. Cuando la persona abra los ojos, encontrará la figura Ⓑ.
Tenir le coin Ⓐ et demander au spectateur de fermer les yeux. Vite baisser les volets dans la direction indiquée par les flèches. Le spectateur sera surpris de voir le voilier en position Ⓑ.

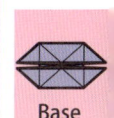

−49−

ORIGAMI TEXTBOOK

[44] ちょうちょう
butterfly
mariposa
papillon

⑧は中心を立てて、羽の形をととのえます。
In step⑧, make erect the center part and arrange the shape of wings.
En ⑧ pare el centro y ajuste la forma de las alas.
A l'étape ⑧ , donner du relief à la partie centrale et ajuster la forme des ailes.

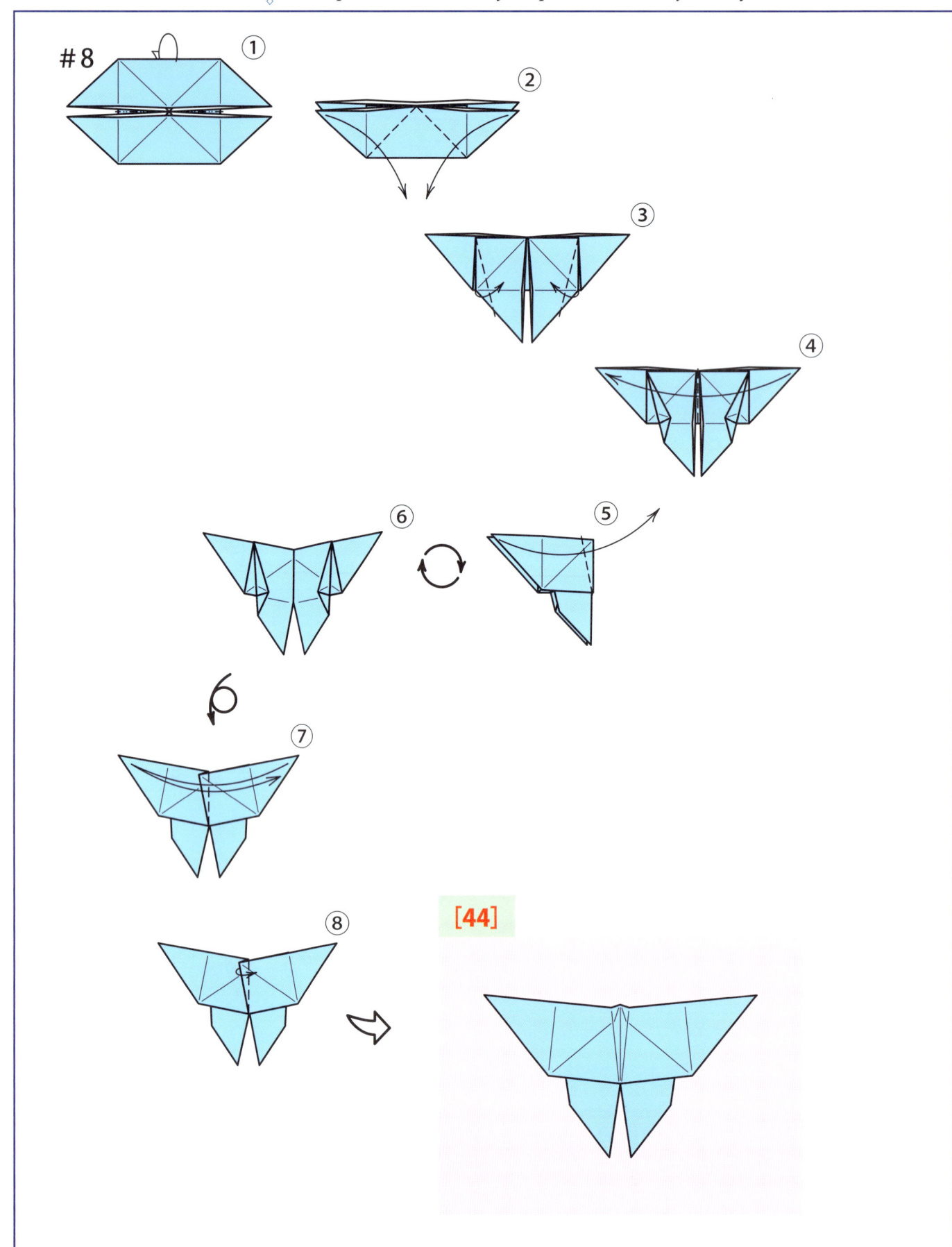

[44]

ORIGAMI TEXTBOOK

-50-

[45] 百面相
faces
varios semblantes
expressions diverses

P48の右上のように折ると一気にしあがります。同じ形が「フレーベルの模様折りの基礎」と呼ばれています。

It is possible to fold faster by making the lines in advance as shown at the top right of P48. This form is called the "basic of Froebel patterns".

Si pliega la figura como se indica en la parte superior derecha de la página 48 terminará enseguida. Esta figura se llama "base del origami de figuras de Fröbel".

Il est possible de plier plus rapidement en faisant les lignes à l'avance comme indiqué en haut à droite de la P48. Cette forme est appelée "patron de base de Fröbel".

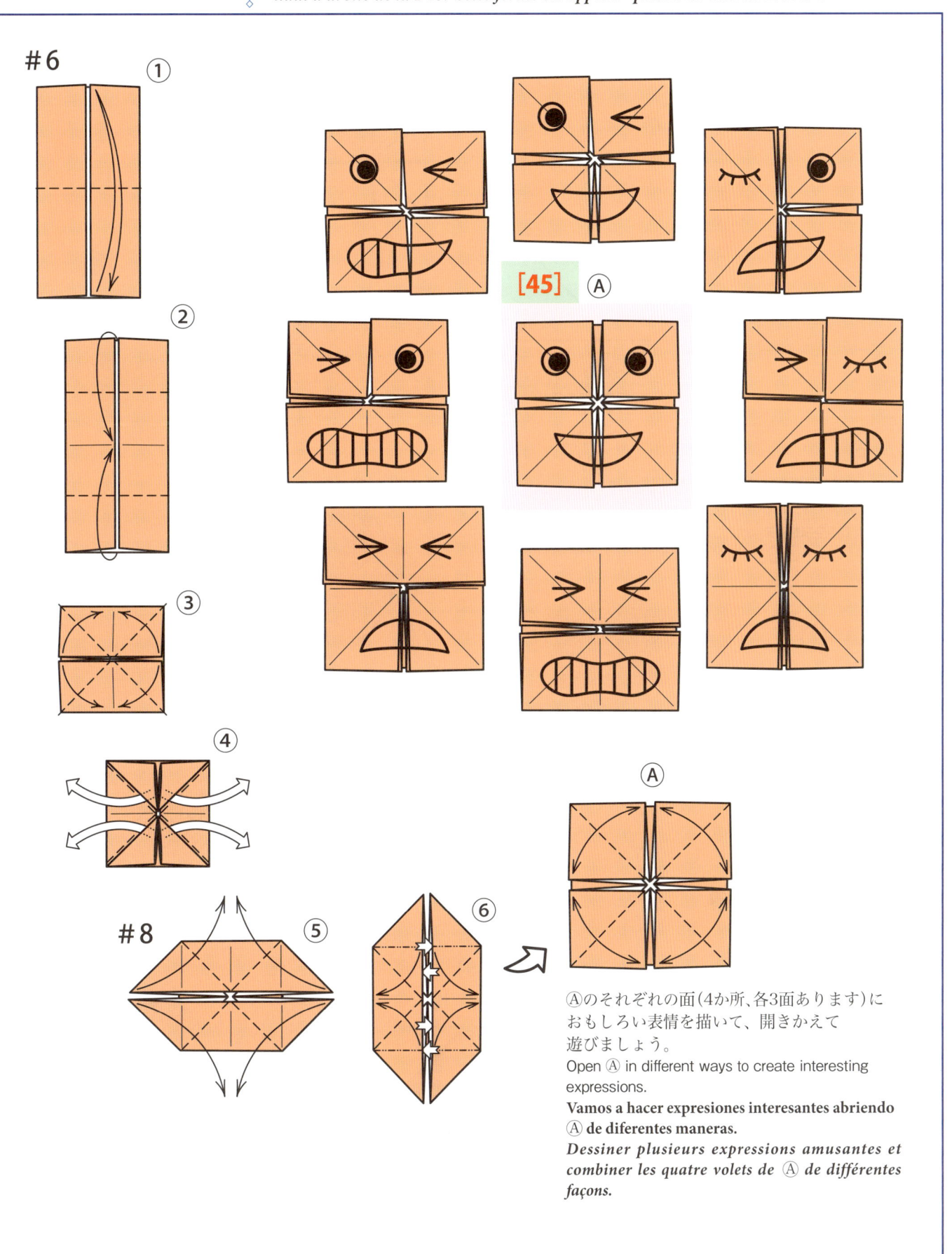

Ⓐのそれぞれの面(4か所、各3面あります)に
おもしろい表情を描いて、開きかえて
遊びましょう。
Open Ⓐ in different ways to create interesting expressions.
Vamos a hacer expresiones interesantes abriendo Ⓐ de diferentes maneras.
Dessiner plusieurs expressions amusantes et combiner les quatre volets de Ⓐ de différentes façons.

-51-

ORIGAMI TEXTBOOK

[46] パハリータ（小鳥）
paharita
pajarita
paharita

パハリータとはスペイン語で「小鳥ちゃん」という意味で、ヨーロッパの代表的な伝承作品です。同じ形が日本では「狛犬」に見立てられています。
"Paharita", which means a bird in Spanish, is one of the typical European folklore models. This form is called "guardian lion" in Japan.
"Pajarita" significa "ave pequeña" en español, y es una figura tradicional representativa de Europa. Esta figura se asemeja a los "perros guardianes" de Japón.
"Paharita", qui signifie un oiseau en espagnol, est l'une des modèle typiques du folklore Européen. Cette forme est appelée au Japon "chien de garde".

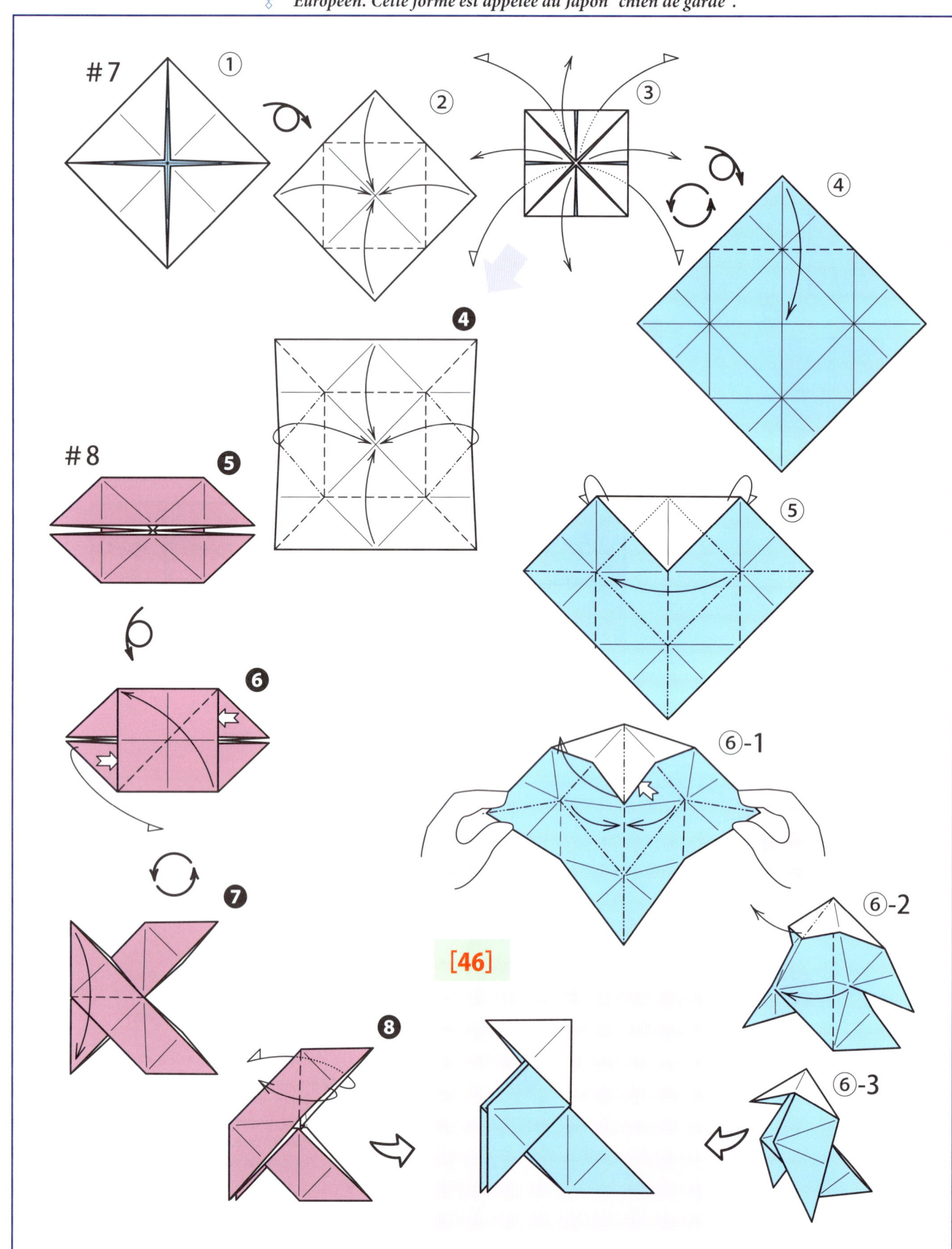

[46]

ORIGAMI TEXTBOOK

-52-

[47] テーブル
table
mesa
table

⑤で作ったテーブルの脚の部分をもうひと折りして細くしたテーブル、また、さらにその脚を短く折ったお膳も伝承されています。

This traditional model has some variations such as the table with thinner legs or the tray with shorter legs.

Son figuras tradicionales tanto la mesa que se hace plegando una vez más las patas de la mesa en ⑤ para hacerlas más delgadas, como la bandeja con patas hecha plegando las patas una vez más para hacerlas más cortas.

Ce modèle traditionel a plusieures variantes telles que la table aux pieds minces ou le plateau aux pieds courts.

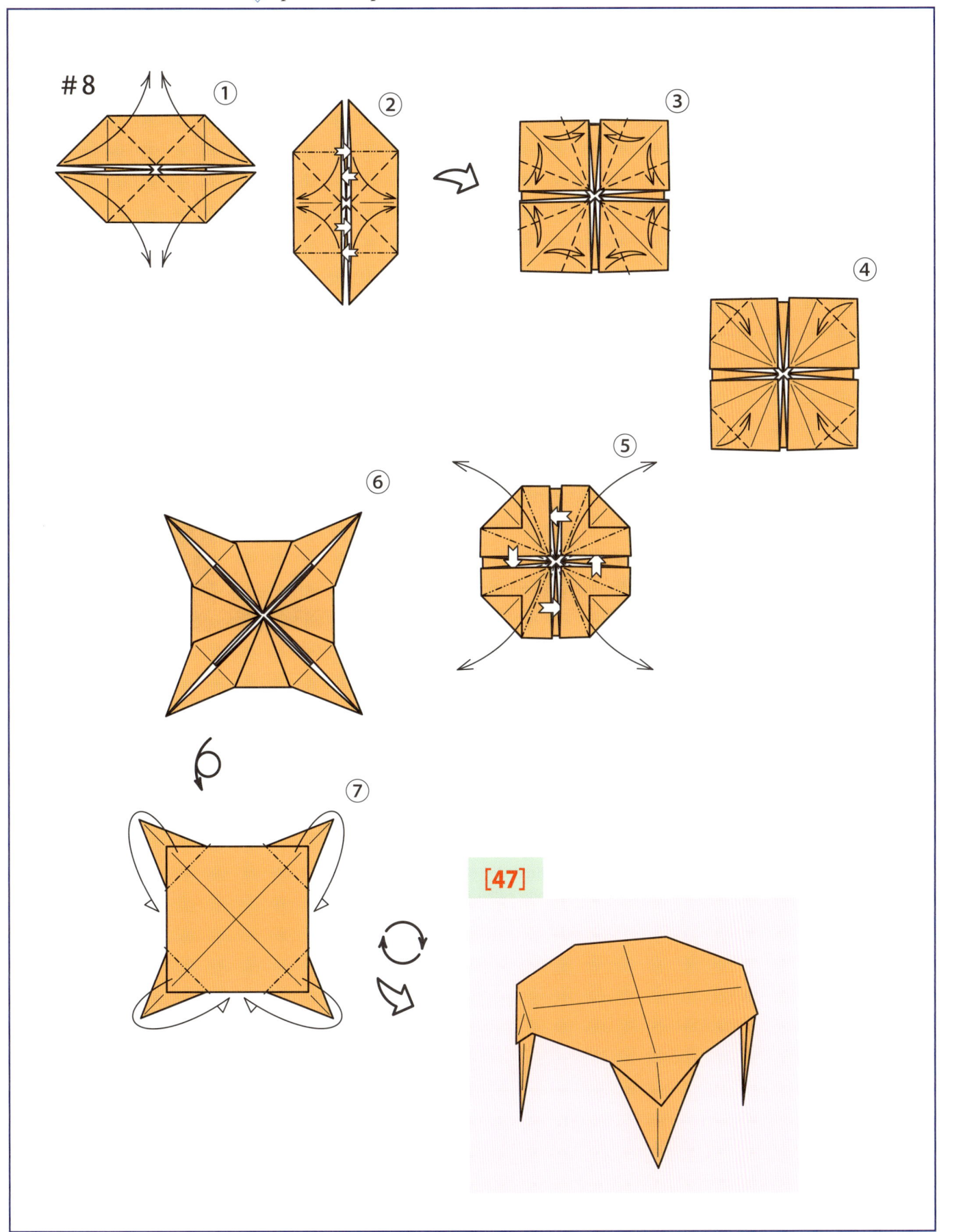

#8

[47]

-53-

ORIGAMI TEXTBOOK

「折り紙」の歴史（１）～紙の誕生と和紙、日本の折り紙～

■紙の誕生

紙とは植物などから採った繊維を水で溶きほぐして絡みあわせ、漉いて薄い膜状に作り乾燥させたもので、中国で発明されました。紙が発明されるまでは、ものを書き写す材料として、中国では竹片・木片や絹の布などが使われていました。エジプトではパピルスという名前の植物の茎の中心部を薄く切ったものを縦横に並べて押し固めた「パピルス」、小アジアでは動物の皮を加工した「羊皮紙」が生まれましたが、いずれも紙ではありません。樹皮を叩いてなめした南太平洋諸島の「タパ（梶布・梶紙）」なども、紙とはいえません。

中国前漢時代の遺跡から、地図が書かれた「紙」が発見されました。麻布や麻縄などのぼろが原料で、出土した地名から放馬灘紙と呼ばれるこの紙は紀元前150年頃のものと推定、世界最古の紙とされています。

▲パピルス「死者の書」（1982 パピルス研究所）

17世紀頃の羊皮紙（パーチメント）の楽譜
公益財団法人 紙の博物館 蔵 ▶

▲タパ

紙は大きく分けて「書く」「包む」「拭き取る（吸い取る）」という三つの機能を持っています。「包む」役目は紙以外にも布や皮が担っていますが、折り目がはっきりつく、畳んで開くことができるなど、布や皮にはない、紙ならではの特徴があり、これが後の「折り紙」につながっていきます。

紙の書物を巻いて保存する「巻物」は、長文を小さくまとめるすぐれた形態ですが、構造上、終わりの方を先に読むことができません。そこで、閲覧性を重視する書物のために、細長い紙を蛇腹に折る「折本（おりほん、おれぼん）」が考案されました。これは折り紙には直接つながりませんが、「折り畳む」機能が生かされた実用例です。

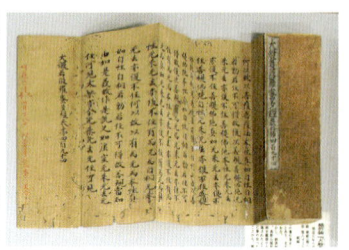

▲折本のお経

■製紙術の伝来と和紙の誕生、折り畳む文化

飛鳥時代の610年、中国から朝鮮半島を経由して日本に製紙術が伝来しました。福井県の旧今立町（現在の越前市）には、さらに100年前から紙漉きが行われてい

▲越前和紙 　▲紙の扇子は日本発祥

The history of folding paper (1) (the summary)
《Birth of paper: the introduction of papermaking process and Japanese paper》

The process of papermaking consists of mixing water with fibers taken from plants, making a thin film, and drying it. The papermaking started in China around 150 B.C. in China. It was made of rags of linen and hemp ropes. Around the 7th century, the papermaking process was handed down from China to the Korean Peninsula and then to Japan, where Japanese papers called "Washi" that fit the Japanese culture were created. Made of soft parts of the bark such as "Kouzo", "Ganpi" and "Mitsumata", various kinds of Japanese papers were supple and beautiful, and easy to process.

While papers were used mainly for the

La historia de la papiroflexia (1) (extracto)
《Nacimiento del papel, introducción de las técnicas de fabricación de papel a Japón y papel japonés》

El papel se obtiene al diluir fibras vegetales y otras en agua, desenredarlas, entretejerlas, extenderlas en forma de membrana fina y secarlas. El papel se fabricó en China alrededor del año 150 Antes de Cristo usando como materias primas lino y restos de cuerdas de lino. Alrededor del Siglo VII las técnicas de fabricación de papel se transmitieron a Japón desde China a través de la península coreana y nació el papel japonés Washi, adecuado al clima de Japón. Se fabricaron varios tipos de papel flexible, hermoso y fácil de trabajar, usando la corteza blanda de morera de papel, gampi, mitsumata, etc.

Histoire de papier se pliant (1) (résumé)
《*La création du papier: l'introduction du processus de la fabrication du papier et le papier japonais*》

Le processus de fabrication du papier consiste à mélanger de l'eau avec de la fibre de plantes, à faire un film mince, et finalement à le sécher. La fabrication du papier a débuté en Chine aux environs de 150 avant Jésus-Christ. Il était fabriqué à partir de chiffons de lin et de corde de chanvre. Autour du 7ème siècle, le processus de la fabrication du papier a été transmis de la Chine à la péninsule Coréenne et ensuite au Japon, où le "Washi", papier japonais adapté à la culture locale a été créé. Fabriqués à partir des parties molles de l'écorce de différents arbres comme "kouzo", "ganpi" et "mitsumata", les papiers japonais étaient souples, beaux, et faciles à travailler.

【要約】
　紙とは、植物の繊維などから採った繊維を水で溶きほぐして絡みあわせ、漉いて薄い膜状に作り乾燥させたものです。中国で紀元前150年頃には作られて、原料は麻布や麻縄のぼろでした。7世紀ごろに、製紙術は中国から朝鮮半島を経由して日本に伝来し、日本の風土に合った「和紙」と呼ばれる日本の紙が生まれました。「楮」や「雁皮」や「三椏」などのやわらかい樹皮の部分を使って、しなやかで美しく、加工がしやすい、さまざまな種類の紙でした。
　紙の用途は主に書写でしたが、その特性を生かして屏風や扇子など、紙を素材とした生活実用品が多く作られました。

ORIGAMI TEXTBOOK　　　　　　　　　　　　－54－

たとの伝説が残っています。製紙原料には麻が使われていましたが、しだいに麻より加工がしやすく、多く自生している楮が主体となりました。雁皮も利用され、江戸時代には三椏も使われ始めます。こうして、楮、雁皮、三椏の樹皮を使って、紙料にトロロアオイなどの粘剤を入れて流し漉きによる日本の風土にあった日本の紙が生まれました。

和紙は、しなやかで破れにくく丈夫なのが特長です。はじめは書写が最も重要な役目だった紙の用途が、襖・屏風・障子など住環境にも使われるようになり、やがて提灯・行灯・団扇・扇子、あるいは紙衣などの生活用品へと発展していきました。

こうした紙の用途の広がりの中で、祈りを込めて願いを託して美しく和紙を飾ることから、和紙の造形が始まりました。供物を包んだり、形代（かたしろ）として神事に用いたりする紙の造形も多様なものになります。祭祀儀礼や祓いなどで神社などで見られる御幣や紙垂は直線的に折りや切り込みを入れた造形で、のちにこの造形が折形や折り紙に展開したと考えられています。

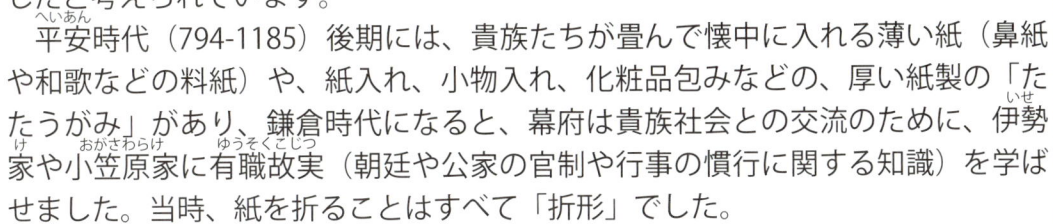

平安時代（794-1185）後期には、貴族たちが畳んで懐中に入れる薄い紙（鼻紙や和歌などの料紙）や、紙入れ、小物入れ、化粧品包みなどの、厚い紙製の「たとうがみ」があり、鎌倉時代になると、幕府は貴族社会との交流のために、伊勢家や小笠原家に有職故実（朝廷や公家の官制や行事の慣行に関する知識）を学ばせました。当時、紙を折ることはすべて「折形」でした。

上流の武家社会で、贈答品の包みや婚礼の儀式の席の飾りなどの折り紙が整備されていく一方、儀礼折り紙の余技として鶴や舟などの「遊戯折り紙」が作られるようになったと考えられています。

▲御幣（紙垂）

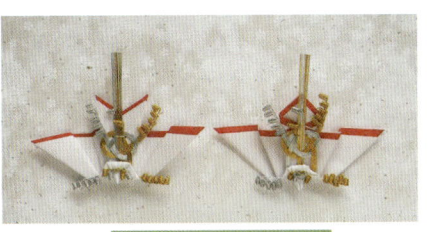

◀雄蝶・雌蝶や熨斗包みは今でも使われています

◀「折鶴に松図小柄」：小刀を装着して封書の開封など文房具として使われた「小柄」に折り鶴が彫られています。桃山時代末期（〜1600年頃）の作とされ、現存する「折り鶴」に関する最古の資料です

資料提供：中西祐彦

---

transcription of text, by virtue of their characteristics they were also applied to practical life items, such as folding screens or folding fans.

On the other hand, modeling of Japanese paper started from the decoration realized for a prayer or a wish. Wrapping of offerings and modeling of papers used in the ritual also became diversified.

It was the nobles and the upper class samurai who had developed the practical or ceremonial culture of origami such as wrapping papers for an offering to gods or different decorating styles of ritual ceremony. Today they still remain in "Ochou" and "Mechou" which are used for the wedding decoration, and "Noshi (a long strip attached to gifts)".

Aunque se utilizaba principalmente para caligrafía, muchos artículos de uso práctico en la vida diaria tales como biombos plegables, abanicos y otros se elaboraron aprovechando las propiedades del papel.

Por otro lado, se empezó a dar forma al papel japonés haciendo adornos hermosos que albergaban oraciones y deseos. El papel se utilizaba para envolver las ofrendas, y aumentó la variedad de formas que se daba al papel usado en los servicios religiosos.

La cultura del origami nació entre los miembros de la nobleza y las familias de guerreros samurai de clase alta, en usos prácticos o formales tales como la envoltura de regalos, adornos para ceremonias, etc. De esa época han quedado los lazos de papel, las mariposas de adorno para ceremonias matrimoniales, y otros que se utilizan hoy en día.

Alors que le papier a été utilisé principalement pour la transcription de texte, ses différentes caractéristiques ont permis de l'utiliser également pour la confection d'objets de la vie courante comme les paravents ou les éventails en papier.

D'autre part, le modelage des papiers japonais a débuté par la décoration réalisée pour la formulation de vœux. L'emballage des offrandes et les formes réalisées en papiers utilisés dans ce rituel sont alors devenus variés.

Ce sont notamment les nobles et les samouraïs de la classe supérieure, qui ont développé l'art de l'origami pour l'emballage des cadeaux ou la création de différents styles de décoration lors des cérémonies rituelles. Aujourd'hui, ils sont encore présents dans "Ochou" et "Mechou" qui sont utilisés pour la décoration des mariages, et dans "Noshi (une longue bande attaché aux cadeaux)".

一方、祈りを込めて願いを託して美しく和紙を飾ることから、和紙の造形が始まりました。供物を包んだり、神事に用いる紙の造形も多様になりました。

貴族や上流の武家社会では、贈答品の包みや儀式の席の飾りの様式など実用的または礼法的な折り紙文化が生まれます。それらは今日、熨斗や結婚式などで使われる飾りの雄蝶・雌蝶などに残っています。

やがて儀礼的な形から遊びの部分が分かれて、「折り鶴」や「舟」など具体的なものの形に見立てて折られるようになりました。なお、「折り鶴」

ORIGAMI TEXTBOOK

■ 「折り紙遊び」が花開く江戸時代

　礼法や決まりから離れて、折り方そのものを楽しむようになったのが、今に続く「折り紙」です。江戸時代に入り、紙が大量生産され、庶民に普及するとともに「折り紙遊び」が広まります。折り紙が着物の模様になったり、浮世絵に描かれたり、折り紙専門の本や印刷物が多く出版され、多彩な折り紙文化が花開きます。当時の折り紙は子どもの遊びではなく、主に大人の趣味だったので、技術的にかなり高度な作品もありました。

　さまざまな文献や、着物などの図案としても「折り紙」の記録が残っています。

【『好色一代男』（井原西鶴 1682 年）】
「或時は、おり居をあそばし、『比翼の鳥のかたちは是ぞ』と給はりける。」と、遊戯折り紙の意味で「おり居」という言葉が使われています。

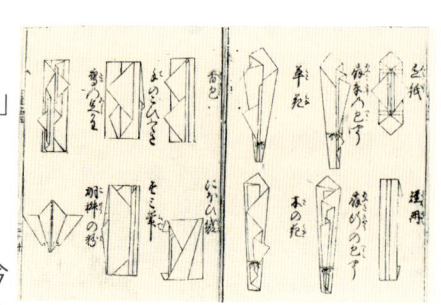

【『女重宝記』（1692 年）】
　江戸時代後期につぎつぎと出版された往来物（教科書）の走りで、今でいう百科事典のようなもの。折り上がり図が書かれていることなどから、贈答・儀礼用の折り紙が、朝廷貴族から一般に普及されるようになったことがわかります。

▲女重宝記

【常盤ひいながた（1700 年）】
　寛文7（1667 年）頃から、着物の友禅染めのデザイン見本帳である「雛形本」が出版され始めました。1700 年出版の「常盤ひいながた」には、「落葉に折鶴」という図柄が描かれており、「折鶴」の語と図が同時に初めて現れる資料として貴重です。雛形本には、ほかに「紙ふね（今の「宝船」）、「舟」「こも僧」などの図案が見られます。

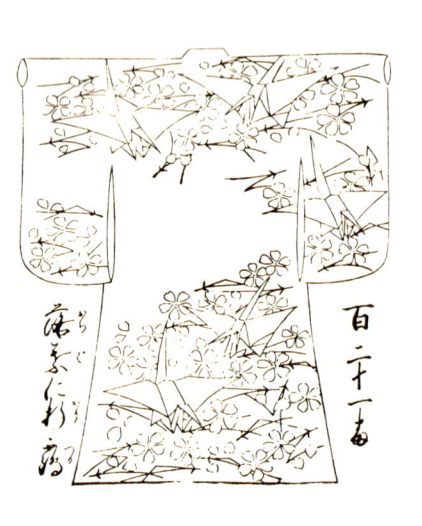

常盤ひいながた▶

【けいせい折居鶴（1717 年）】
　けいせい（傾城）は遊女のこと。折り鶴が登場する物語の内容だけでなく、挿絵では寺子屋の師匠が子どもに折り紙を折って与えているのが

- Flourishing "origami play" in Edo period

After a while, the origami play was separated from the origami of ritual ceremonies, and people started making concrete forms such as a "crane" or a "boat". The oldest data of "paper crane" is on the handle part of a paper knife that was made in the last stage of Momoyama period (around1600).

During the Edo era, the mass production and popularization of papers among common people made the "origami play" popular. Various origami cultures flourished. Origami was drawn in the pattern of kimono or in ukiyo-e, and many of origami books and printed materials were published. There were highly advanced origami models as well because origami was a hobby for adults at that time.

- Florecen los "juegos con origami" en el Período de Edo

Muy pronto una parte del origami formal se convirtió en pasatiempo, y empezó a darse al papel formas concretas tales como "grullas de papel", "barcos", etc. La "grulla de papel" más antigua puede verse en el diseño de la empuñadura de una espada corta hecha a finales del Período de Momoyama (alrededor del año 1600).

Al entrar el Período de Edo el papel se produjo en grandes cantidades, difundiéndose entre la gente común y expandiéndose así los "juegos con origami". Floreció una cultura de origami variada, con patrones de origami en los quimonos e imágenes de origami en las pinturas de ukiyoe, y se publicaron muchos libros e impresos especializados en origami. El origami de aquella época no era solo un juego para niños, sino también un pasatiempo para adultos, encontrándose obras de origami de un alto nivel.

- L'épanouissement de "l'origami ludique" pendant la période Edo

Quelques temps plus tard, "l'origami ludique" s'est développé séparément de l'origami des cérémonies rituelles, et les gens commencèrent à faire des formes concrètes comme la "grue" ou le "bateau". La plus ancienne représentation des "grues en papier" a été découverte sur le manche d'un coupe papier réalisée à la fin de la période Momoyama (vers1600 ans).

Pendant l'ère Edo, la production de masse du papier et sa diffusion parmi la population a rendu "l'origami ludique" populaire. La mode de l'origami prospéra et celui-ci fut représenté dans les motif des kimono, sur les ukiyo-e, et de nombreux livres et de publications sur l'origami virent le jour. Il y avait des modèles d'origami très avancés car celui-ci était un passe-temps pour les adultes de cette époque.

の最古の資料は桃山時代末期（1600 年頃）に作られたペーパーナイフの柄の部分の模様です。江戸時代に入り、紙が大量生産され、庶民に普及するとともに「折り紙遊び」が広まります。折り紙が着物の模様になったり、浮世絵に描かれたり、折り紙専門の本や印刷物が多く出版され、多彩な折り紙文化が花開きます。当時の折り紙は子どもの遊びではなく、大人の趣味のものであったので、かなり高度な作品もありました。

◀けいせい折居鶴

確認でき、それまで武家社会で躾として教え込まれていた「折り紙」が、この頃庶民の間に広まっていったことがわかります。

欄間図式▶

【欄間図式（らんまずしき）（1734年）】
欄間の装飾図案集です。下巻に折り紙を図案にした「折形」があり、鶴、薦僧（こも）、荷舟、足つき三方、玉手箱（複数枚を組み合わせたと思われる立方体）などが図案化されています。

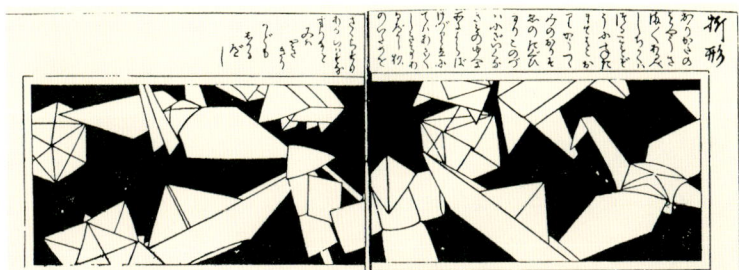

【『秘伝千羽鶴折形』（ひでんせんばづるおりかた）（1797年）】
世界で最も古い遊戯折り紙の本。連鶴の考案者は桑名の長円寺（ちょうえんじ）の住職・義道（ぎどう）（魯縞庵（ろこうあん））、編著者は秋里籬島（あきさとりとう）、板元は京都の吉野屋為八（ためはち）。「妹背山（いもせやま）」と命名された本テキスト掲載作品をはじめとする、1枚の紙に切り込みを入れた49種の「連鶴」の作り方（切り込み展開図）が、狂歌とともに紹介されています。連鶴の集大成とされ、「折り紙」のことも「折形」といっています。

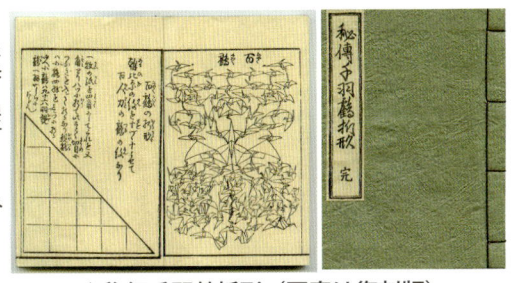

▲秘伝千羽鶴折形（写真は復刻版）

【新撰人物 折形手本忠臣蔵（しんせんじんぶつ おりかたでほんちゅうしんぐら）（1800年）】
人物折り紙の古典。大坂（現在の大阪）で出版された大判2枚の刷り物（作者は津山勇蔵（つやまゆうぞう）と推定されます）で、歌舞伎の「仮名手本忠臣蔵」の各場面を、25人の登場人物で構成しています。用紙は正方形ではなく、切り込みを入れた多角形を基本としていて、この形は他の人物折り紙にも応用されています。

【かやら草】
足立一之（あだちかずゆき）という人物により数十年かけて1845年まで230余冊に書き溜められた資料集（出版物ではなく、個人の備忘録）。全体が6集に分かれ、その第2集（21～50巻）が「かやら草」です。その27巻の18から28巻の1にかけての57ページに、儀礼折り11点、遊戯折り紙35点の記述があります。

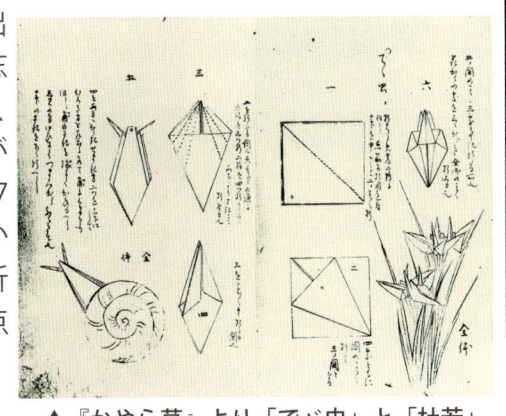

（コラム P88につづく）

▲『かやら草』より「でゞ虫」と「杜若」
写真提供：朝日新聞社

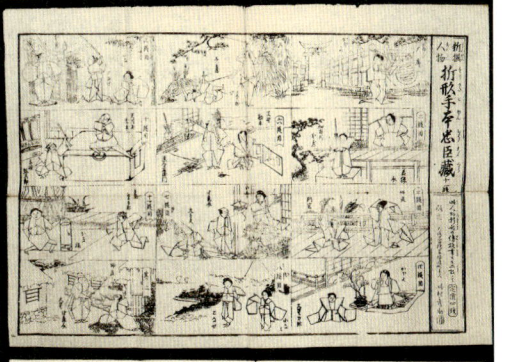

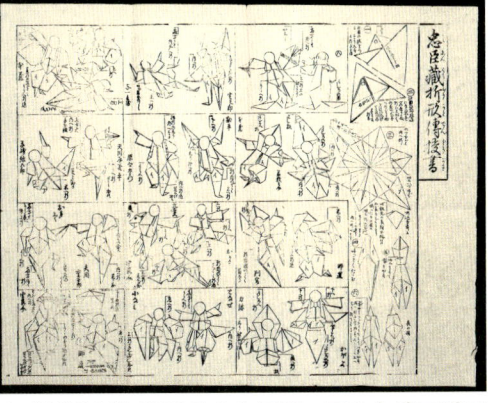

▲『新撰人物 折形手本忠臣蔵』下の右端三番目の図が基本形。かやら草では同じ形が「六ツ折異形」と書かれています
図版：吉徳これくしょん蔵

ORIGAMI TEXTBOOK

〔第2章 基本形の発展〕

Chapter 2 Variations from the Basic forms
Capítulo 2 Desarrollo de figuras base　Chapitre 2 Variations des formes de base

　その他の基本形からの発展で、立体的な作品が多くなります。あらかじめ「ざぶとん基本形」を折っておく「複合基本形」や、基本形そのものが変化した「ぶた」「ことり」を紹介します。

Many of the variations of other Basic forms are three dimensional models. We introduce here the Composite Base, which requires to fold the Blintz Base in advance, and the Pig Base and the Bird Base which have been developed from the Base form.

Desarrollando a partir de otras figuras base se obtienen más figuras de tres dimensiones. Empiece plegando la "base de cojín". Presentaremos la "base compuesta" y el "cerdo" y la "pajarita", que son bases transformadas.

Les variations des autres formes de base ajoutent à beaucoup de modèles du relief. Nous présentons ici le pliage composite, ce qui nécessite de plier la base du coussin à l'avance, ainsi que la base du cochon et la base de l'oiseau qui ont été réalisées à partir de la forme de base.

Base

ORIGAMI TEXTBOOK　　　　　　　　　　　　　　　　-58-

正方基本形
Square (Preliminary) Base
Base cuadrada
Base préliminaire

同じ形にするのにも、いくつかの折り方があります。
These different folding methods all result in the same shape.
Hay diversos métodos de hacer los pliegues, aunque se llega a la misma forma.
Il y a diverses façons de plier la feuille pour réaliser ces bases.

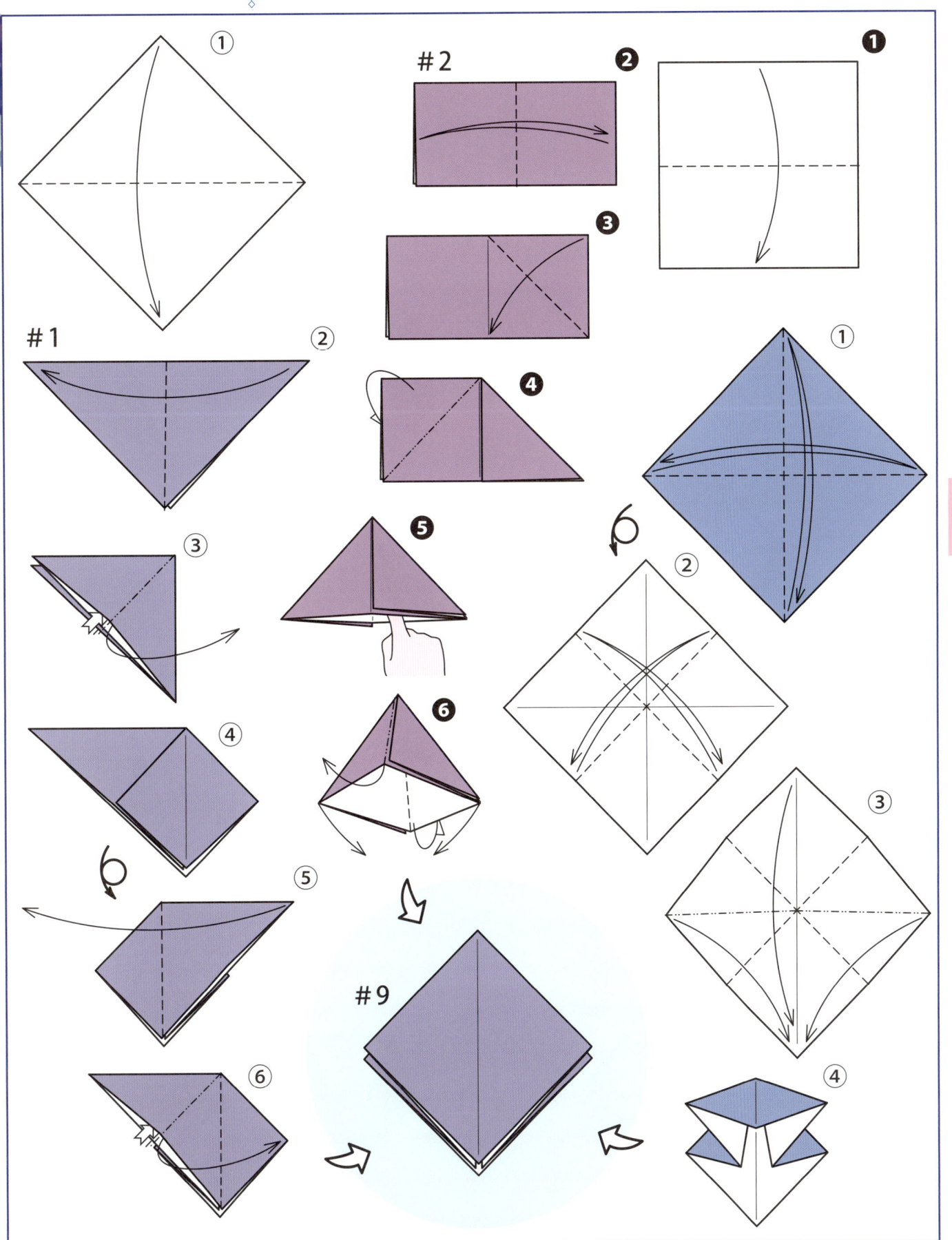

Base

ORIGAMI TEXTBOOK

[48] つのこうばこ
Tsunokōbako (star shaped box)
Tsunokobako (caja con forma de estrella)
Tsunokobako (boîte étoilée)

香箱とはお香を入れる器のことです。つのこうばこと呼ばれる実際の道具は存在しませんが、ツノのような部分がついているので名づけられたようです。

The incense box is the container to put the incense. This model is called "Tsuno-kōbako (box with horns)" as it has horns (tsuno), although there is no real incense box called so.

"Caja de incienso" es la caja que se utiliza para introducir el incienso. Lo que se llama "caja con forma de estrella" no existe en realidad, pero recibe este nombre porque una parte de ella tiene forma de estrella.

La boîte d'encens est le récipient dans lequel on met l'encens. Ce modèle est appelé "Tsuno-koubako (boîte cornue)" car il a des cornes (tsuno) bien que ce nom ne soit pas utilisé pour désigné des boite d'encens réelles.

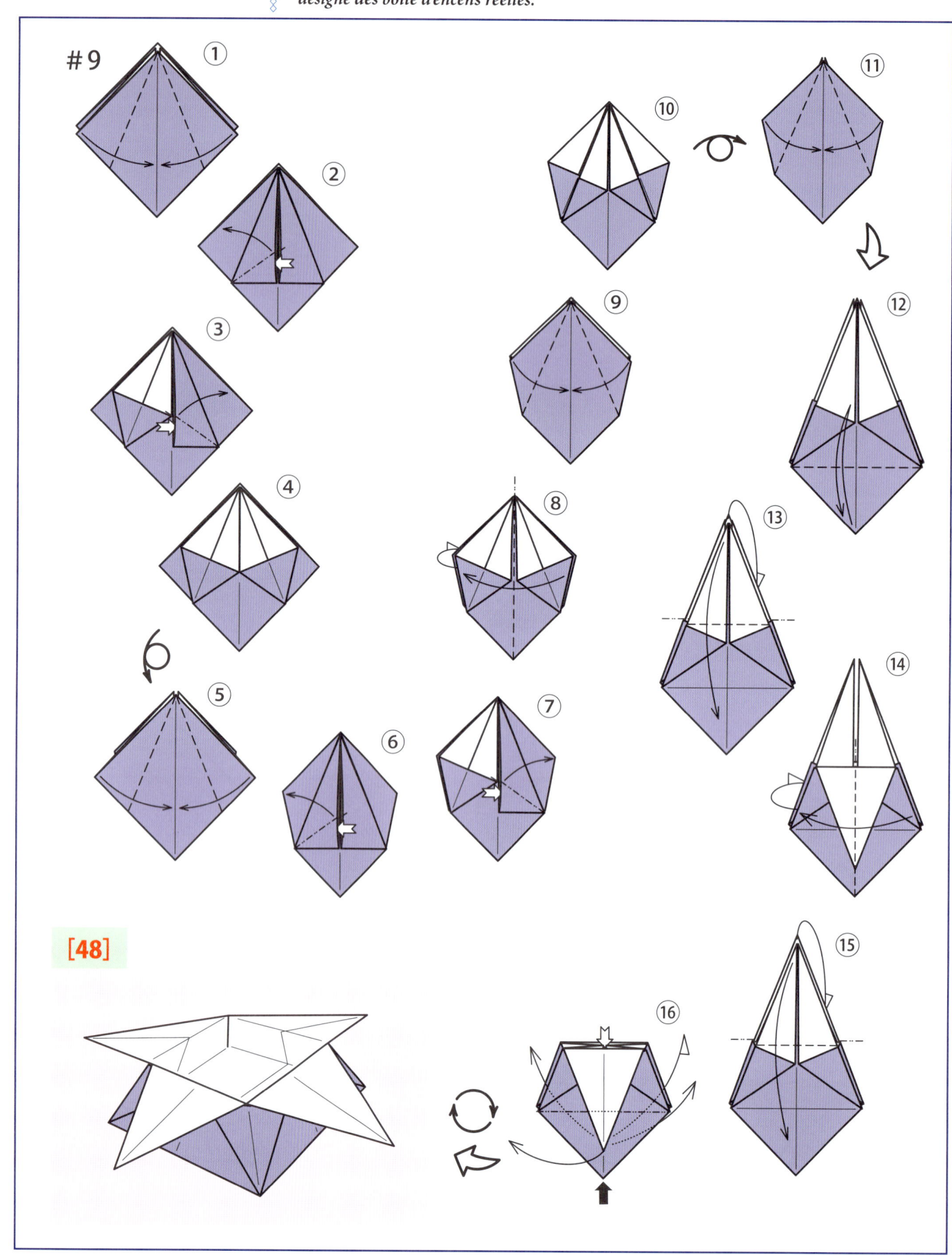

#9

[48]

ORIGAMI TEXTBOOK —60—

[49] かき
persimmon
caqui
plaquemine (kaki)

⑬は、2か所の★印のところ(向かい合ったところ)を持って中の部分をふくらませて形をととのえます。なお、少しだけふくらませた形が「藤の花」として伝承されています。▶
In step ⑬, pinch the mark ★, and blow up the middle part of the paper to arrange the shape. When it is inflated a little, the model is called "wisteria flower" ▶.
En ⑬ sujete los puntos marcados con ★ y ajuste la forma de la figura expandiendo la parte central. La figura con la parte central expandida solo un poco es la figura tradicional "flor de glicina".
Dans l'étape ⑬, pincer la marque ★, et gonfler la partie centrale du papier. Lorsque qu'il n'est que légèrement gonflé, ce modèle est appelé "Fleur de glycine".

#9

参考写真
(底から見たところ)
Bottom view
Vista desde abajo
Vue du bas

[49]

-61-

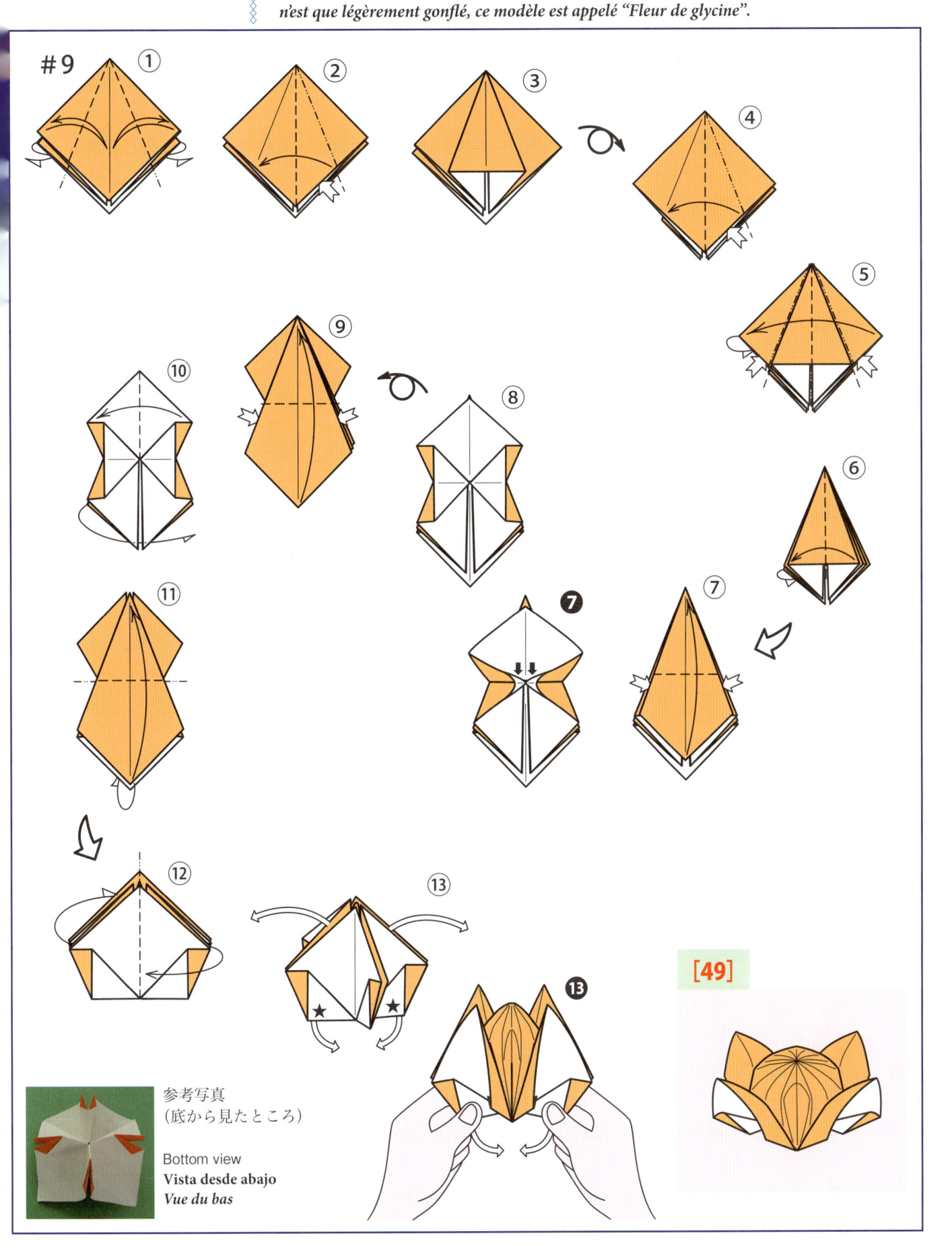

ORIGAMI TEXTBOOK

[50] カーネーション

carnation

clavel

œillet

花びらと花びらの間の山の部分を指でつまんで、なでてととのえると、きれいにしあがります。

For the beautiful finish, pinch the mountain part between the petals and round the corners of the petals with your fingers.

Si utiliza sus dedos pulgar e índice para ajustar la forma presionando suavemente los espacios entre los pétalos obtendrá un terminado hermoso.

Afin d'avoir une belle finition , pincer la partie saillante entre les pétales et arrondir les pointes de chaque pétale avec les doigts.

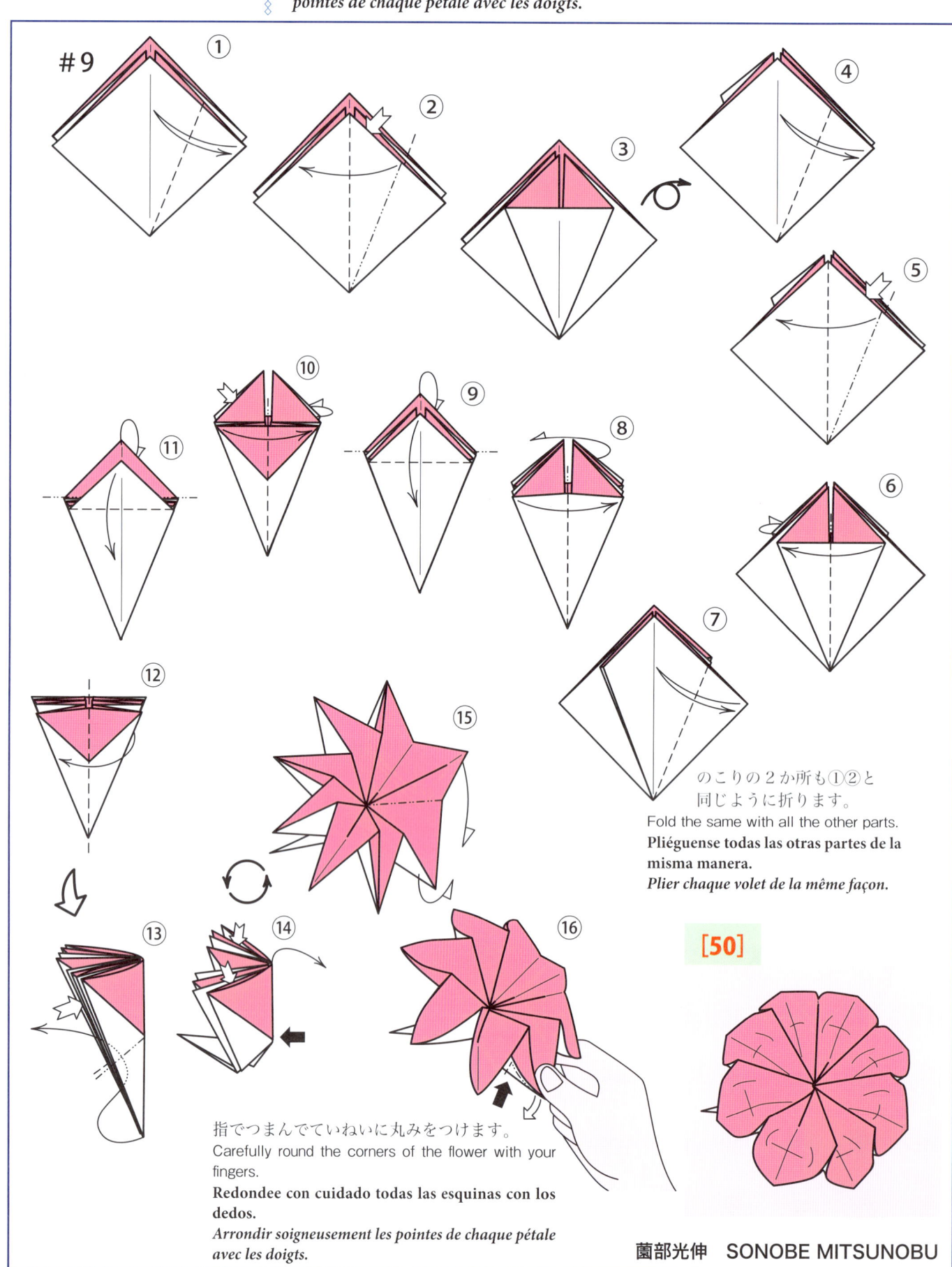

#9

のこりの2か所も①②と同じように折ります。

Fold the same with all the other parts.

Pliéguense todas las otras partes de la misma manera.

Plier chaque volet de la même façon.

[50]

指でつまんでていねいに丸みをつけます。

Carefully round the corners of the flower with your fingers.

Redondee con cuidado todas las esquinas con los dedos.

Arrondir soigneusement les pointes de chaque pétale avec les doigts.

薗部光伸　SONOBE MITSUNOBU

ORIGAMI TEXTBOOK

[51] ロケット
rocket
cohete
fusée

⑧の折りは「巻き折り」と呼ばれています。
The way of folding in step ⑧ is called "repeated fold".
El pliegue en ⑧ se llama "pliegue de rollo".
La façon de plier à l'étape ⑧ est appelé "le pli répété".

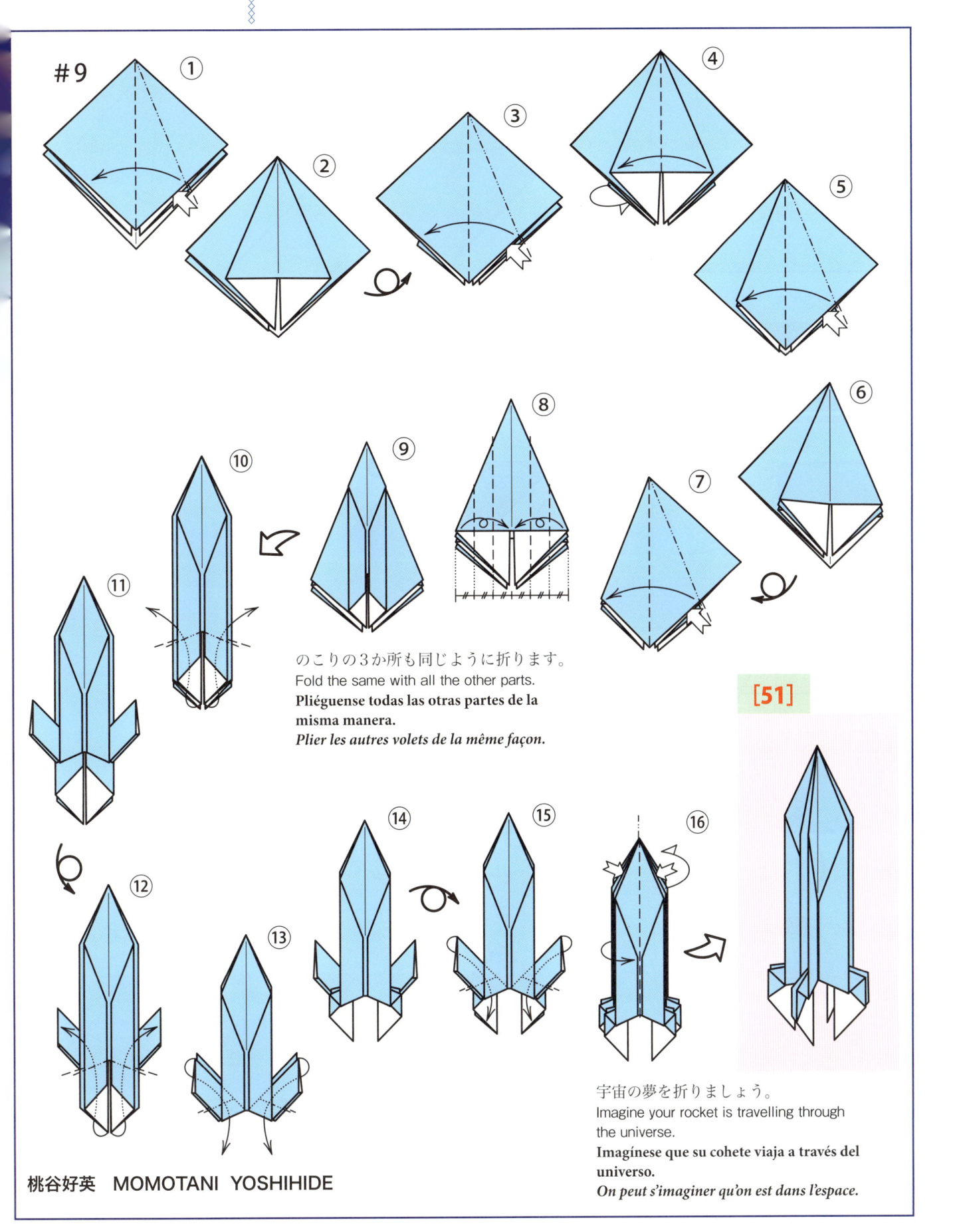

#9

のこりの3か所も同じように折ります。
Fold the same with all the other parts.
Pliéguense todas las otras partes de la misma manera.
Plier les autres volets de la même façon.

[51]

宇宙の夢を折りましょう。
Imagine your rocket is travelling through the universe.
Imagínese que su cohete viaja a través del universo.
On peut s'imaginer qu'on est dans l'espace.

桃谷好英　MOMOTANI YOSHIHIDE

-63-

ORIGAMI TEXTBOOK

風船基本形
Waterbomb Base
Base de balón
Base du ballon

The relationship with the basic square form is shown in the figure to the right.
Vea la relación con la base cuadrada en la figura de la derecha.
La relation avec la forme carrée est illustré dans le schéma de droite.

ORIGAMI TEXTBOOK

-64-

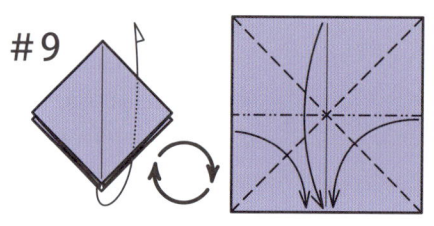

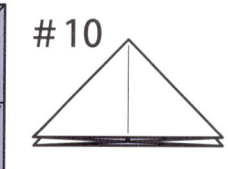

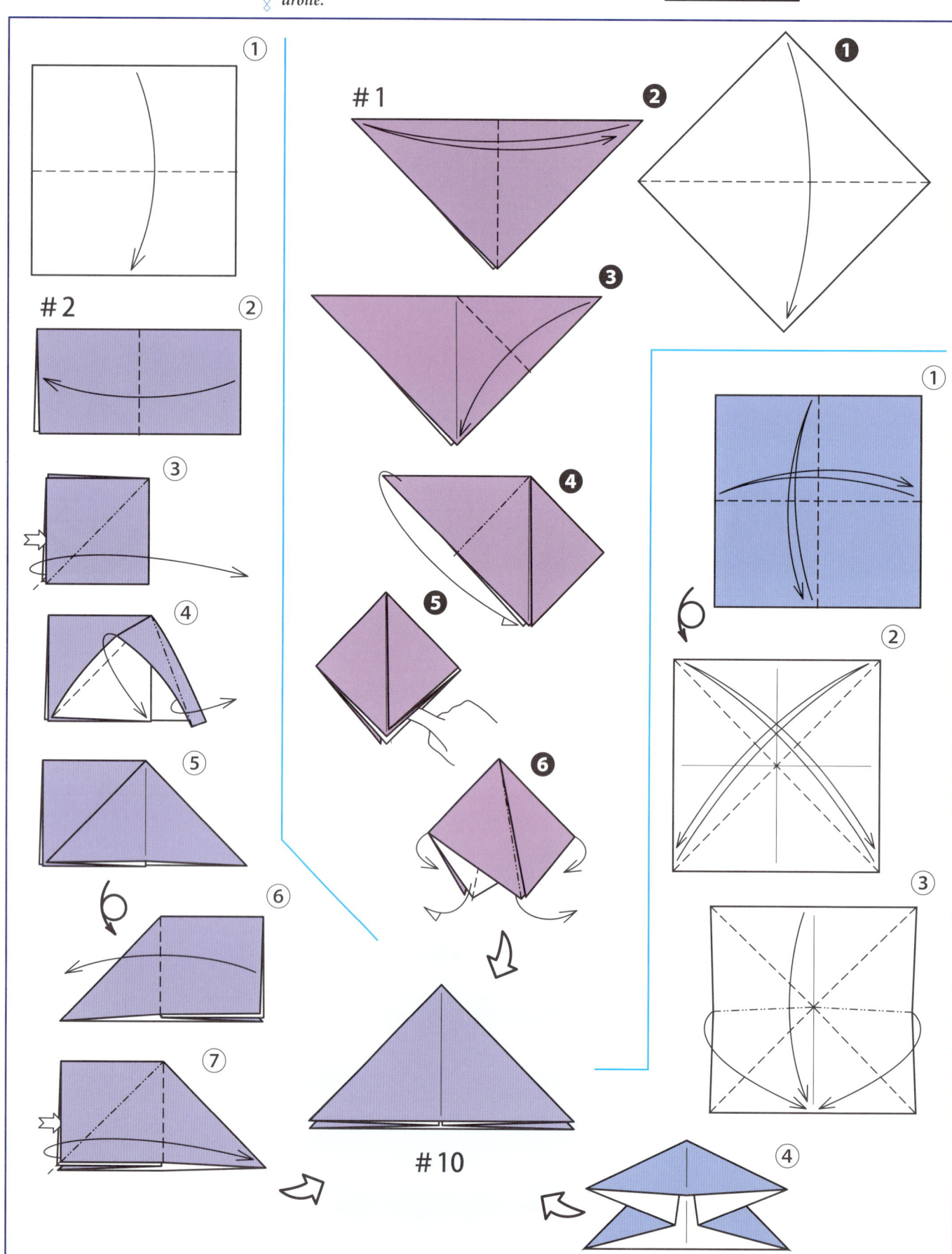

[52] 風船
balloon
balón
ballon

立体的な作品で、きっちりとすじをつけてととのえると正六面体になります。
This is a three dimensional model. When it is folded precisely, a hexahedron is created.
Es una figura tridimensional. Puede hacerse un hexaedro si los pliegues se hacen de forma más exacta.
Ceci est un modèle trois-dimensionel. En pliant exactement on obtiendra un cube.

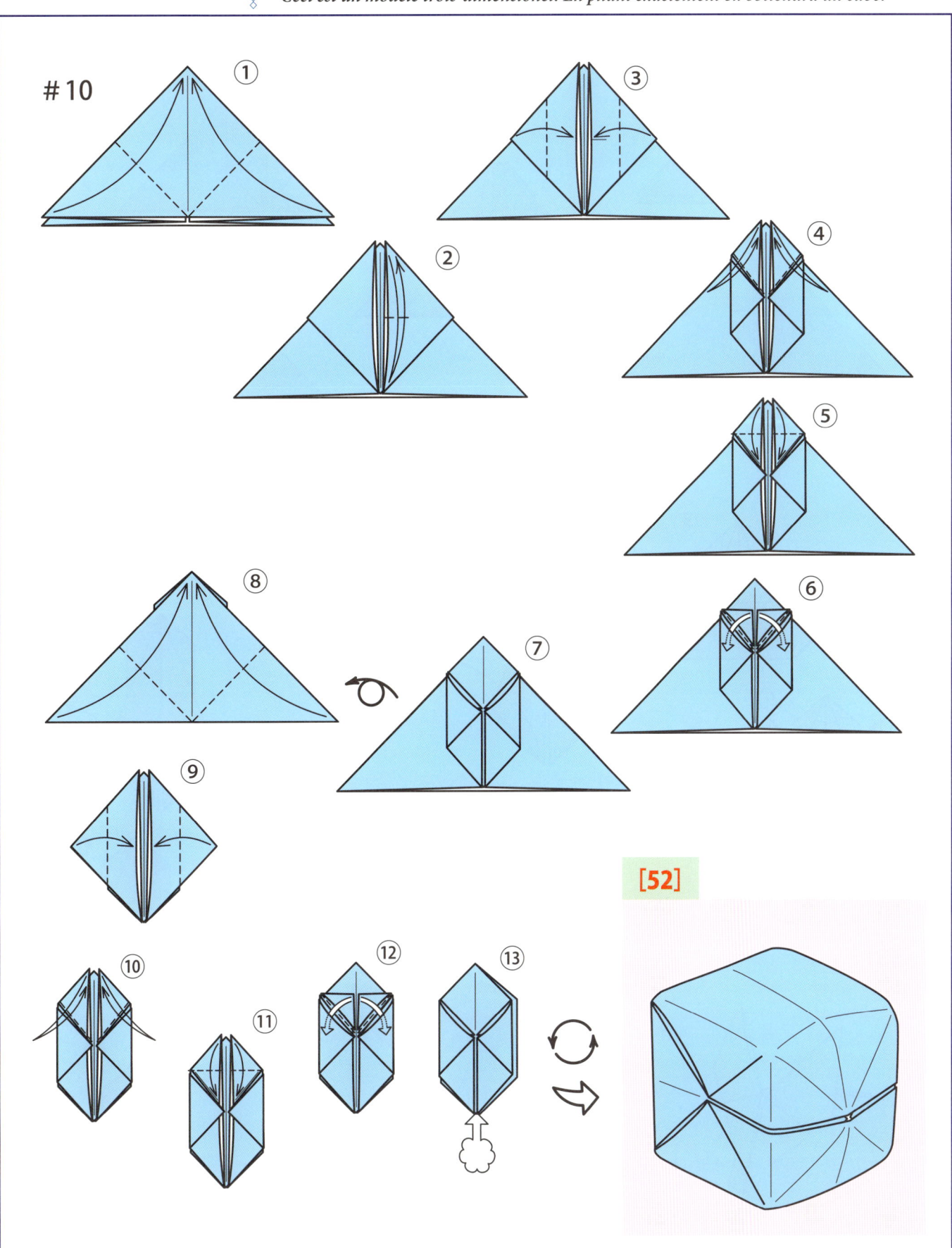

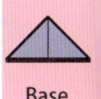

#10

Base

[52]

-65-

ORIGAMI TEXTBOOK

[53] 雪うさぎ I
snow rabbit I
conejo hecho de nieve I
lapin de neige I

[54] きんぎょ I
goldfish I
pez de colores I
poisson rouge I

風船の折り方を片側だけ変えた作品です。
This model is made by changing slightly, the folding method for the balloon.
Cambie el método de plegar el balón en un lado y obtendrá esta figura.
En changeant les pliures sur le dos de la base du ballon on obtient ce lapin.

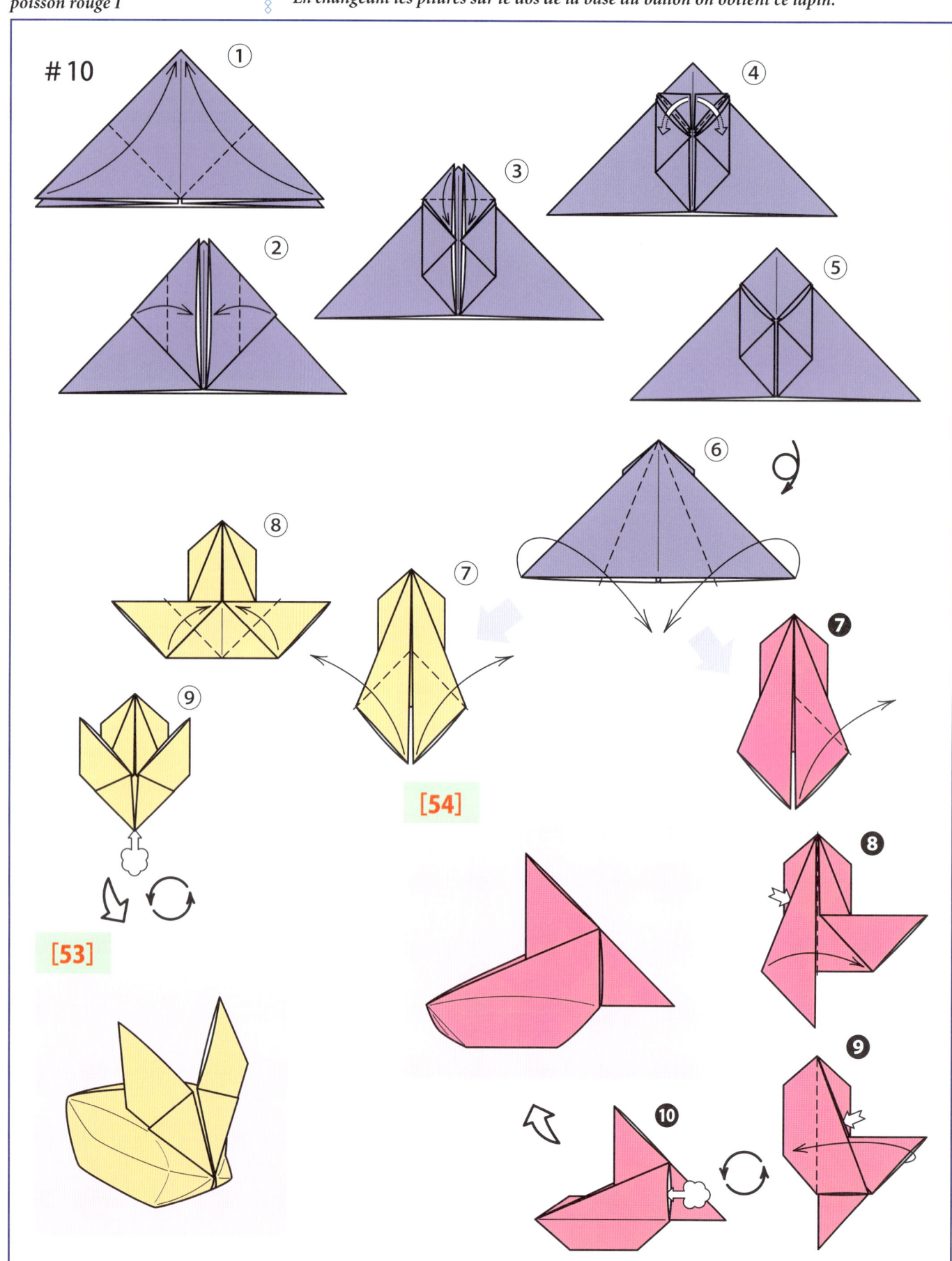

#10

[54]
[53]

ORIGAMI TEXTBOOK
-66-

[55] 雪うさぎ II
snow rabbit II
conejo hecho de nieve II
lapin de neige II

雪で作ったうさぎを模した作品です。耳の部分だけ色が出ます。
This model is a rabbit made of snow. Just the ears have a color.
Conejo de nieve Es un conejo hecho de nieve. Tiene color solo en las orejas.
Ce modèle est un lapin fait de neige. Juste les oreilles sont en couleur.

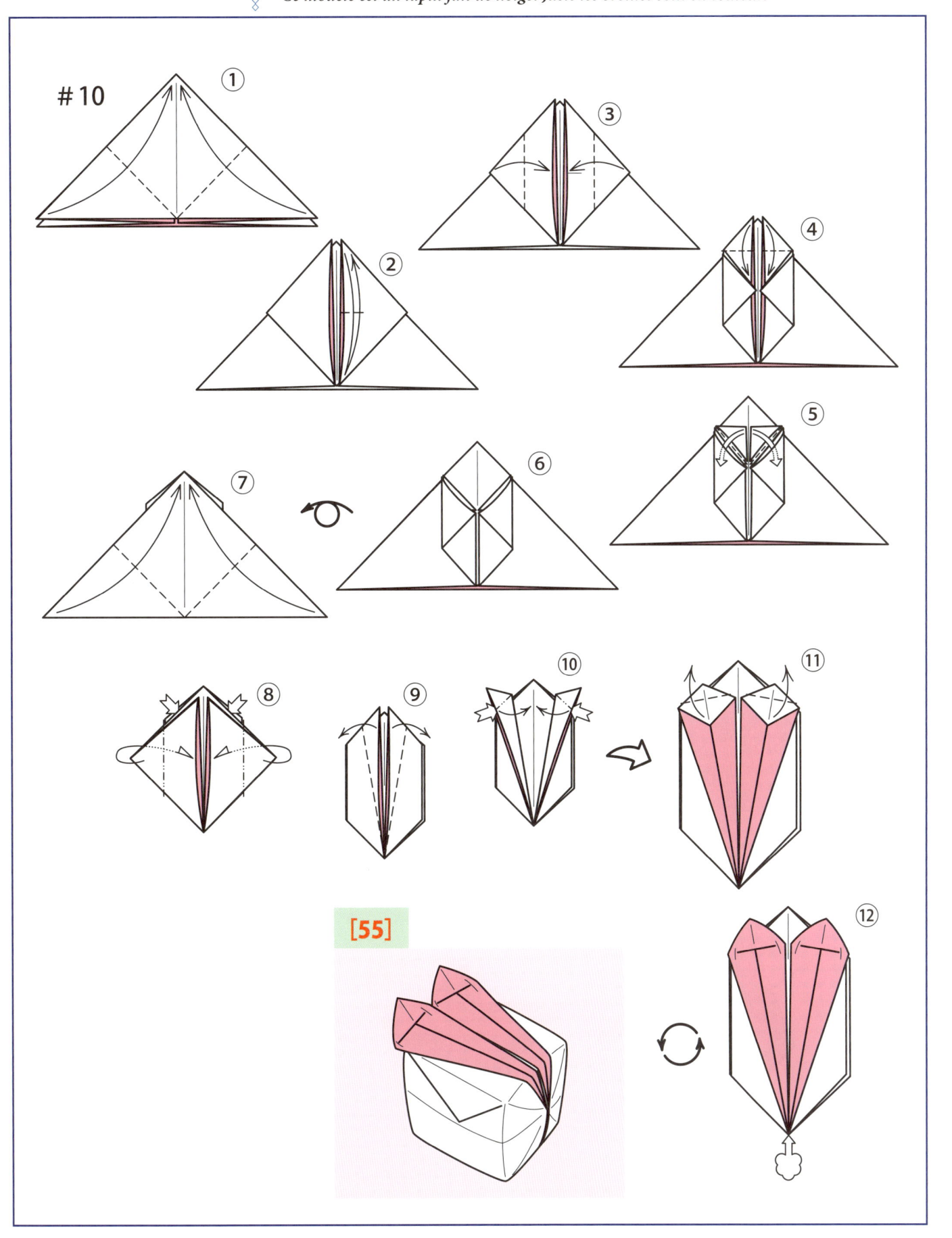

#10

[55]

ORIGAMI TEXTBOOK

[56] やっこさん II
Yakko-san II
Yakko-san II
Yakko-san II

P42 のやっこさんほど有名ではありませんが、この作品もやっこさんとして伝承されています。
This model handed down also as Yakko-san, although it is not as famous as the one in P42.
Aunque no es tan famosa como el Yakko de la página 42, también se conoce como figura tradicional de Yakko.
Ce modèle a été aussi transmis comme Yakko-san, bien que il ne soit pas aussi célèbre que celui de P42.

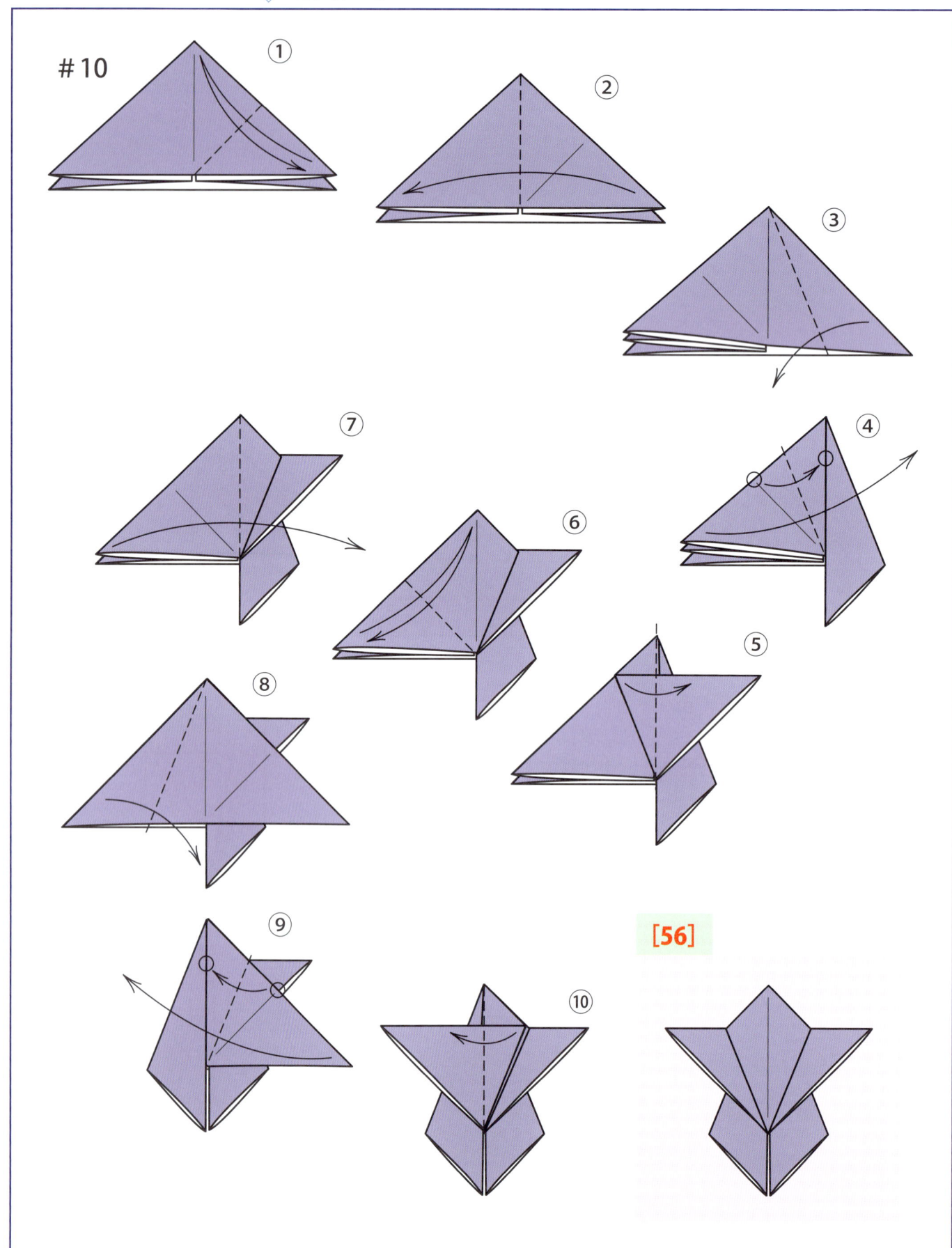

#10

[56]

ORIGAMI TEXTBOOK
-68-

[57] 星
star
estrella
étoile

④は左右のカドを引っぱって折りたたむ、ゆかいな折り方です。ずらし過ぎに注意しましょう。

In step ④, while pulling and opening the left side and holding the right side, shift slightly to the left.

Es una forma de pliegue divertida, tirando de las esquinas derecha e izquierda en ④ y luego plegándolas. Cuide de no deslizar demasiado.

Dans l'étape ④, tout en tirant et en ouvrant le côté gauche et en maintenant le côté droit, positionner la partie centrale légèrement vers la gauche.

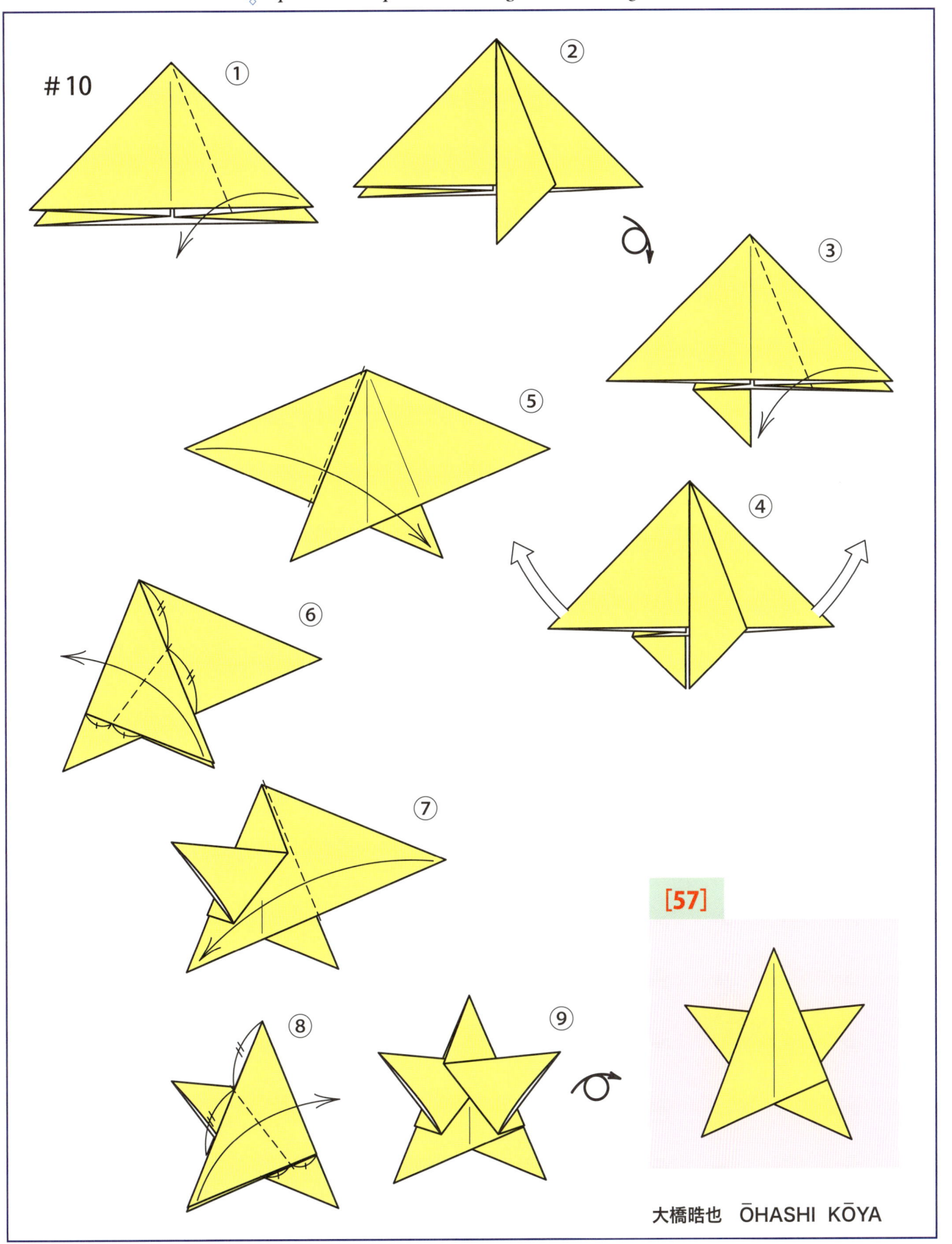

#10

[57]

大橋晧也　ŌHASHI KŌYA

ORIGAMI TEXTBOOK

[58] ソンブレロ
sombrero
sombrero
sombrero

つばの部分が大きいので入れ物にもなります。
This model can be a container as its brim is big.
El ala del sombrero es grande y puede introducir cosas en ella.
Ce modèle peut être utilisé comme un récipient grâce à sa large bordure.

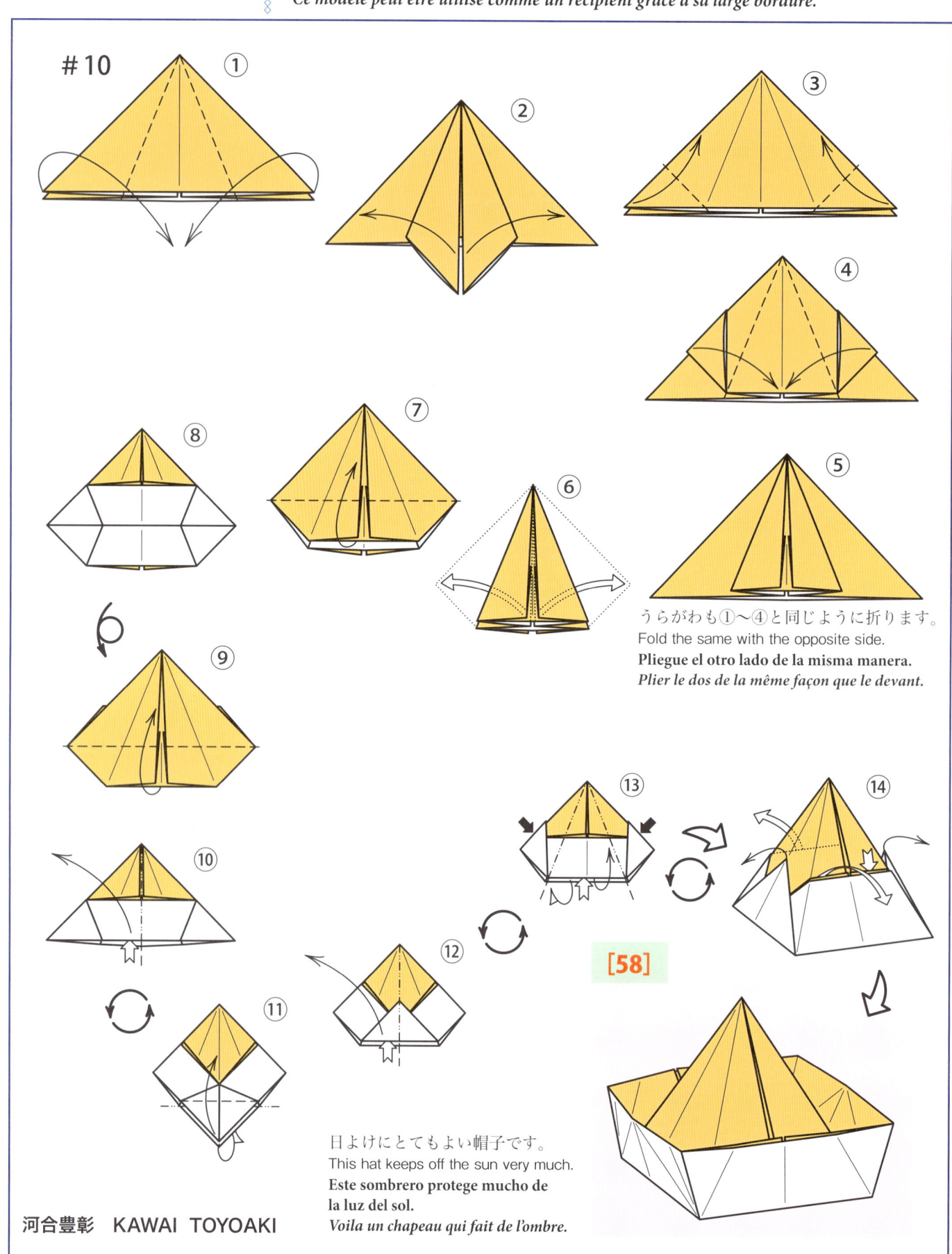

#10

うらがわも①〜④と同じように折ります。
Fold the same with the opposite side.
Pliegue el otro lado de la misma manera.
Plier le dos de la même façon que le devant.

[58]

日よけにとてもよい帽子です。
This hat keeps off the sun very much.
Este sombrero protege mucho de la luz del sol.
Voila un chapeau qui fait de l'ombre.

河合豊彰　KAWAI TOYOAKI

ORIGAMI TEXTBOOK

[59] 教会
church
iglesia
église

この教会からロケットや入れ物などに発展した形も伝承されています。
This model is modified and handed down as the rocket, the container, and so on.
Son tradicionales también las figuras derivadas tales como cohete, recipiente, etc.
Ce modèle modifié a été transmis sous plusieurs formes comme la fusée, le conteneur, etc.

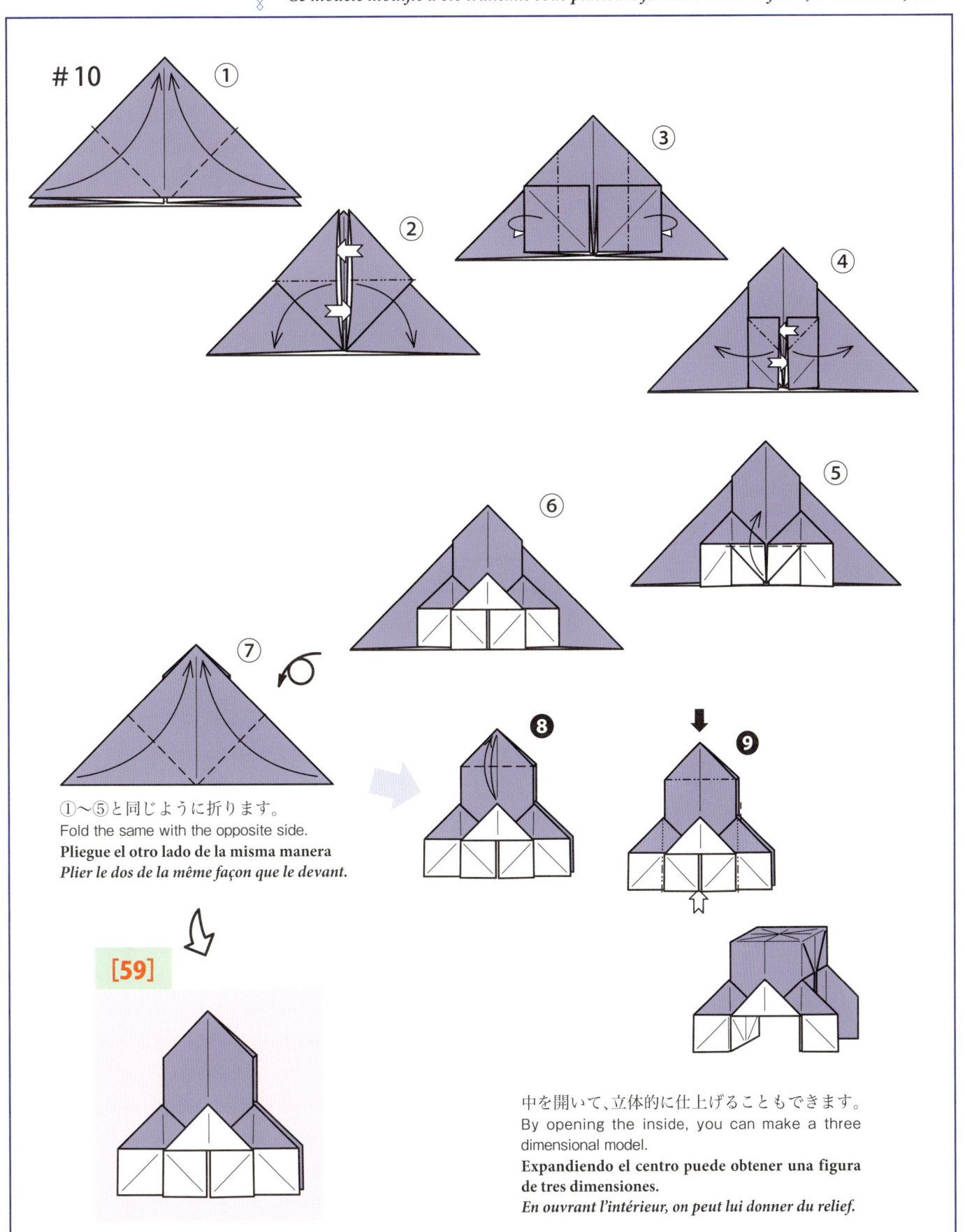

#10

①〜⑤と同じように折ります。
Fold the same with the opposite side.
Pliegue el otro lado de la misma manera
Plier le dos de la même façon que le devant.

[59]

中を開いて、立体的に仕上げることもできます。
By opening the inside, you can make a three dimensional model.
Expandiendo el centro puede obtener una figura de tres dimensiones.
En ouvrant l'intérieur, on peut lui donner du relief.

-71-

ORIGAMI TEXTBOOK

⑨の折りを花弁折りといいます。折り紙作品にはしばしば使われる折り方ですのできれいに折れるようになりましょう。

Folding of step ⑨ is called the Petal Fold. Let's be able to fold precisely since this fold is often used in different origami models.

El pliegue en ⑨ es el pliegue de pétalo. Se utiliza a menudo en las figuras de origami, por lo cual debe aprender a hacerlo bien.

Le pliage de l'étape ⑨ est appelé le pli pétale. Il est important de réaliser cette forme précisément parce que cette forme de pliage est souvent utilisée dans différents modèles d'origami.

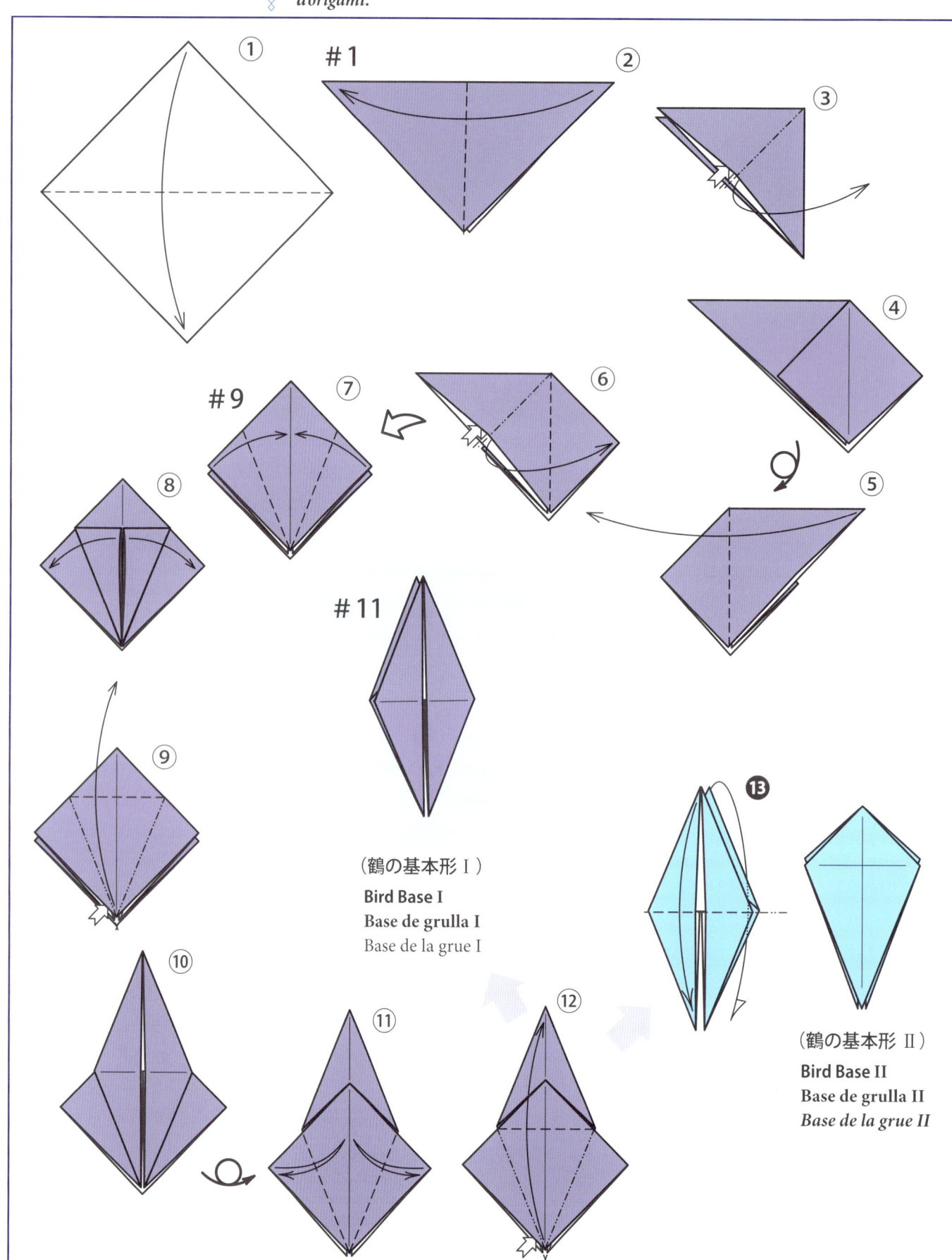

鶴の基本形
Bird Base
Base de grulla
Base de la grue

(鶴の基本形 I)
Bird Base I
Base de grulla I
Base de la grue I

(鶴の基本形 II)
Bird Base II
Base de grulla II
Base de la grue II

ORIGAMI TEXTBOOK　　　　－72－

[60]折り鶴　[61]はばたく鶴
paper crane　fluttering crane
grulla de papel　grulla aleteante
grue en papier　grue battant des ailes

折り鶴は、桃山時代の「小柄」(小刀を装着して封書の開封などに使う文房具)に模様が描かれています(写真P55)。世界で最も古い折り紙作品のひとつです。
Paper cranes have been sculpted on the grip of paperknife in the Momoyama period. This is one of the oldest origami models in the world.
Puede verse la imagen de una grulla de papel pintada en la empuñadura de una espada del Período de Momoyama. Es una de las figuras de origami más antiguas del mundo.
Des grues en papier ont été ciselées sur le manche des épées de la période Momoyama. C'est l'un des plus anciens modèles d'origami au monde.

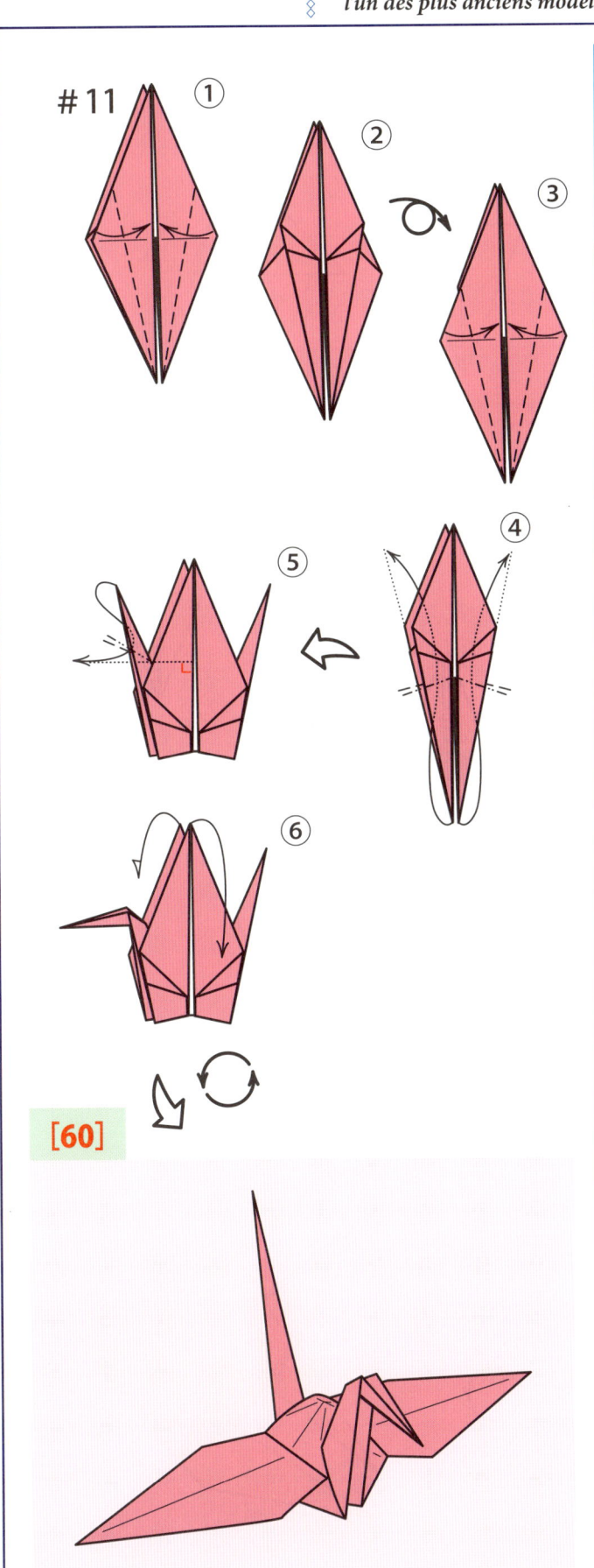

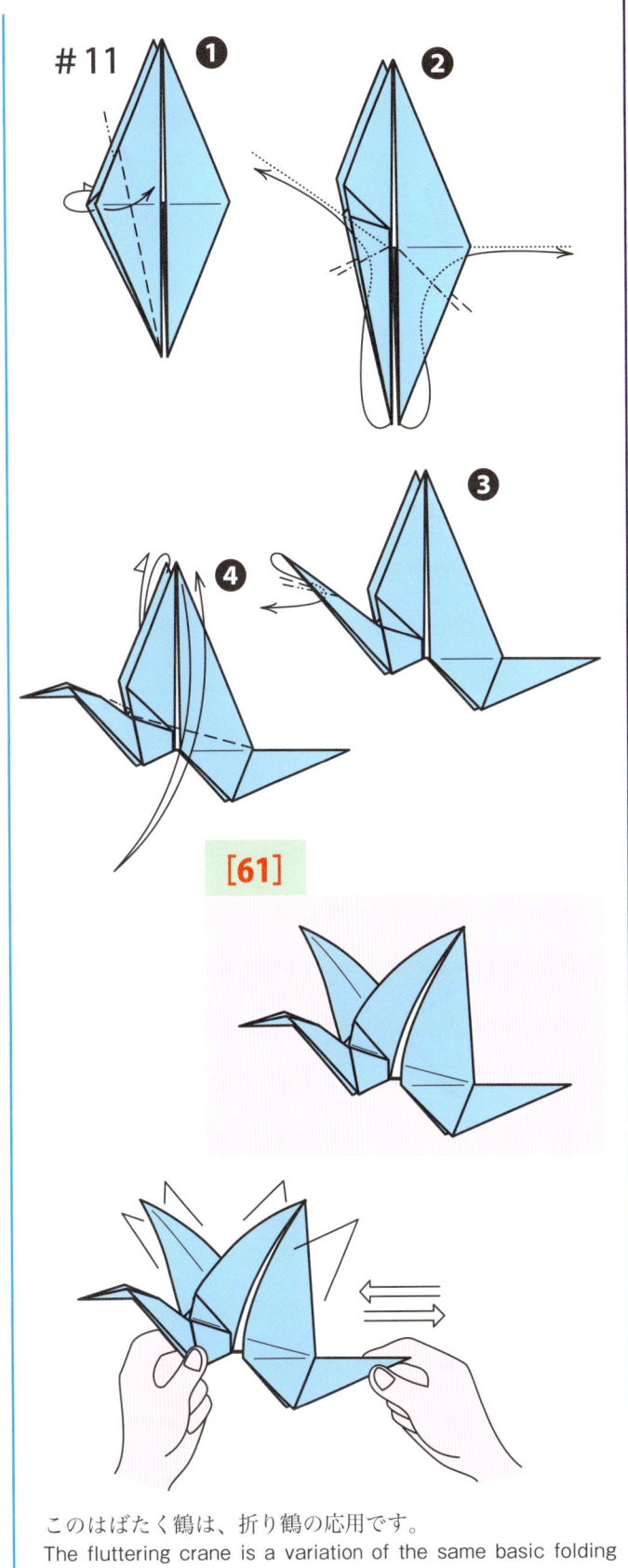

#11

[60]

[61]

Base

このはばたく鶴は、折り鶴の応用です。
The fluttering crane is a variation of the same basic folding method.
La grulla aleteante es una variante de la misma figura.
La grue battant des ailes est une variation de ce modèle.

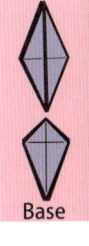

-73-

ORIGAMI TEXTBOOK

[62] エンゼルフィッシュ
angelfish
angelote
scalaire

⑫のかぶせ折りでひれの部分を作りますが、胴の部分にそわせながらていねいに折りましょう。
Using the Outside Reverse Fold in step ⑫, make fins. Fold them carefully along the body line.
En ⑫ se hacen pliegues hacia afuera para formar las aletas, plegando con cuidado a lo largo del cuerpo.
Le pli renversé extérieur de l'étape ⑫ permet de réaliser les nageoires. Plier-les soigneusement suivant la ligne du corps.

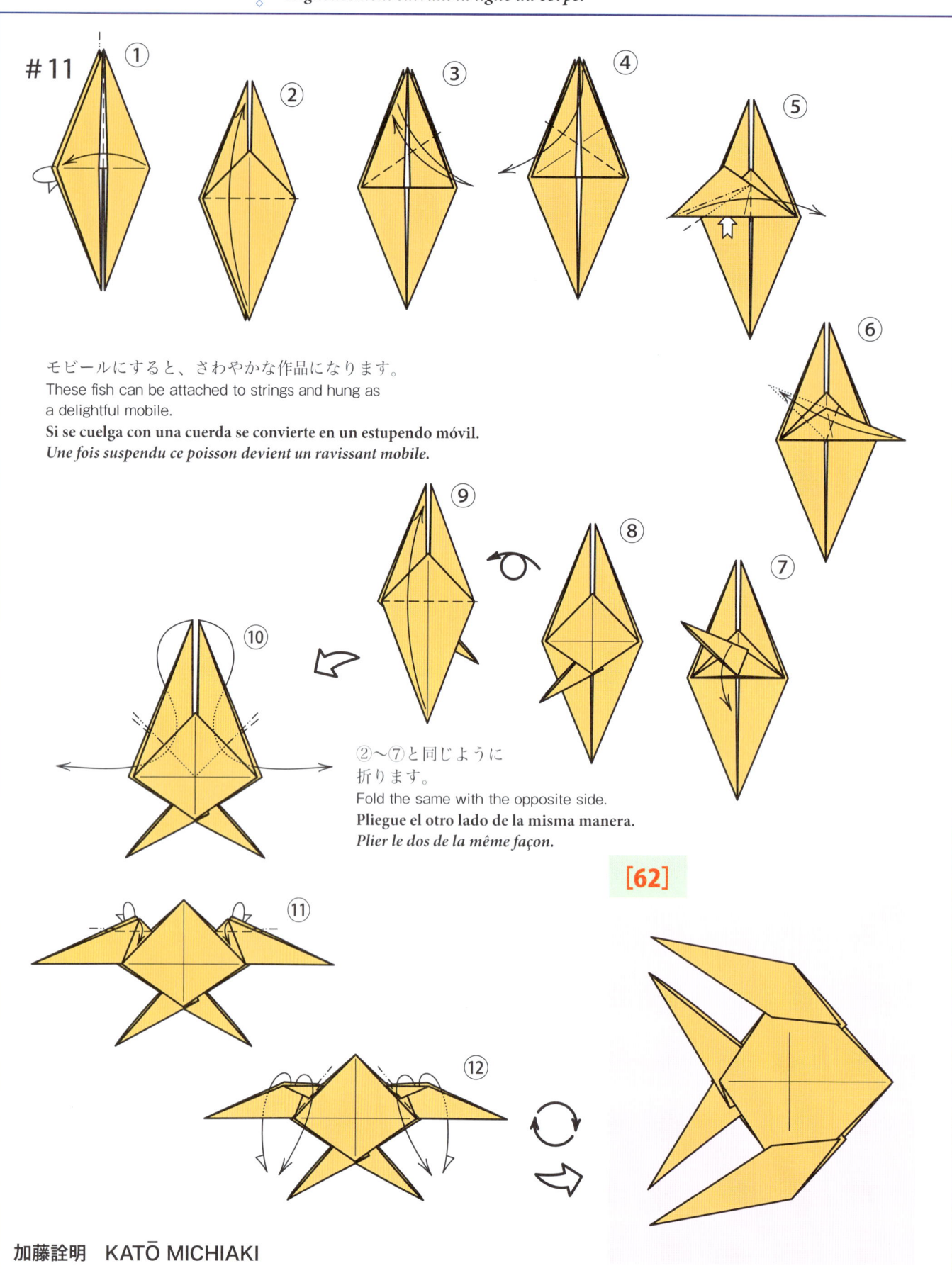

#11

モビールにすると、さわやかな作品になります。
These fish can be attached to strings and hung as a delightful mobile.
Si se cuelga con una cuerda se convierte en un estupendo móvil.
Une fois suspendu ce poisson devient un ravissant mobile.

②〜⑦と同じように折ります。
Fold the same with the opposite side.
Pliegue el otro lado de la misma manera.
Plier le dos de la même façon.

[62]

加藤詮明　KATŌ MICHIAKI

[63] うさぎ
rabbit
conejo
lapin

赤い紙などを使い、色のついた面を中にして折ります。また、脚の部分を工夫して色々な動作をつくりましょう。

Fold this with a sheet of red or pink paper, starting with white side out. The rabbit can be shown in various positions by changing the feet.

Pliéguelo con una hoja de papel rojo por una cara, plegando la cara blanca hacia el exterior. El conejo puede adoptar varias posiciones cambiándole los pies.

Prendre du papier rouge sur l'envers. En travaillant les pattes on peut suggérer diverses actions.

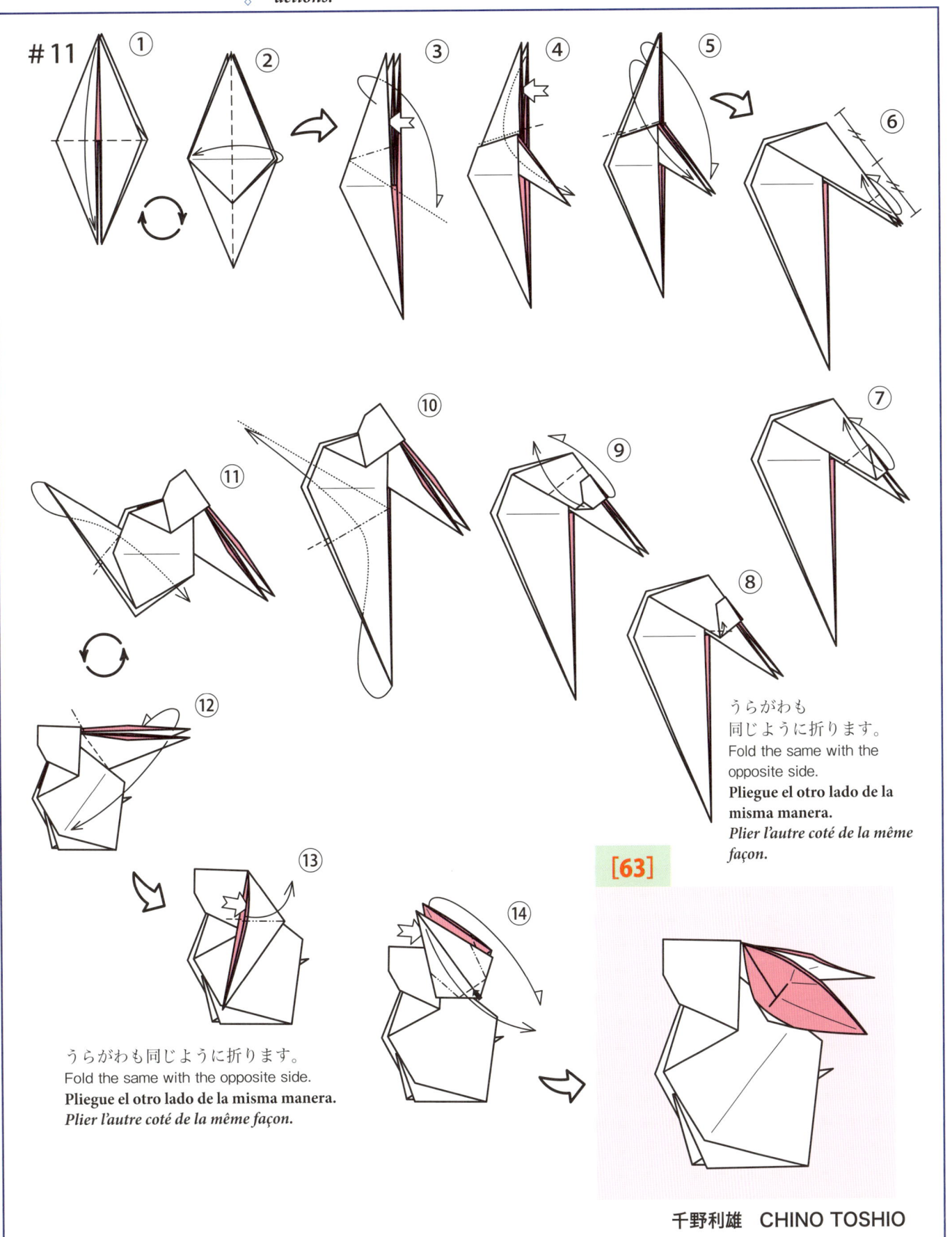

#11

うらがわも同じように折ります。
Fold the same with the opposite side.
Pliegue el otro lado de la misma manera.
Plier l'autre coté de la même façon.

[63]

うらがわも同じように折ります。
Fold the same with the opposite side.
Pliegue el otro lado de la misma manera.
Plier l'autre coté de la même façon.

千野利雄　CHINO TOSHIO

ORIGAMI TEXTBOOK

[64] 水のみ鳥
drinking bird
ave bebiendo agua
oiseau buveur

動かして遊ぶ折り紙です。
This is an origami toy in action.
Es una figura de origami que puede mover y usar como juguete.
Ce modèle est origami qui permet de jouer en bougeant.

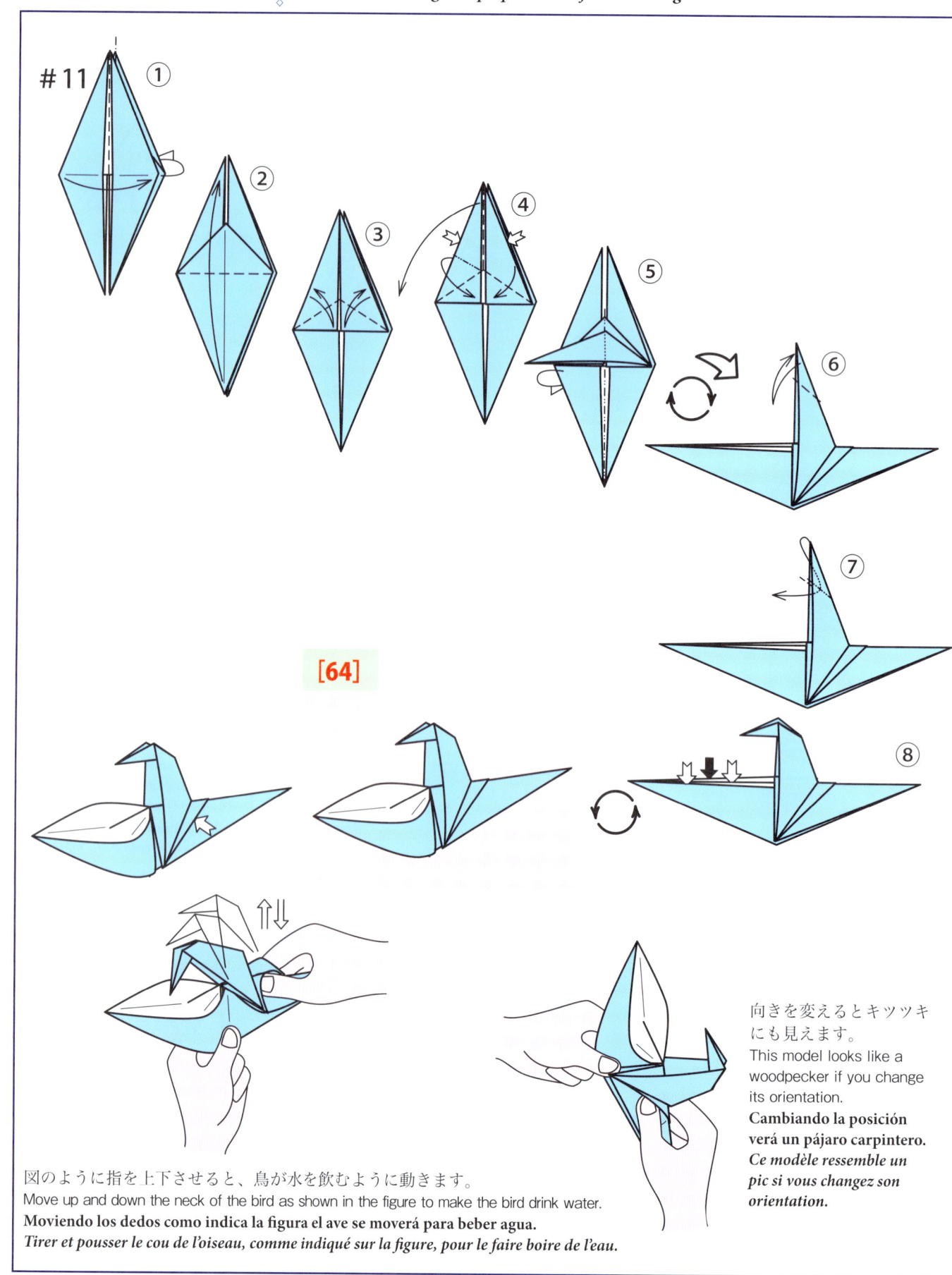

#11

[64]

図のように指を上下させると、鳥が水を飲むように動きます。
Move up and down the neck of the bird as shown in the figure to make the bird drink water.
Moviendo los dedos como indica la figura el ave se moverá para beber agua.
Tirer et pousser le cou de l'oiseau, comme indiqué sur la figure, pour le faire boire de l'eau.

向きを変えるとキツツキにも見えます。
This model looks like a woodpecker if you change its orientation.
Cambiando la posición verá un pájaro carpintero.
Ce modèle ressemble un pic si vous changez son orientation.

ORIGAMI TEXTBOOK

[65] おかご
palanquin
palanquín
palanquin

雛祭りの飾りのひとつとして使えます。
This model can be used as one of the decoration of the Doll festival (Girls' festival).
Puede usarse como adorno durante el festival de las niñas.
Ce modèle peut être utilisé comme un ornement pour le festival des poupées (le festival des filles).

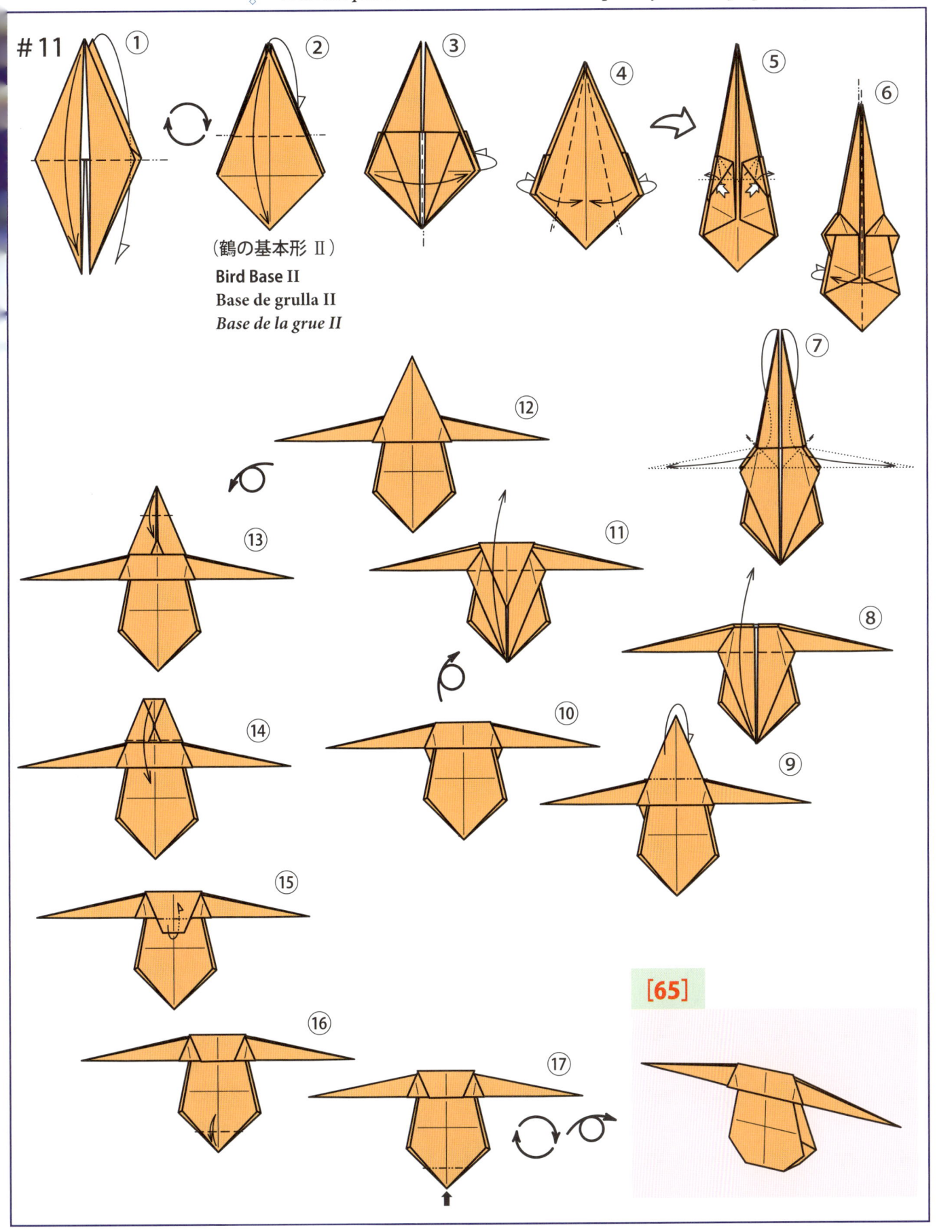

#11

（鶴の基本形 Ⅱ）
Bird Base Ⅱ
Base de grulla Ⅱ
Base de la grue Ⅱ

[65]

ORIGAMI TEXTBOOK

-77-

かえるの基本形II は、あやめの基本形ともいいます。さぶとん基本形を折っていったん広げて折り始めると、③の折りすじをつけなくても花弁折りがしやすくなります。
The Frog Base II is also known as the Iris Base. By folding and unfolding the Blintz Base in advance, you can fold the petals easily even without making the creases of step ③.
La base de rana II también se llama base de lirio. Si pliega primero la base de cojín, la extiende y luego empieza a plegar la figura, no será necesario que marque las líneas de pliegue en ③ y resultará más fácil hacer el pliegue de pétalo.
La base de la grenouille II est également connu comme la base de l'iris. En préparant en avance par pliage et dépliage la base du coussin, vous pouvez plier les pétales facilement sans faire les lignes de l'étape ③.

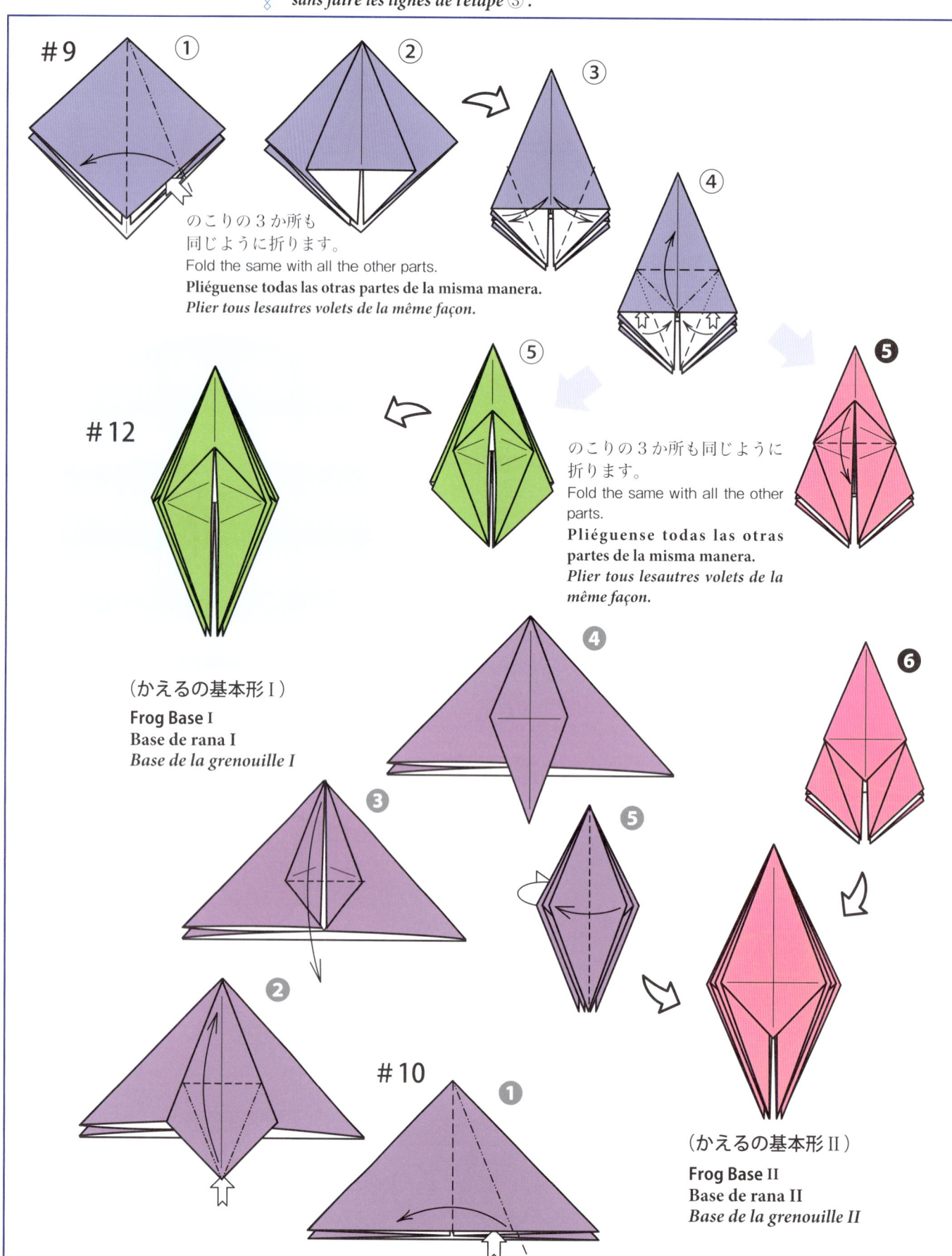

かえるの基本形
Frog Base
Base de rana
Base de la grenouille

のこりの3か所も同じように折ります。
Fold the same with all the other parts.
Pliéguense todas las otras partes de la misma manera.
Plier tous les autres volets de la même façon.

のこりの3か所も同じように折ります。
Fold the same with all the other parts.
Pliéguense todas las otras partes de la misma manera.
Plier tous les autres volets de la même façon.

（かえるの基本形 I ）
Frog Base I
Base de rana I
Base de la grenouille I

（かえるの基本形 II ）
Frog Base II
Base de rana II
Base de la grenouille II

ORIGAMI TEXTBOOK

-78-

[66] あやめの花
flower of iris
flor de lirio
fleur d'iris

⑤を折らないと伝承のゆりになります。
Without the folding of ⑤, it will be the traditional "Lily".
Si no hace el pliegue en ⑤ obtendrá el lirio tradicional.
Sans le pliage de l'étape ⑤, ce sera le traditionnel "Lys".

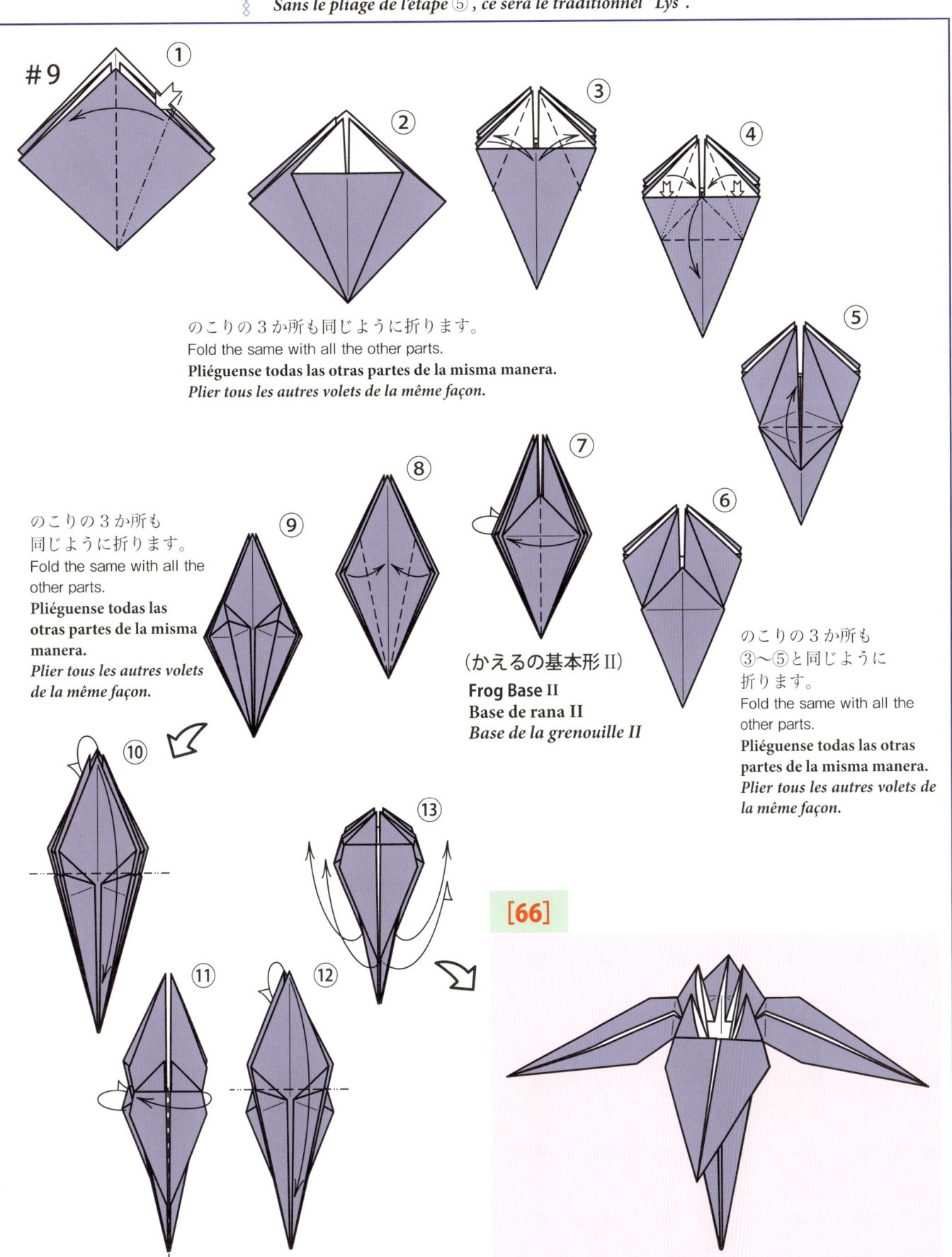

#9

のこりの3か所も同じように折ります。
Fold the same with all the other parts.
Pliéguense todas las otras partes de la misma manera.
Plier tous les autres volets de la même façon.

のこりの3か所も同じように折ります。
Fold the same with all the other parts.
Pliéguense todas las otras partes de la misma manera.
Plier tous les autres volets de la même façon.

（かえるの基本形Ⅱ）
Frog Base II
Base de rana II
Base de la grenouille II

のこりの3か所も③〜⑤と同じように折ります。
Fold the same with all the other parts.
Pliéguense todas las otras partes de la misma manera.
Plier tous les autres volets de la même façon.

[66]

Base

-79-

ORIGAMI TEXTBOOK

[67] かえる
frog
rana
grenouille

足になる部分がかなり細くなります。⑥⑦の所ですき間があくように折った方が、きれいに折れます。
This frog has very thin legs. They may be made more slender by leaving a slight gap at the centre of the paper in step ⑥⑦.
Esta rana tiene los miembros muy delgados. Puede hacer los miembros más delgados si pliega ⑥⑦ dejando un pequeño intersticio.
Cette grenouille a les pattes très fines. Pour y parvenir laisser un petit espace au milieu de ⑥⑦.

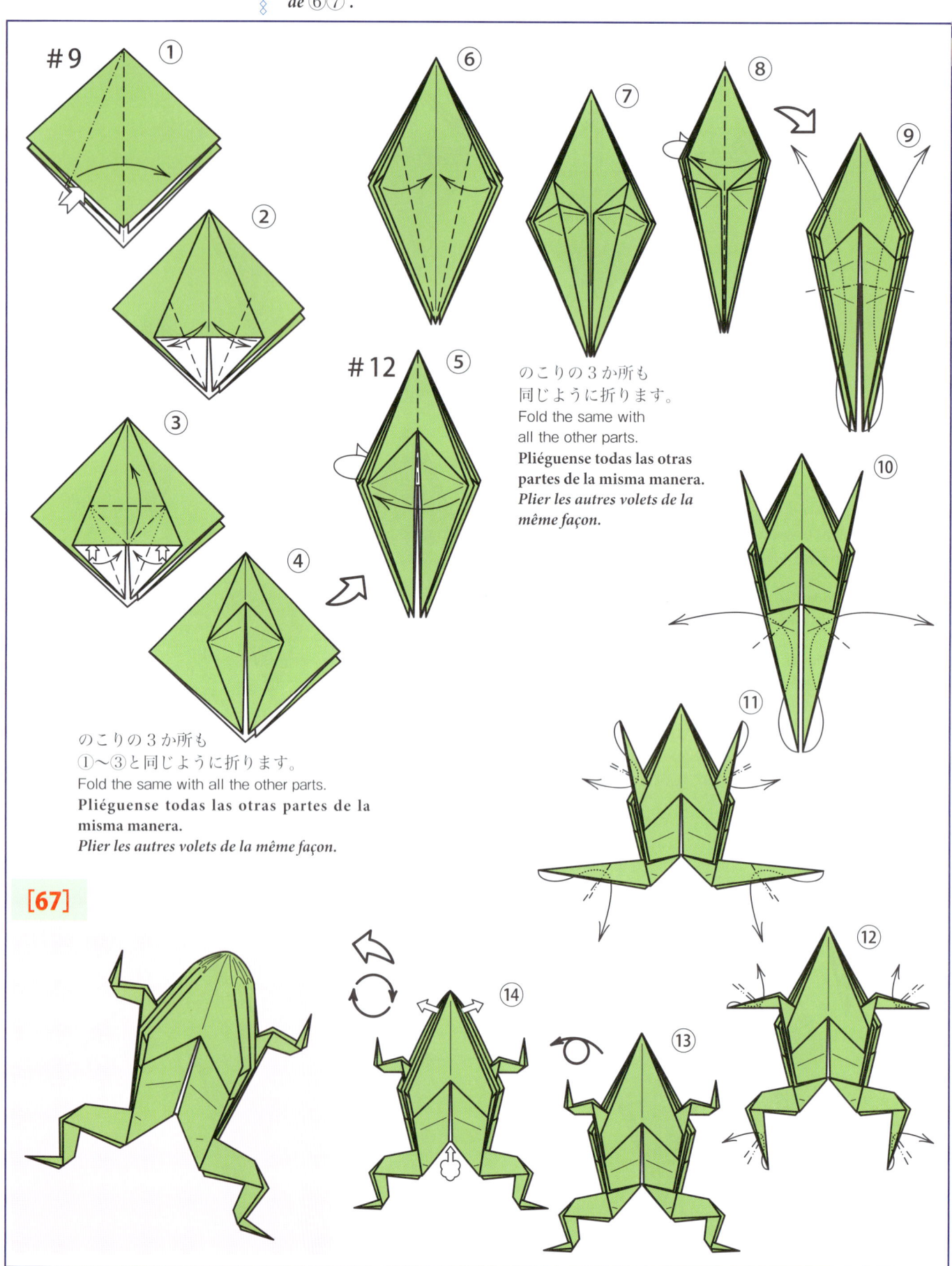

のこりの3か所も同じように折ります。
Fold the same with all the other parts.
Pliéguense todas las otras partes de la misma manera.
Plier les autres volets de la même façon.

のこりの3か所も①～③と同じように折ります。
Fold the same with all the other parts.
Pliéguense todas las otras partes de la misma manera.
Plier les autres volets de la même façon.

[67]

ORIGAMI TEXTBOOK —80—

[68] 宝船
treasure boat
barco del tesoro
barque à trésor

ざぶとん基本形を折ってから二そう舟基本形を折るという、二つの基本形を使った作品です。
This boat is made by combining the Blintz Base with the Catamaran Base.
Se hace sobreponiendo la base de cojín a la base de catamarán.
Ce modèle est réalisé en plaçant la base du coussin sur la base du catamaran.

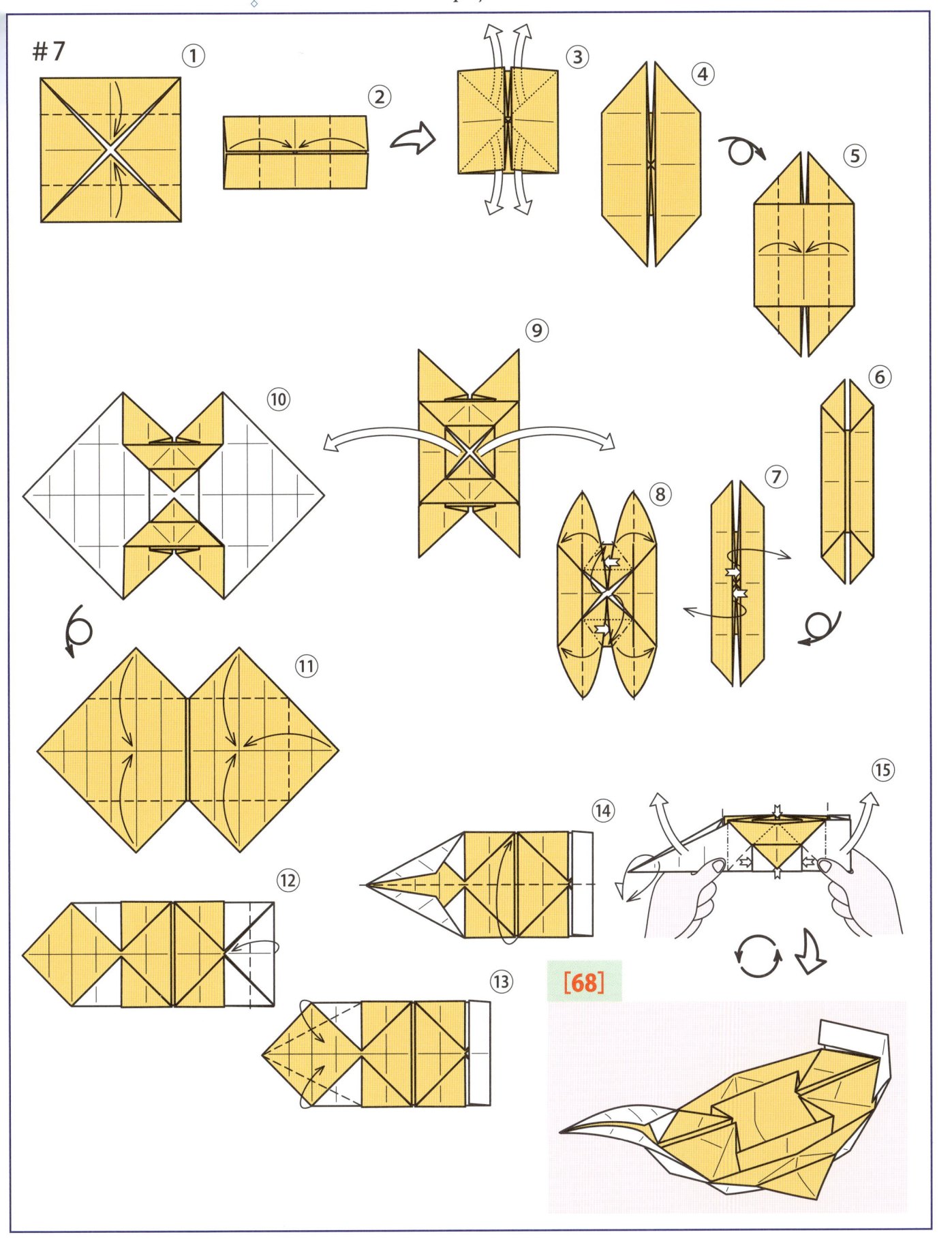

#7

[68]

-81-　ORIGAMI TEXTBOOK

[69] きくざら（星）
Kikuzara (chrysanthemum dish)
(pop-up star)
Kikuzara (plato en forma de crisantemo)
(de estrella)
Kikuzara (plat chrysanthème)
(étoile)

ざぶとん基本形を折ってから鶴の基本形を折るという、二つの基本形を使った作品です。
Both the Blintz and the Bird Base are applied in this model.
En esta figura se usan la base de cojín y la base de grulla.
Ce modele combine le blintz avec la base de la grue.

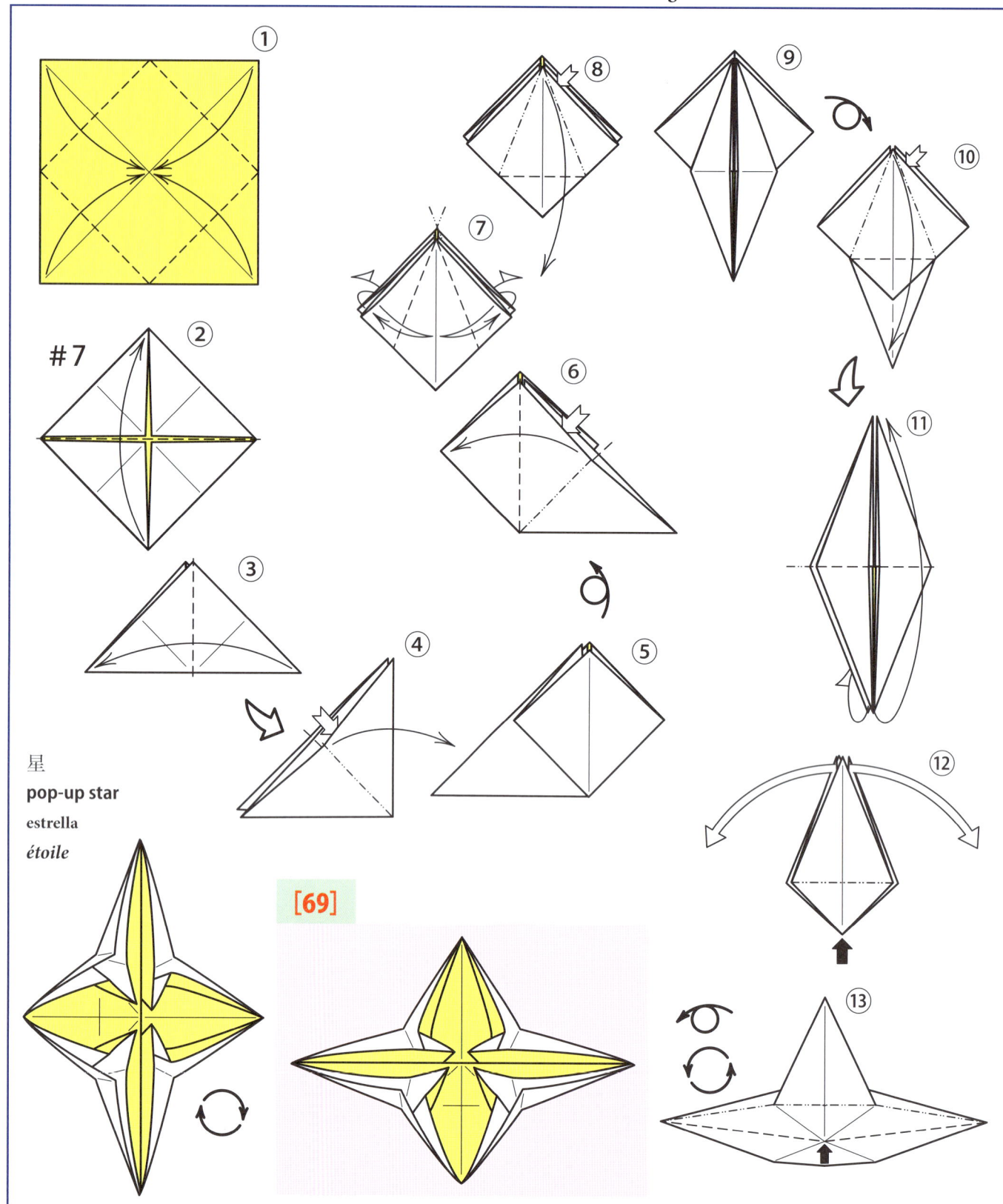

星
pop-up star
estrella
étoile

[69]

いくつかつなぐことによって、きれいな飾りができます。
Connecting several stars makes a beautiful decoration.
Poniendo juntas varias de estas figuras obtendrá un hermoso objeto decorativo.
En reliant plusieurs étoiles on obtient une belle guirlande.

きくざらは、菊の花の形の皿です。
Kikuzara (chrysanthemum dish) is a dish in the shape of flower of the chrysanthemum.
Kikuzara es un plato con forma de flor de crisantemo.
Kikuzara（plat chrysanthéme）est une assiette en forme de chrysanthème.

ORIGAMI TEXTBOOK

[70] 福助 [71] おすもうさん
Fukusuke **Sumo wrestler**
Fukusuke   Luchadores de Sumo
Fukusuke   *lutteur de Sumo*

福助は頭が大きく、裃を着て正座している姿の人形で、幸福を招くとされています。
この福助はおすもうさんに変化します。
Fukusuke is a doll who has a big head, wears a Hakama, and sits in seiza (sits with the calves tucked under the thighs). He brings happiness. Fukusuke can be changed into a paper Sumo wrestler.
Fukusuke es un muñeco de cabeza grande vestido con ropa ceremonial de samurai y sentado de rodillas en posición de seiza, y se dice que trae la felicidad. Este Fukusuke se transforma en luchador de Sumo.
Fukusuke est une poupée qui a une grosse tête, porte un hakama, et s'assoit en seiza (s'asseoir sur ses mollets). Il porte bonheur. Fukusuke peut être transformé en un lutteur de Sumo en papier.

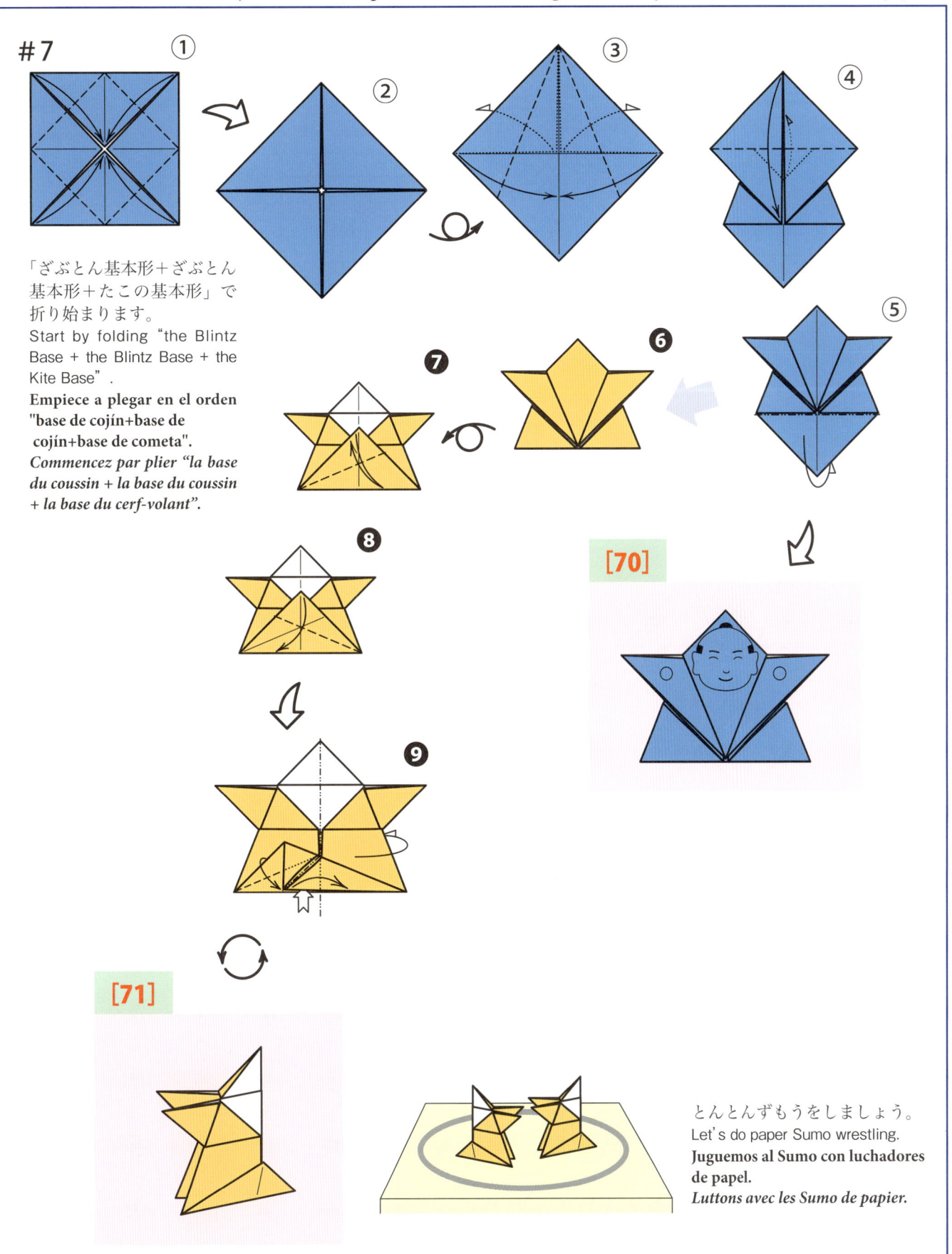

#7

「ざぶとん基本形＋ざぶとん基本形＋たこの基本形」で折り始まります。
Start by folding "the Blintz Base + the Blintz Base + the Kite Base".
Empiece a plegar en el orden "base de cojín+base de cojín+base de cometa".
Commencez par plier "la base du coussin + la base du coussin + la base du cerf-volant".

とんとんずもうをしましょう。
Let's do paper Sumo wrestling.
Juguemos al Sumo con luchadores de papel.
Luttons avec les Sumo de papier.

ORIGAMI TEXTBOOK

[72] キャンディポット

candy pot

recipiente para dulces

boite à bonbons

ざぶとん基本形と風船基本形とコップの複合作品です。
This model combines the Waterbomb Base and the Cup.
Es una figura compuesta por la base de balón y el vaso.
Ce modèle combine la base de la bombe à eau et celle du gobelet.

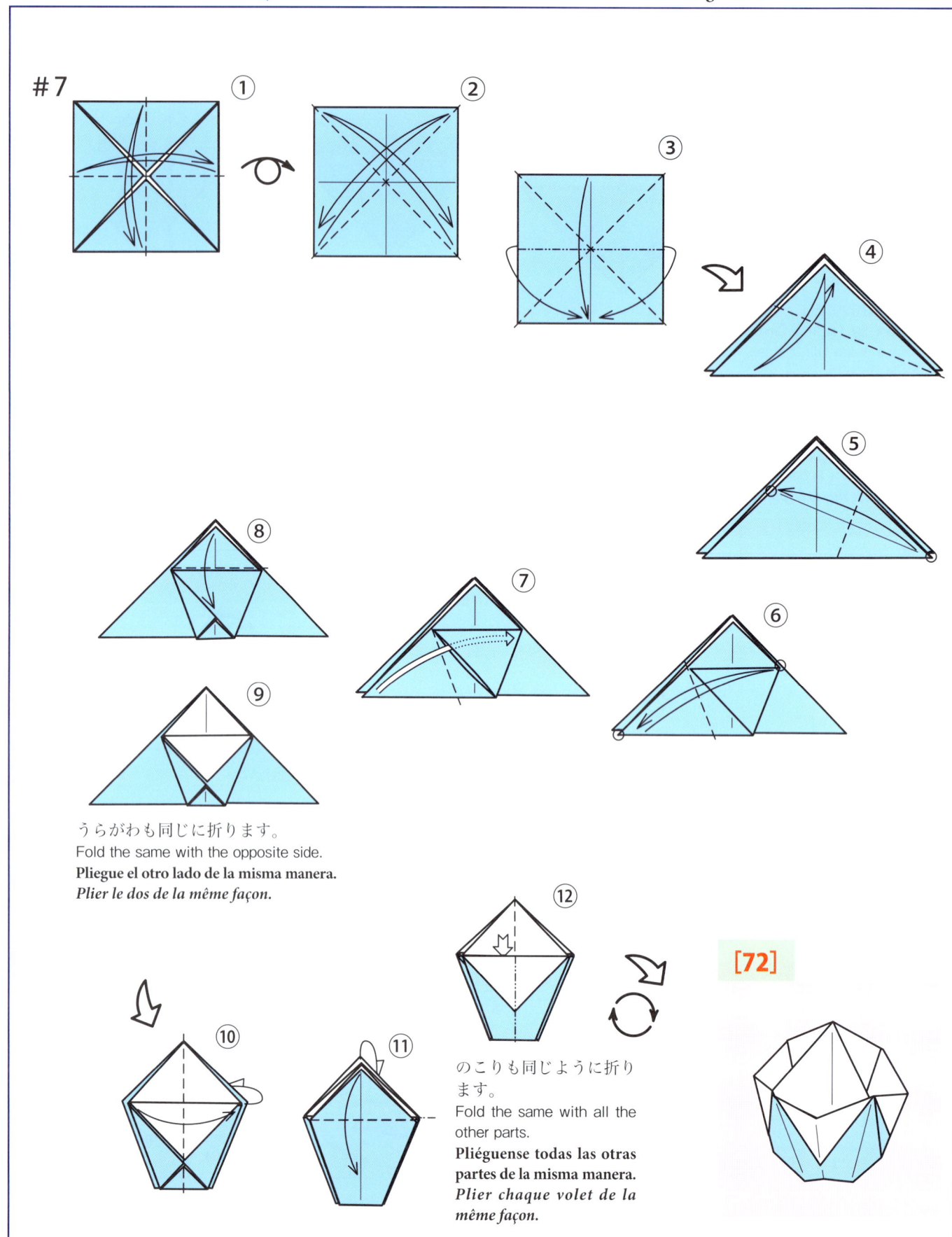

#7

うらがわも同じに折ります。
Fold the same with the opposite side.
Pliegue el otro lado de la misma manera.
Plier le dos de la même façon.

のこりも同じように折ります。
Fold the same with all the other parts.
Pliéguense todas las otras partes de la misma manera.
Plier chaque volet de la même façon.

[72]

ORIGAMI TEXTBOOK

-84-

[73] 三方
[74] あしつき三方
sanbō (utensil of offerings) I, II
sanbō (recipiente para ofrendas) I, II
sanbo (bo à offrandes) I, II

三方は、神仏に物を供えるときの器です。
The "Sanbō" is a traditional Japanese utensil used to serve offerings to God.
«Sanbō» es un recipiente tradicional del Japón que sirve para ofrecer pescado o legumbres a los dioses.
Le sanbo est un ustensile japonais traditionnel qui sert à offrir du poisson ou des légumes aux dieux.

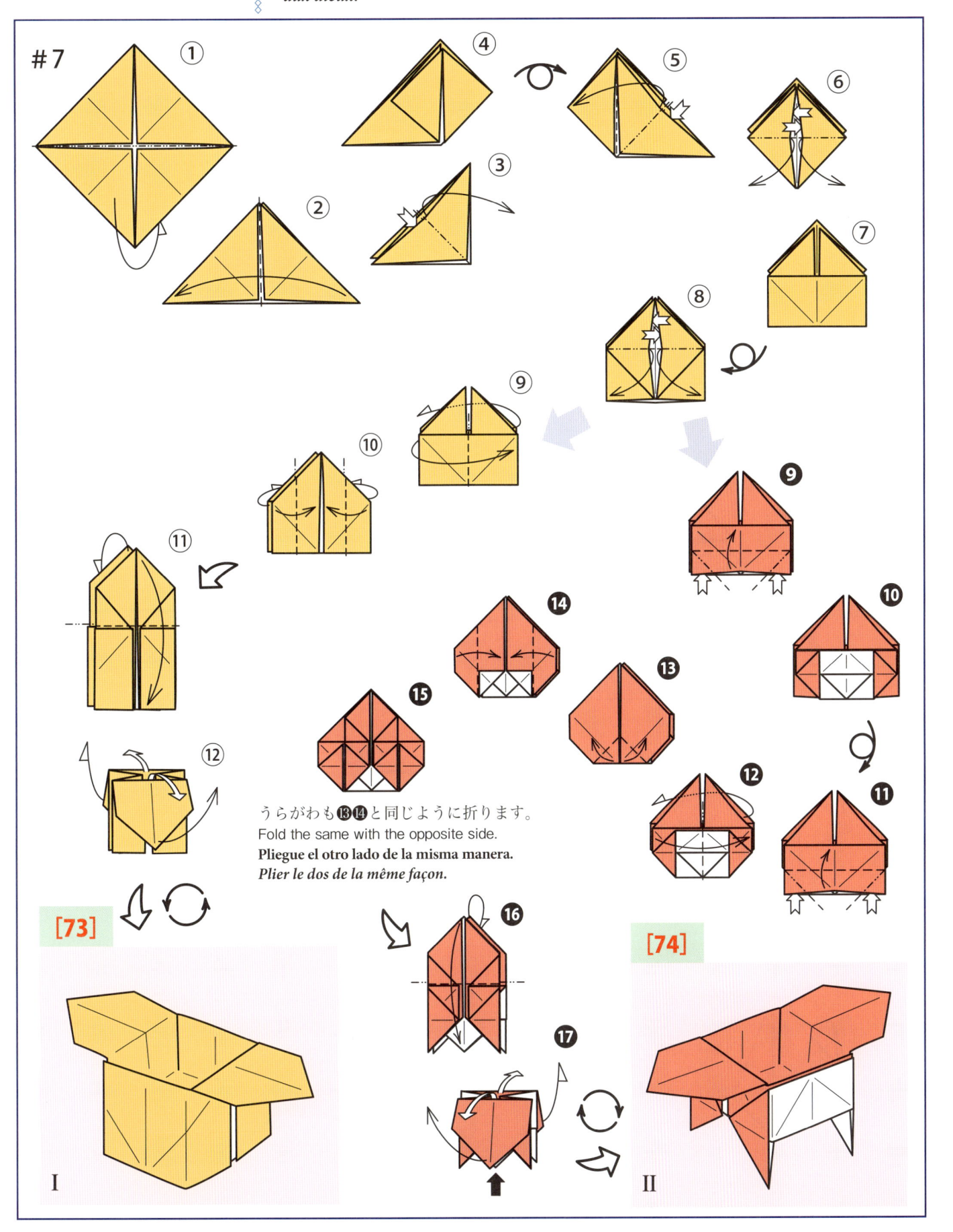

#7

うらがわも⑬⑭と同じように折ります。
Fold the same with the opposite side.
Pliegue el otro lado de la misma manera.
Plier le dos de la même façon.

[73]　I

[74]　II

-85-

ORIGAMI TEXTBOOK

[75] ぶた
pig
cerdo
cochon

二そう舟から変化した「ぶたの基本形」は4足の動物を折るのに適します。
The Pig Base that comes from Double Boat Base is suitable to fold quadruped animals.
La base de cerdo, que es una transformación del barco doble, es ideal para hacer animales de cuatro patas.
La base du cochon qui vient de la base du catamaran est adaptée pour réaliser les animaux quadrupèdes.

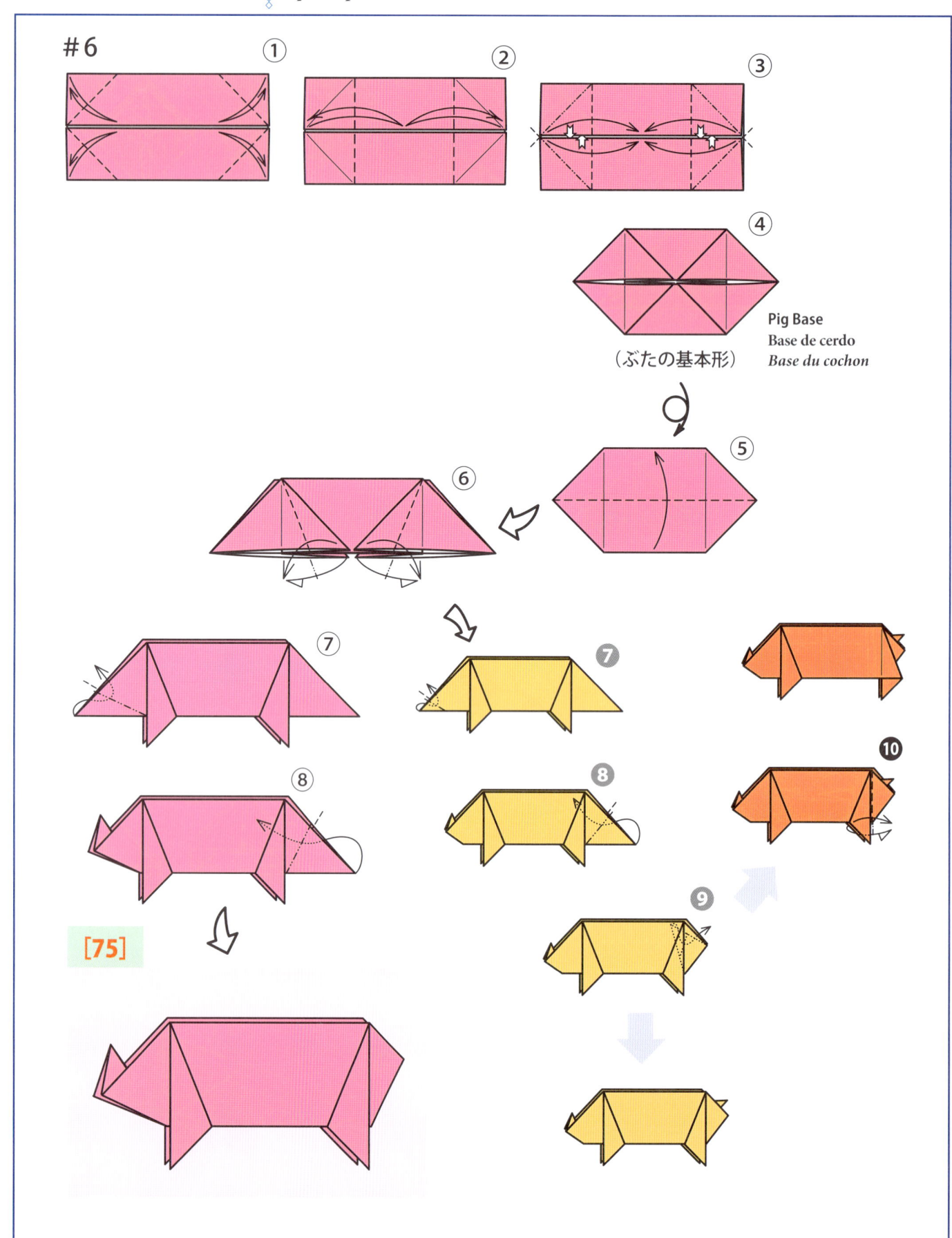

#6

Pig Base
Base de cerdo
Base du cochon
(ぶたの基本形)

[75]

ORIGAMI TEXTBOOK —86—

[76] 小鳥
bird
pájaro
oiseau

たこの基本形から大きく発展した⑨の形は「小鳥の基本形」ともいわれています。⑬では中の部分を引き出しながらずらすように折ります。

The form ⑨ that has been developed drastically from the Kite Base is also called as the Bird Base. In step ⑬, change the direction of tail while pulling out slightly the tail.

La figura en ⑨ resulta de hacer grandes modificaciones a la base de cometa y también se le llama "base de pajarita". En ⑬ tire de la parte central hacia afuera y hacia arriba.

La forme ⑨ qui est une évolution radicale de la base du cerf-volant est aussi appelé la base de l'oiseau. Dans l'étape ⑬, on peut changer la direction de la queue en la tirant légèrement.

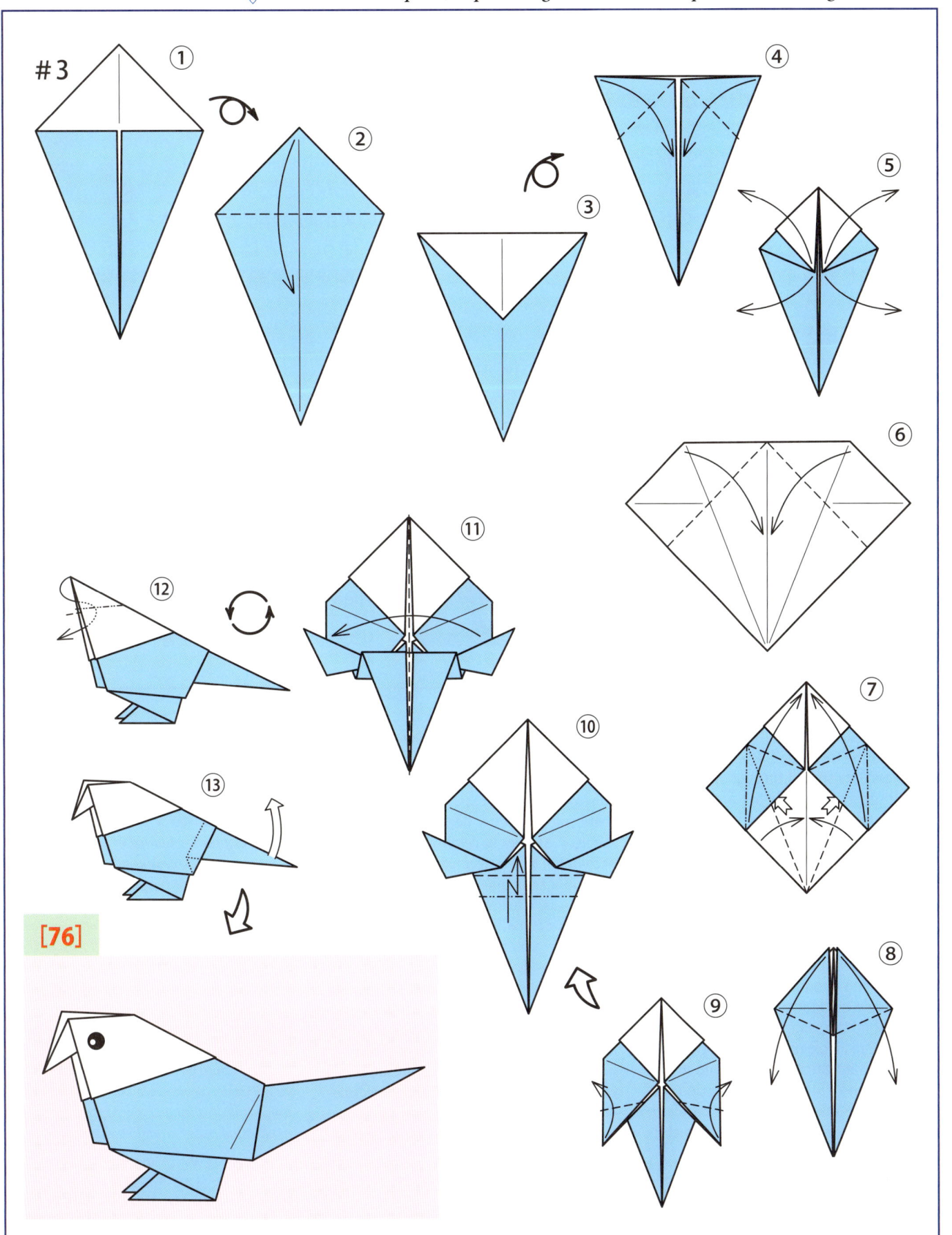

#3

[76]

-87-   ORIGAMI TEXTBOOK

「折り紙」の歴史（2）近代～現代、海外の折り紙

　紀元前に中国で発明された製紙術は、東に向かって朝鮮半島を経由して日本に伝わる一方、西に向かってシルクロードと同様の道のりを経て伝わりました。「ペーパーロード」とも呼ばれています。8世紀頃にアラビア、10世紀頃にはエジプト、12世紀のはじめ、スペインに伝わり、1000年以上かかってヨーロッパに伝わることとなったのです。ヨーロッパ全土に広がるのには、さらに400年以上もかかります。

　紙を使った造形としては、15-16世紀頃の「洗礼証明書」が有名です。これは、ざぶとん折りを2回繰り返した形です。

　一方、紙ではありませんが、布のテーブルナプキンを折りたたんで飾りつける「ナプキン折り」が生まれました。「ナプキン折り」に言及した文献は16世紀終わり頃からみられ、イタリアで1629年に出版された「LI TRE TRATTATI」（Mattia Giegher 著）では「犬」「小鳥」「双頭の鷲」「三本マストの帆船」などの折りたたみ方が図解されていました。「ナプキン折り」の汚れた口や手を拭く、という本来の実用的な機能から離れた装飾的なもので、素材こそ布ですが、見たてる、ひだ折りを使う、などは現在の「遊戯折り紙」に通じるものがあります。なお、紙ナプキンを作ったのは日本が最初で、明治期、和紙製のものが輸出されました。

▲ナプキン折りの「王冠」

■教育折り紙と創作折り紙

　ドイツの教育者フリードリッヒ・フレーベル（Friedrich Fröbel）が19世紀の中頃に創始した保育法の中に、ヨーロッパの伝承折り紙と、主に正方形の紙を切らずに折り畳んで作る幾何学模様（現在「模様折り」と呼ばれる）が含まれていました。

　明治時代、日本の幼稚園教育にフ

フレーベルの教育法「生活の形式」（左）と「美の形式」（右）による作例 ▶

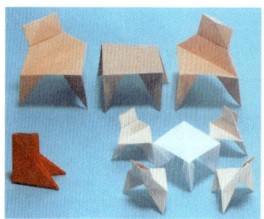

笠原邦彦：折

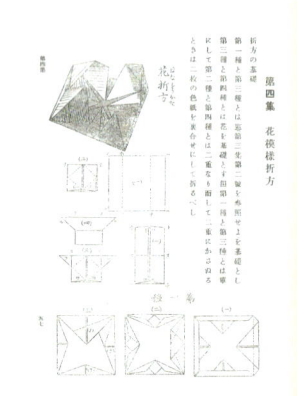

▲明治期の折り紙を収集した「折り紙と図画」（1908年発行 木内菊次郎著）より。フレーベルの模様折りのバリエーションが、「花模様折方」として紹介されています

The history of folding paper (2)

Papermaking was started in China and was brought to Europe after more than 1000 years. Its spread throughout Europe took more than 400 years and then it was brought to the United States. The production technology of western style paper was developed in Europe and the United States and then was integrated into Japanese papermaking in the early Meiji era. Thus the paper industry started in Japan.

The "baptismal certificate" around the 15th and the 16th century is considered as the beginning of origami culture in Europe. It was made by double repetition of Blintz Base. Around the same time, the decoration of "table napkin folding" became popular.

In the childcare method created in the middle of the 19th century by Friedrich Froebel, a German educator, we can find traditional European origamis and geometric

La historia de la papiroflexia (2)

Pasaron más de mil años antes de que el método de fabricación de papel nacido en China llegara a Europa. Y más de cuatrocientos años para que se expandiera en todo el continente europeo y llegara a América. En Europa y América se desarrolló el papel estilo occidental, y esta técnica fue introducida a Japón a principios del Período de Meiji, naciendo así la industria de papel en Japón.

Se dice que los inicios del origami en Europa se remontan al Siglo XVI con los "Certificados de bautismo". Estos usaban base de cojín ("Blintz Base" en inglés, "Base du coussin" en francés) doble. En la misma época se extendió el uso de telas plegadas en forma decorativa (pliegue de servilletas de mesa).

El método educativo desarrollado por el educador alemán Friedrich Fröbel a mediados del Siglo XIX incluye el origami tradicional europeo y el origami que usa papel cuadrado

Histoire de papier se pliant (2)

La fabrication du papier a débuté en Chine et a été introduite en Europe aux environs de l'an mil. Sa diffusion à travers l'Europe a pris plus de 400 ans, et elle a ensuite été transmise aux États-Unis. Une méthode de fabrication occidental a été développée en Europe et aux États-Unis et a ensuite été intégrée à la fabrication du papier japonais au début de l'ère Meiji et donna naissance à l'industrie du papier au Japon.

On considère la réalisation d'un "certificat de baptême" plié aux alentours des 15ème et 16ème siècles comme le début de l'art de l'origami en Europe. Celui était fait par double répétition de la base du coussin. Vers la même époque, la décoration par pliage des serviettes de table est devenue populaire.

Dans la méthode d'éducation des enfants créée au milieu du 19ème siècle par Friedrich Fröbel, un éducateur allemand, on pouvait trouver des modèles de pliage traditionnel européen et des

---

【要約】中国で始まった製紙法は、1000年以上もかかってヨーロッパへ伝わりました。ヨーロッパ全土に広がるのはさらに400年以上もかかり、そしてアメリカへ伝わりました。ヨーロッパやアメリカで発達したのが洋紙で、この技術を明治時代初期に取り入れて、日本の製紙産業が始まりました。ヨーロッパの折り紙の始まりは、15-16世紀頃の「洗礼証明書」とされています。これは、ざぶとん折りを2回繰り返したものです。同じ頃、布を折りたたんで飾る「テーブルナプキン折り」が広まりました。ドイツの教育者フリードリッヒ・フレーベル（Friedrich Fröbel）が19世紀中頃に創始した保育法の中に、ヨーロッパの伝承折り紙と、主に正方形の紙を折り畳んで作る幾何学模様（現在「模様折り」と呼ばれる）が含まれていました。

ORIGAMI TEXTBOOK

レーベルの教育法が取り入れられたので、前述の作品が日本の折り紙に影響を与えました。折り紙は小学校の教材にもなりました。片面に着色した正方形の「いろがみ」も普及していきました。

　少年雑誌『小国民』（創刊1889年）には、折り紙の投稿が寄せられ、折り図が掲載されます。ほとんどは伝承作品ですが、「だまし舟」が目新しいものとして紹介されているなど、ヨーロッパの折り紙の影響をうかがわせます。

　ところで、折り紙の「創作」は江戸時代から盛んでしたが、匿名のまま折り方が広まったため、現在「伝承折り紙」とされる作品の創作者（折り方考案者）名はわかっていません。作者個人の名で折り紙の「新案」が公表されたのは、明治時代の文人、幸堂得知が1896（明治29）年の雑誌『少年世界』に掲載した「蝙蝠（こうもり）」という作品が最初でした。折り紙には作者がいる、という今では一般的な考え方の始まりです。

▲「小国民」第5年21号（1893）より。「折紙変化船」

雑誌『少年世界』15号（1896）より「蝙蝠」▶

　大正時代（1912-1926）中頃から、自由を尊重する教育の時代となり、創意工夫のない「教えられた通りに作るだけ」の折り紙は創造力を育てない、という誤解が生まれます。

　昭和時代（1926-1989）に入り第二次世界大戦後、教育界では民主主義のもとに創造性が重視されるようになると、「折り紙は模倣である」と一層非難の対象となり、教育課程よりはずされます。

　しかし、折り紙文化が廃れたのではけっしてなく、出版界が子ども向けの実用書として「折り紙」や「切り紙」に目を向け、手軽な実用書は急激に数を増しました。著作で創作折り紙を発表するという形で、現在にも名の残る「折り紙作家」たちも多く生まれました。「折り図」の様式も少しずつ整理されました。

　その作家たちが団結して1969年、日本折紙作家協会設立。1973年に発展的解消し、同年10月、より広い視野からの愛好者の結集をめざして「日本折紙協会」設立。創作や活動発表の場としての会報の発行や、作品展、折紙シンポジウムの開催など、折り紙の楽しみ方の提案を続けています。

　アメリカの折り紙愛好者団体 the Origami Center of America を創設した Lilian Oppenheimer の呼びかけで、世界じゅうで折り紙のことが国際語「ORIGAMI」として通用するようになりました。

---

patterns made by square paper folding (which is called now "Hana Moyou Ori").

At Meiji era, the childcare method of Froebel was adopted in Japanese kindergarten education and the above mentioned models gave an impact on Japanese origami. Besides, origami became the teaching materials of elementary schools. At the same period, articles about origami or new models as well as inventors' names were presented in a boy's magazine.

Since the middle of Taisho era, origami was undervalued due to the trend of education that values the ingenuity. Origami was considered to be just an imitation and not to raise the creativity. After the Second World War it was removed from the curriculum. However, origami did not necessarily disappeared from general households, many books about origami have been published, and many people

para crear figuras geométricas (conocido actualmente como "origami de figuras").

Durante el Período de Meiji se introdujo el método educativo de Fröbel a la educación en los jardines de infantes de Japón, con lo cual las figuras mencionadas arriba influenciaron el origami japonés. El origami también pasó a ser material didáctico en la escuela primaria. Las revistas para jóvenes recibían figuras de origami y presentaban obras originales mencionando a sus creadores.

Desde mediados del Período de Taisho y con los círculos educativos dando importancia a la imaginación y la inventiva, se consideró que el origami era una forma de imitación que no desarrollaba la creatividad y fue visto con frialdad, desapareciendo del currículo de enseñanza después de la Segunda Guerra Mundial. Sin embargo el origami mantuvo su presencia en las familias ordinarias, publicándose muchos libros y naciendo

motifs géométriques réalisés en pliant des papiers carrés (que l'on appelle maintenant "Hana Moyou Ori").

À l'ère Meiji, l'adoption de la méthode de Fröbel pour l'éducation maternelle au Japon et la diffusion des modèles décrits ci-dessus eu un impact sur l'art de l'origami. D'autre part, celui-ci devint une matière d'enseignement des écoles élémentaires. A la même époque, dans un magazine pour jeunes garçons, des articles concernant l'origami et des nouveaux modèles d'origami furent publiés ainsi que les noms de leurs inventeurs.

Depuis le milieu de l'ère Taisho, l'origami a été délaissé car il était considéré comme une forme d'imitation ne favorisant pas la créativité et était jugé en opposition avec une éducation valorisant l'originalité. Après la seconde guerre mondiale, il a été retiré du programme scolaire. Cependant, l'origami n'a pas disparu du contexte familial et des nombreux livres sur l'origami ont été publiés, et des artistes en origami sont apparus.

明治時代、日本の幼稚園教育にフレーベルの保育法が取り入れられたので、前述の作品が日本の折り紙に影響を与えました。折り紙は小学校の教材にもなりました。少年向きの雑誌に折り紙の投稿が寄せられたり、考案者を明示した上で新たな作品が発表されたりしました。大正時代中頃から創意工夫を重んじる教育界の傾向の中で、折り紙は模倣で創造性を育てないとの理由で冷遇され、第二次世界大戦後は教育課程から外されました。しかし、折り紙が一般家庭からなくなったわけではなく、折り紙の本は多く出版され、折り紙作家と呼ばれる人たちも多く生まれました。
アメリカの折り紙愛好者団体 the Origami Center of America を創設したリリアン・オッペンハイマーの呼びかけで、世界じゅうで折り紙のこと

「ORIGAMI」は、手遊びや儀礼的なものにとどまらず、造形美術、知育、リハビリ効果、数理、工学、医療、防災などあらゆる分野で研究応用されていて、その可能性の豊かさは無限に広がるといえるでしょう。

<折り紙の効用：教育的効果>
「おりがみ」の教育的価値：副島ハマ『折り紙教本』1951（昭和26）年によると、
1．想像力を養う　2．創造力、創作力を養う　3．数学的、幾何学的観念を与える　4．正確なことを喜ぶ
5．物に順序があることを学ぶ　6．作業の楽しさを知る、作業に専念する習慣を養う　7．美的情操を養う
8．手先の運動神経が発達する
とあります。

一時期「模倣教育」とされ教育界から冷遇された折り紙ですが、これは造形活動の中では特殊な「再現性の高さ」から来た誤解と思われます。理科実験などにおいては「同じ条件下では同じ結果が得られる」という再現性はとても重要です。折り紙において「教わった通りに折る」や「図の通りに折る」行為は、きちんと順序立てて物事を進めれば、結果は必ずついてくる、ということを学べる、手軽なモデルです。また、「折り紙」という造形素材・手法で新しい形を生み出す創作力を養うためには、イメージを結ぶために必要な観察力、日頃からものをよく見て考える能力を養うことにもなるのです。

<創作の歴史、折り図記号の整理>
「折り紙作家」が考案した新たな形の折り紙は、その作家の「創作作品」となります。折り紙は「手から手へ」でなく出版物に作品の折り手順を図示して発表されるのが一般的となりました。そのための記号や技法、基本形などが徐々に整理され、作品そのものの名称はもちろん、「山折り」「谷折り」、「中わり折り」「袋折り」など、技法や形の名称も共有することで、多くの読者に折り方が広まっていきました。記号と名称の統一は、出版物に限らず一般の折り紙講師と生徒の間でも便利に使えるものとなりました。

▲一枚折りという制約の中で表現された作品（左：市川学「ラナンキュラス」、右：川畑文昭「ペガサス」）

新たな創作作品を生み出すための方法としては、初期の段階では「試行錯誤」、また伝承作品の構造を分類し共通の折り始めの形を「基本形」とし、別の形に発展させるという考え方や、完成形を広げたときにできている線に注目して「展開図」から先に考えて工程を整理するという「折り紙設計」などがあります。

代表的なユニット折り紙（薗部光伸「カラーボックス」（そのペユニット））

---

became origami artists.

The word "Origami" is now used as an international word in the world, thanks to Lilian Oppenheimer who founded the Origami Center of America, which is the organization for enthusiasts of origami in America.

Not only origami artists but also lovers, companies involved in origami, etc. gathered and founded Nippon Origami Association in 1973. Since then, Japan Origami Association has continued the dissemination of the activities of origami.

•Educational effects

Educational effects of origami is as follow: "enjoy the accuracy", "learn the symmetry", "obtain the systematized way of thinking", "learn mathematical, geometrical ideas", "enjoy the work and learn to concentrate on work", "acquire abilities to image the form and powers of observation", and so on.

muchos artistas de origami.
El nombre "origami" se convirtió en denominación común a nivel mundial gracias al llamado de Lilian Oppenheimer, fundadora del grupo de amantes de origami Centro de Origami de América.

En el año 1973 se fundó la Asociación Japonesa de Origami con la participación de artistas y amantes del origami, empresas relacionadas con origami, etc. Desde entonces la Asociación Japonesa de Origami ha venido realizando actividades dirigidas a la difusión del origami hasta el día de hoy.

•Usos del origami

Entre los usos educativos del origami se encuentran "Encontrar deleite en la precisión", "Aprender la simetría", "Aprender a pensar de forma sistemática", "Cultivar conceptos matemáticos y geométricos", "Descubrir el disfrute y cultivar la costumbre de dedicarse a las labores", "Cultivar la capacidad de

Le mot «Origami» est maintenant reconnu internationalement et est utilisé à travers le monde, grâce à Lilian Oppenheimer qui ont fondé le Centre Origami d'Amérique, qui est l'association des amateurs de l'origami aux Etats-Unis.

En 1973, non seulement des artistes mais aussi des amateurs, et des entreprises impliquées dans la pratique l'origami, se sont réunis et ont fondé l'association japonaise d'origami (Nippon Origami Association). Depuis, celle-ci a poursuivi la diffusion des activités de l'origami.

•Les effets éducatifs

Différentes valeurs éducatives sont transmises à travers l'origami comme : la recherche de précision, l'apprentissage de la symétrie, la capacité à suivre des étapes dans un ordre prédéfini, l'initiation aux concepts mathématiques et géométriques, la concentration et la satisfaction dans l'activité, l'aptitude à imaginer des formes et le sens de l'observation, etc

L'origami est créé par divers processus créatifs

が国際語「ORIGAMI」として通用するようになりました。作家だけでなく、愛好家、折り紙に関係する企業などが集まり、1973年、日本折紙協会が設立されました。以来、日本折紙協会は折り紙の普及活動を続けて今に至ります。

折り紙の教育的効用として、「正確なことを喜ぶ」「対称性を学ぶ」「順序立てた考え方が身につく」「数学的、幾何学的観念が育つ」「作業の楽しさを知る、作業に専念する習慣が養われる」「形をイメージする力や観察力が養われる」などがあります。

折り紙の創作には、試行錯誤や基本形からの発展、展開図の設計など、いろいろな方法があり、一枚折り、複合、ユニット、動く、実用、壁面

「不切正方形一枚折り」（一枚の正方形の紙で切り込みを入れずに作品を折り出すこと）や、複数の紙を組み合わせる「複合折り紙」、同じ形の単体を多く組み合わせる「ユニット折り紙」、「遊べる・動く折り紙」、「実用折り紙」、「色紙(しきし)」や「壁面構成」など、作品の構造や枚数、用途によるさまざまなジャンルの折り紙作品が生まれました。

<鑑賞のための折り紙>

折り紙は、作品ひとつひとつを個人で折るだけでも十分楽しいものですが、創作発表に限らず、自分なりに用紙を工夫したり、複数の作品を組み合わせて新たな主題を設けた作品展示などにもまた違った魅力があります。折り紙教室や支部活動の発表会などで、折り手の技術・表現力を第三者が鑑賞する機会では、「見る楽しみ」から新たな愛好家が生まれています。

▲日本折紙協会支部共同制作による「世界のおりがみ展」パノラマ作品

<工学的応用>

折り畳み傘やワンタッチで開閉する地図、飲料ボトルの表面加工、人工衛星の太陽電池パネルなど、折り紙のもつ「折り線構造」と「開閉機能」を「物を小さく折り畳んで広げる技術」につなげて工業製品などに応用するため、さまざまな研究がなされています。

▲野島武敏氏の展開構造モデル

<著作権に関すること>

これまで折り紙の「書籍」では、出版社が安易な図版コピーを禁じたり、創作者への使用許諾などを通じて一定の権利が保たれていましたが、近年、インターネットの普及により、折り方の撮影、配信（公開）が手軽に行えるようになりました。インターネット上の著作権の整備が待たれるところですが、「折り紙作品には、創作者と、発表のための図版（折り図）制作者がいる」ということをふまえた上で、日本折紙協会としては、原作者や出典を明らかにした上で講習や展示をすることを最低限のマナーとしています。

（コラムの参考図書は奥付に一覧を記載しています）

Origami is created by various ways such as a trial and error method, variations from the basic forms, and designs of crease patterns. There are various genres of models such as single sheet folding, composite folding, module folding, dynamic folding, practical use folding, and origami picture.

You can enjoy making each origami work, with using a standard paper. You also can enjoy origami by changing the paper to use or combining multiple models to create a scene and exhibit it.

The characteristics of origami, "folding a thing into a small size and open it" is also applied to industrial products and so forth.

In general, a creator of origami and a designer of folding diagrams for the presentation exist for each origami model, and both have their copyrights respectively.

imaginar las formas y de observar" entre otros.

Existen varios métodos para crear origamis, desde el desarrollo por prueba y error o partiendo de formas base, hasta el diseño de esquemas de desarrollo, etc., y se han creado figuras de diversos géneros, de una sola hoja, compuestas, móviles, de uso práctico, pinturas hechas de origami, etc.

Hacer figuras individuales de origami usando papel ordinario es divertido, y también lo es experimentar con el papel o hacer varias figuras y combinarlas para crear una escena.

La característica del origami de "plegar los objetos de forma compacta y después extenderlos" se aplica también en productos industriales y otros.

Por lo general las figuras de origami tienen un creador y una persona que elabora los diagramas que se publican, y a cada uno corresponden los derechos correspondientes.

tels que la méthode d'essais et d'erreurs, la création de variations d'une forme de base, et l'imitation de modèles de pliage. Il y a différents genres de modèles comme le pliage avec une feuille unique, le pliage composite, le pliage par modules, le pliage dynamique, le pliage pour application pratique, la réalisation de tableau et de diorama, etc.

L'origami permet de transformer un papier standard en de nombreuses œuvres d'art. Il est aussi possible de bénéficier des caractéristiques de différents papiers afin de créer une œuvre originale et aussi de combiner ceux-ci dans la réalisation d'œuvres complexes pouvant avoir une valeur scénique lors de leur exposition.

On retrouve aussi les caractéristiques de l'origami dans de nombreux produits industriels qui ont une forme compacte et une forme dépliée permettant des usages multiples.

En général, on distingue le créateur de l'origami et le concepteur du diagramme de pliage qui ont tous les deux des droits d'auteur respectifs.

構成などさまざまなジャンルの作品が生まれています。
　折り紙は、標準的な紙で、一作品ずつ折っても十分楽しいですが、素材の用紙を工夫したり、複数の作品を組み合わせて情景を作って飾って見せるといった楽しみ方もあります。
　「物を小さく折り畳んで広げる」という折り紙の特性は、工業製品などにも応用されています。
　一般に折り紙作品には、創作者と発表のための折り図制作者がいて、その権利はそれぞれにあります。

〔第3章　応用技法〕　Chapter 3 Application techniques　Capítulo 3 Técnicas prácticas　Chapitre 3 Techniques appliquées

　切り込み、複合（ユニット）、辺や角の三等分、正多角形、長方形など、いろいろな技法や紙の形で作る折り紙です。

We can make origami models while using a variety of folding techniques (paper cutting, composite folding, module folding trisection of sides or angles, and so on), and different forms of papers (a regular polygon paper, a rectangle paper, and so on).

Figuras que se hacen con diferentes técnicas y diferentes formas de papel, cortes, composición (unidades), tres lados y tres ángulos iguales polígonos regulares, rectángulos, etc.

Nous pouvons réalisé des modèles d'origami en utilisant une des techniques variées (le découpage du papier, le pliage composite, le pliage par modules, la trisection de côtés ou des angles, etc.), et des différentes formes du papier (un papier de polygone régulier, un papier rectangulaire, etc.).

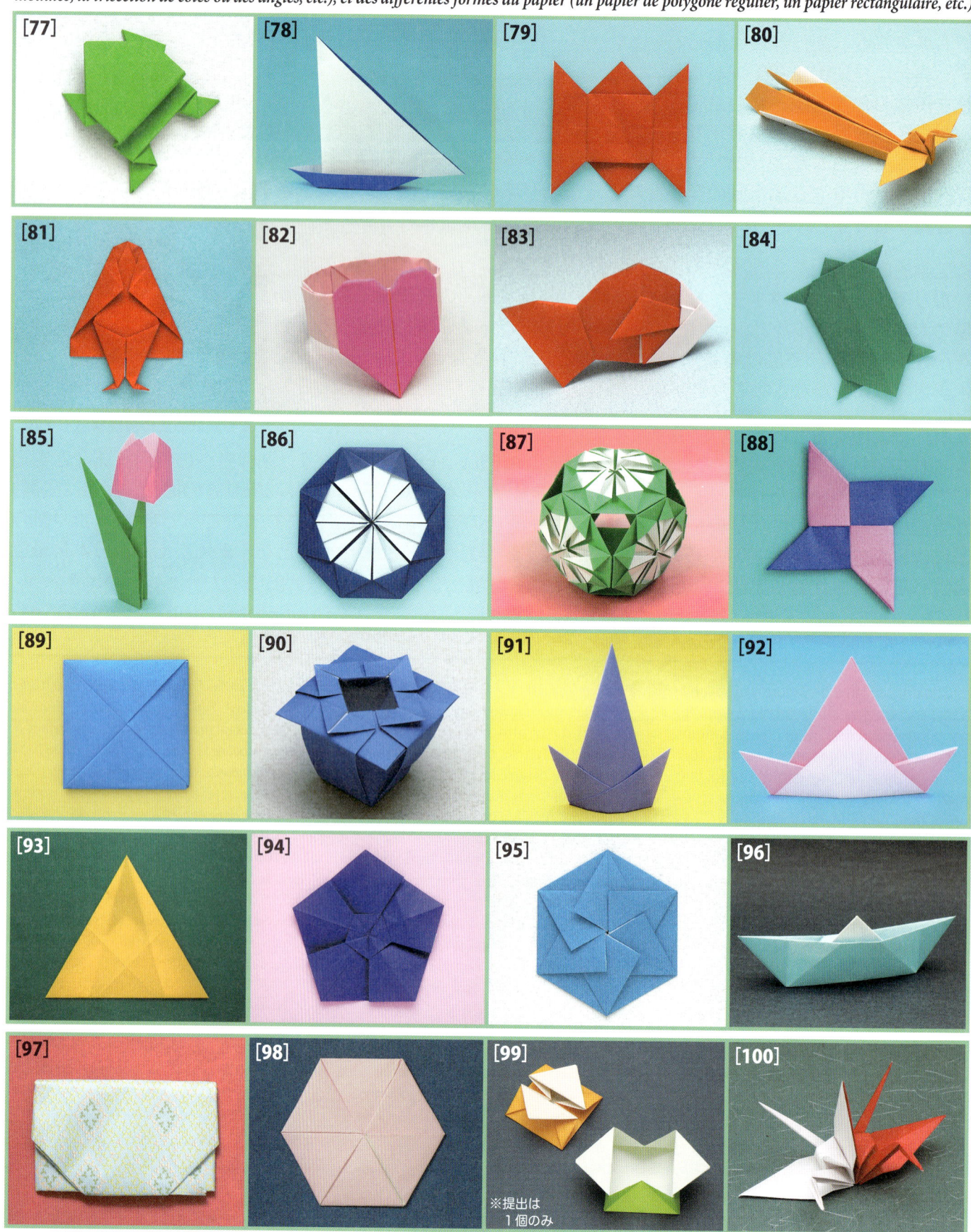

[77] [78] [79] [80]
[81] [82] [83] [84]
[85] [86] [87] [88]
[89] [90] [91] [92]
[93] [94] [95] [96]
[97] [98] [99] [100]

※提出は1個のみ

ORIGAMI TEXTBOOK

[77] ぴょんぴょんガエル
Jumping frog
rana saltarina
grenouille sauteuse

紙の繊維の流れを「紙の目」といいます。紙の目を気にして折るとよく跳びます。(P11)
In order to make the paper frog jump well, it is better to take into account the flow of paper fiber called the "grain direction".
La dirección de las fibras en el papel se llama el "tejido del papel". Si pliega la figura prestando atención al tejido del papel saltará alto.
Afin de bien faire sauter la grenouille en papier, il est conseillé de tenir compte du sens de la fibre du papier qui est appelé le "sens du grain".

#2

[77]

跳ばしあいして競争しましょう。
You can have contests to see whose frog can jump the farthest.
Se puede competir para ver quién hace la rana que salta más lejos.
Essayer d'organiser une course de grenouilles pour voir laquelle sautera le plus loin.

-93-

ORIGAMI TEXTBOOK

[78] ヨット
yacht
balandro
voilier

船の部分に鶴の基本形が使われています。「ボート」と同じようにひっくりかえします。
The Crane Base is used in the body. Turn it over in the same way as the "boat".
En el cuerpo se utiliza la base de grulla. Se invierte al igual que con la "embarcación".
La base de la grue est utilisée dans le corps. La retourner de la même manière que le "bateau".

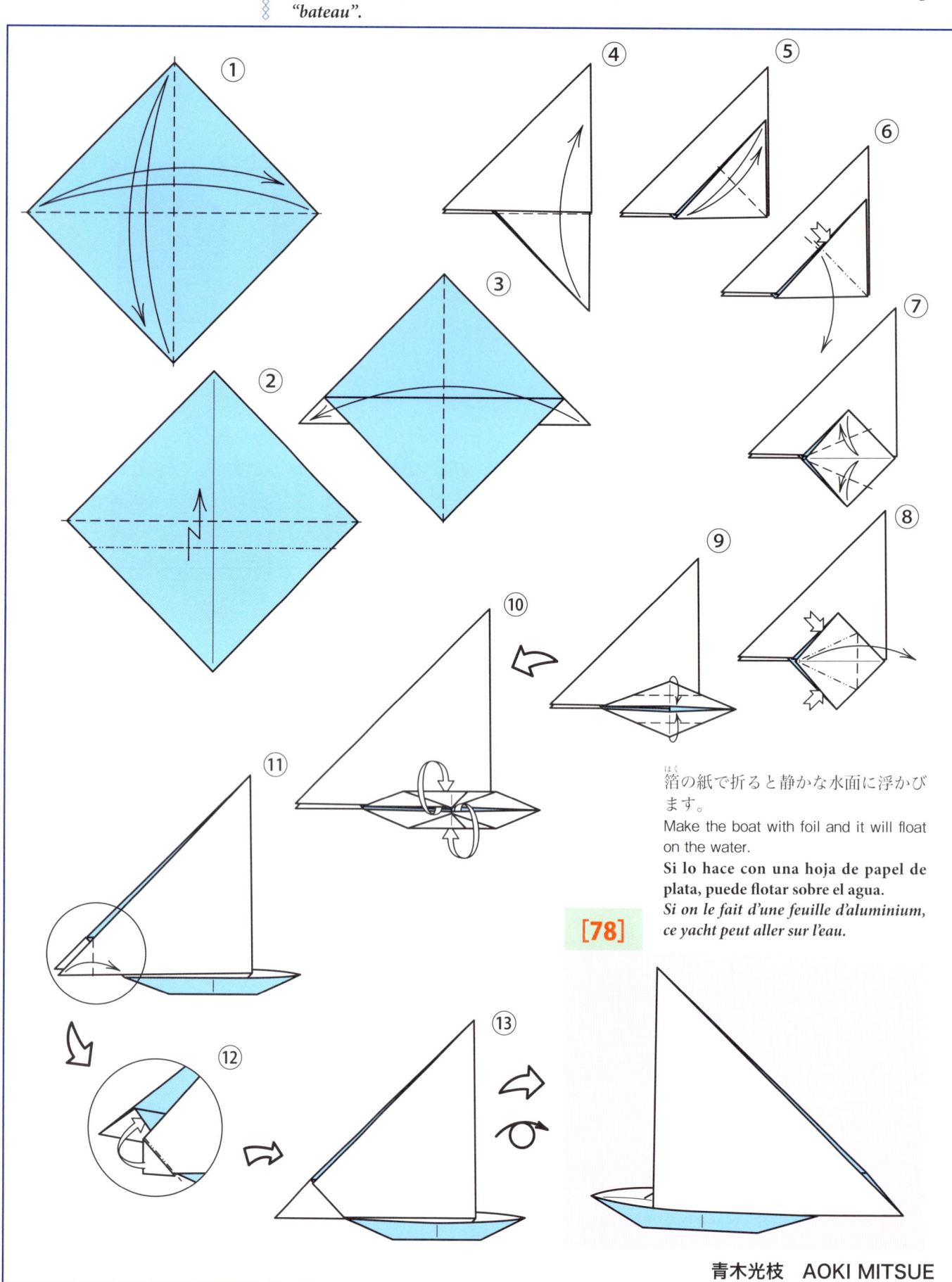

箔の紙で折ると静かな水面に浮かびます。
Make the boat with foil and it will float on the water.
Si lo hace con una hoja de papel de plata, puede flotar sobre el agua.
Si on le fait d'une feuille d'aluminium, ce yacht peut aller sur l'eau.

[78]

青木光枝　AOKI MITSUE

ORIGAMI TEXTBOOK　-94-

[79] ラバーズノット
（恋人結び）
Lover's knot
nudo del amor
nœud des amoureux

ラバーズノットとは一度結んだらほどきにくいひもの結び方の名前です。その結び方にちなんで、西洋で名づけられた作品です。

The Lover's Knot model was named for the knot difficulty to unknot afterward. This was labeled in Occidental countries.

Nudo del amor es el nombre dado a una forma de hacer nudos que son difíciles de deshacer. El nombre occidental de la figura proviene de esta forma de nudos.

Le modèle du nœud des amoureux a été nommé ainsi parce qu'il est difficile à dénouer. Cette appellation vient des pays occidentaux.

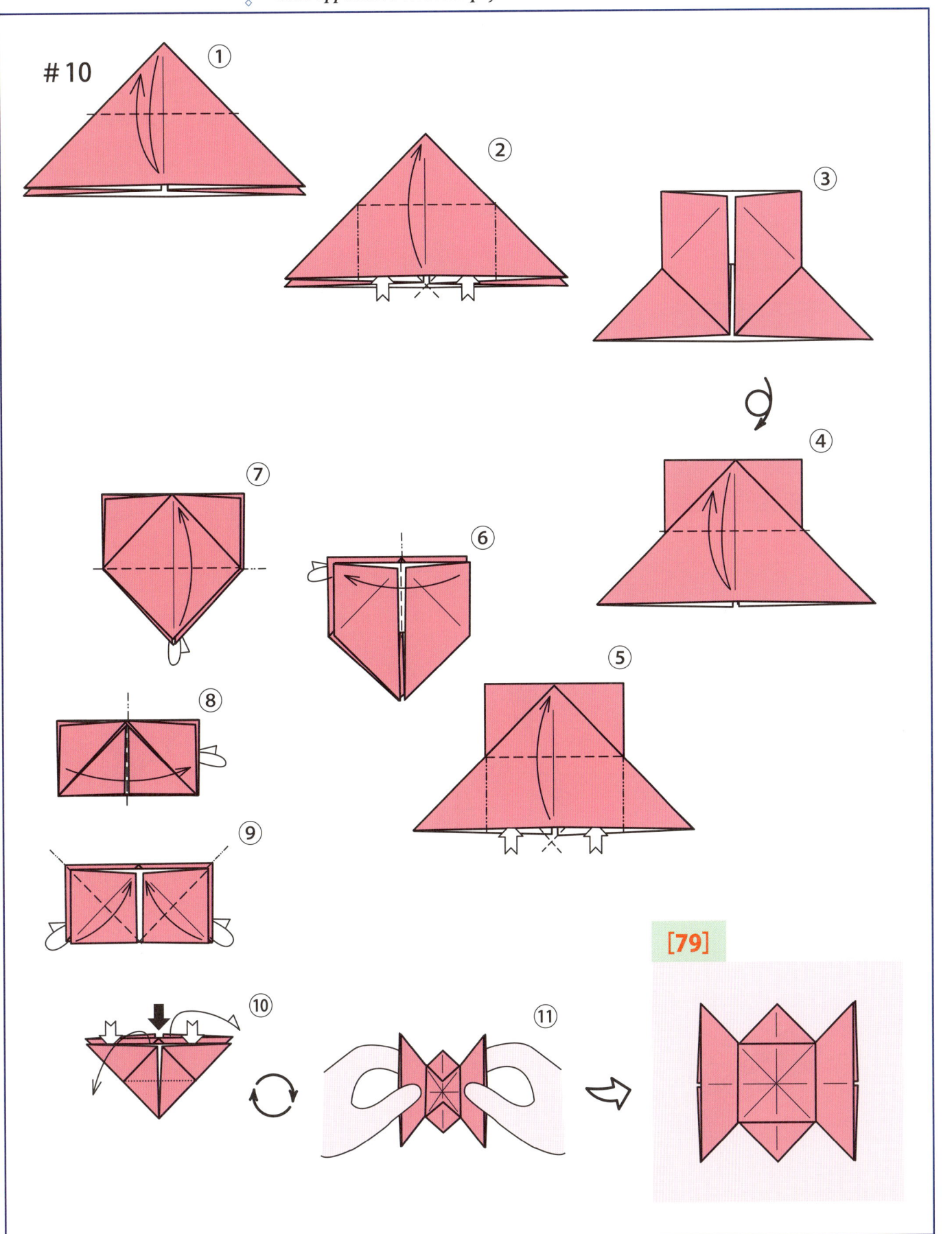

#10

-95-

ORIGAMI TEXTBOOK

[80] 鳳凰
Chinese phoenix
fénix Chino
phénix Chinois

「折り鶴」に長い尾羽がついた形です。
This model is the "Paper Crane" with a long feather tail.
Es la "grulla de papel" con cola larga y alas largas.
Ce modèle est la "grue en papier" avec une longue queue de plumes.

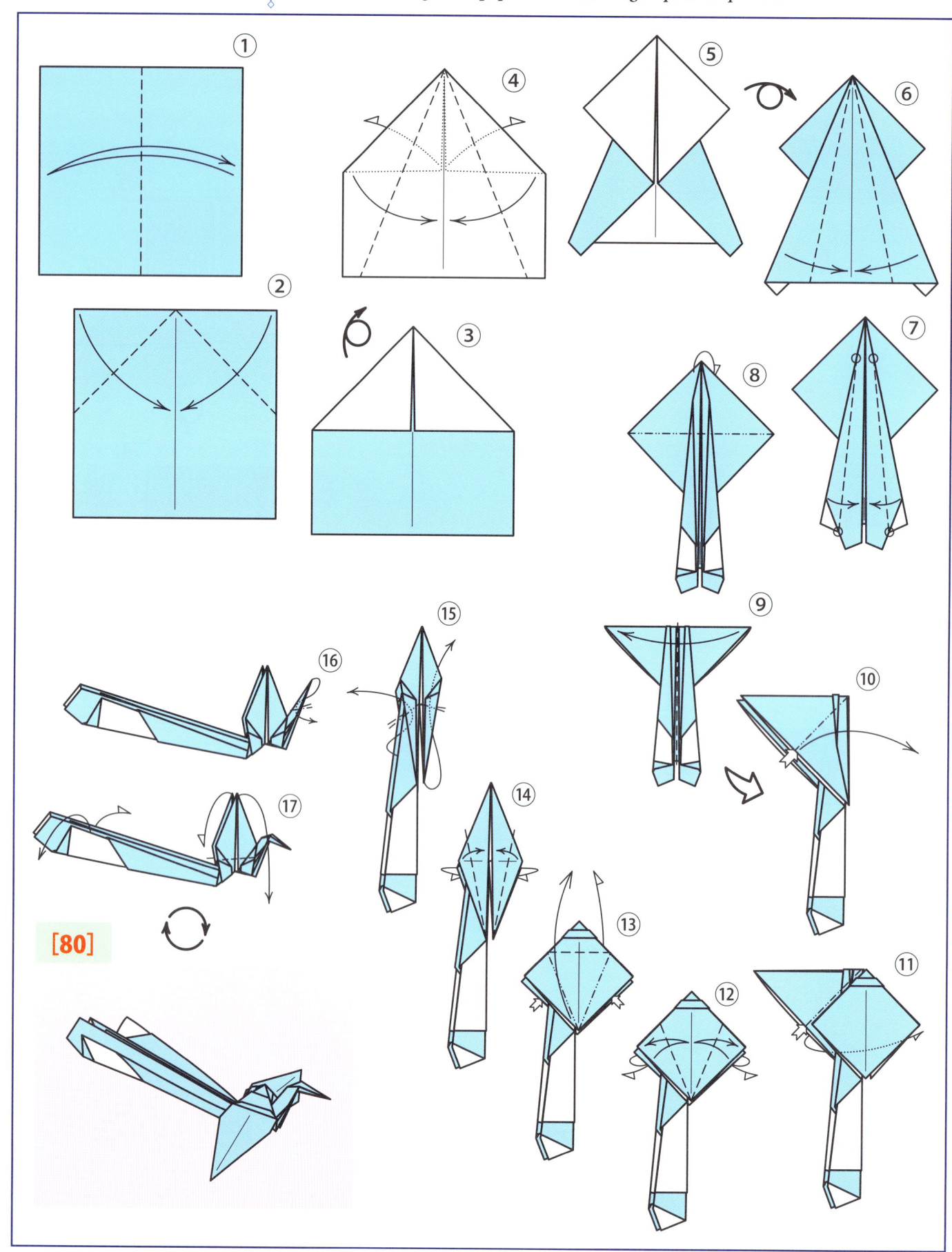

[81] 赤毛布(ケット)

a person wearing a red blanket over the head

hombre en manta roja (mantaroja)

une personne portant une couverture rouge sur la tête

明治時代から昭和時代の初め、田舎から都会見物に来た人がおしゃれな装いと思って、赤い毛布(ブランケット)を羽織っていたので、赤ケット(ゲット)と呼ばれました。

From the Meiji to the beginning of the Showa era, people who had a red blanket over the head were called "the red blankets". They came from the countryside to do sightseeing in the city and believed that this style was fashionable.

Del Período de Meiji a principios del Período de Showa las personas que venían del campo a visitar la ciudad vestían una manta roja por considerar que estaba a la moda, razón por lo cual se les llamaba los Mantaroja.

De l'ère Meiji au début de l'ère Showa, les gens qui avaient une couverture rouge sur leur tête ont été appelés "les couvertures rouges". Ils venaient de la campagne pour faire du tourisme en ville et croyaient ce style à la mode.

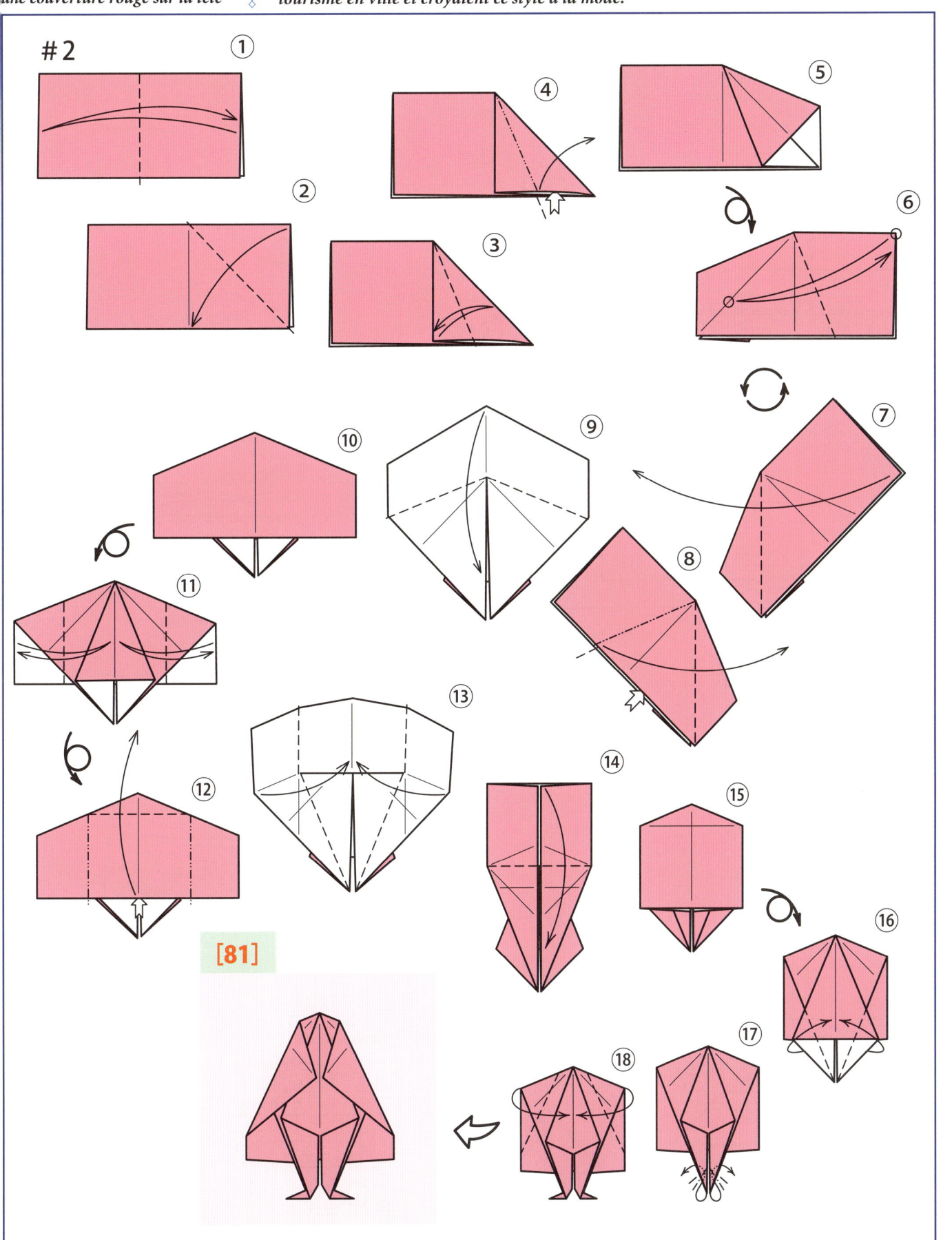

#2

[81]

—97—

ORIGAMI TEXTBOOK

[82] ハートのゆびわ

heart ring

anillo de corazón

bague de coeur

7.5cm角の大きさの紙で折ると、指にはめることができます。⑯でリングの大きさを調節できます。

Use the paper size 7.5cm × 7.5cm to create the ring suitable for fingers.

Si utiliza un papel cuadrado de 7.5cm podrá colocar el anillo en sus dedos.

Utilisez un papier de taille 7.5cm×7.5cm pour créer la bague adaptée aux doigts.

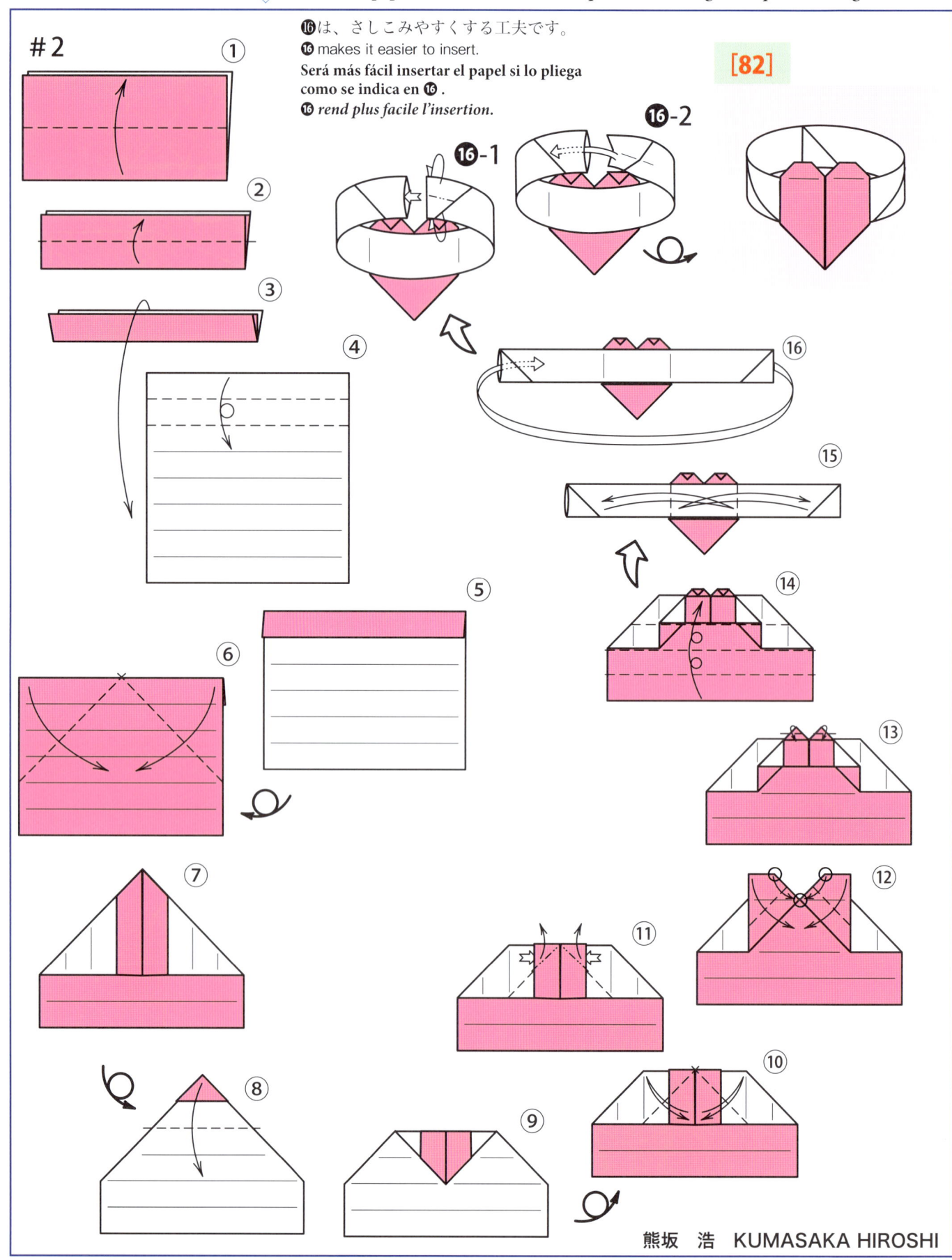

#2

⑯は、さしこみやすくする工夫です。

⑯ makes it easier to insert.

Será más fácil insertar el papel si lo pliega como se indica en ⑯.

⑯ *rend plus facile l'insertion.*

熊坂 浩　KUMASAKA HIROSHI

[83] きんぎょ II
goldfish II
pez de colores II
poisson rouge II

伝承作品のかぶとの2か所を切ると、金魚に変身します。
By making two small cuts in the helmet you can change it into a little goldfish.
Si hace dos cortes pequeños, puede transformar el casco en un lindo pez de colores.
En pratiquant deux petites coupures on obtient un joli poisson rouge.

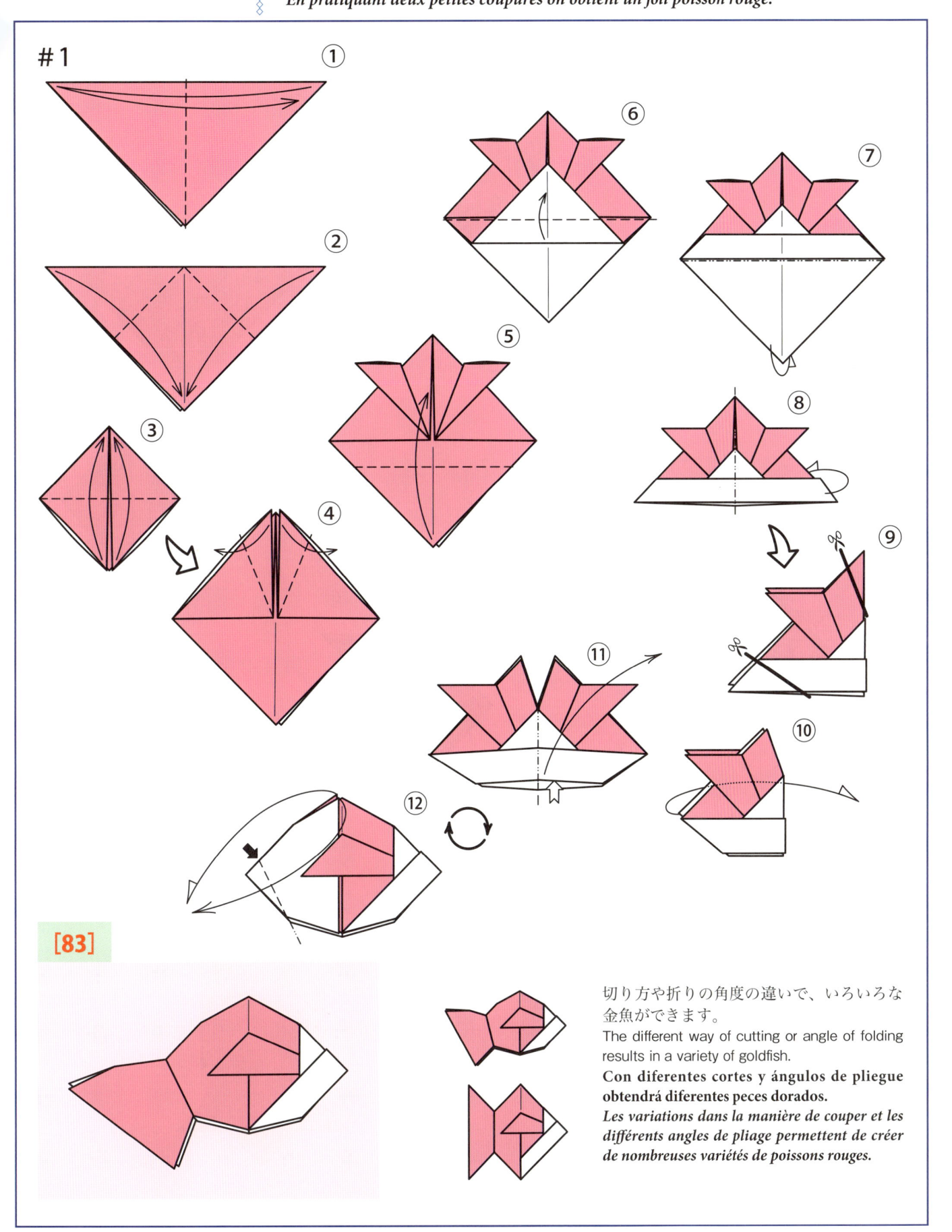

#1

[83]

切り方や折りの角度の違いで、いろいろな金魚ができます。
The different way of cutting or angle of folding results in a variety of goldfish.
Con diferentes cortes y ángulos de pliegue obtendrá diferentes peces dorados.
Les variations dans la manière de couper et les différents angles de pliage permettent de créer de nombreuses variétés de poissons rouges.

-99-

ORIGAMI TEXTBOOK

[84] かめ

tortoise

tortuga

tortue

⑥は上の1枚だけに切り込みを入れましょう。
Cut only the upper side paper.
En ⑥ haga el corte sólo en la parte de arriba.
Coupez seulement la feuille de dessus.

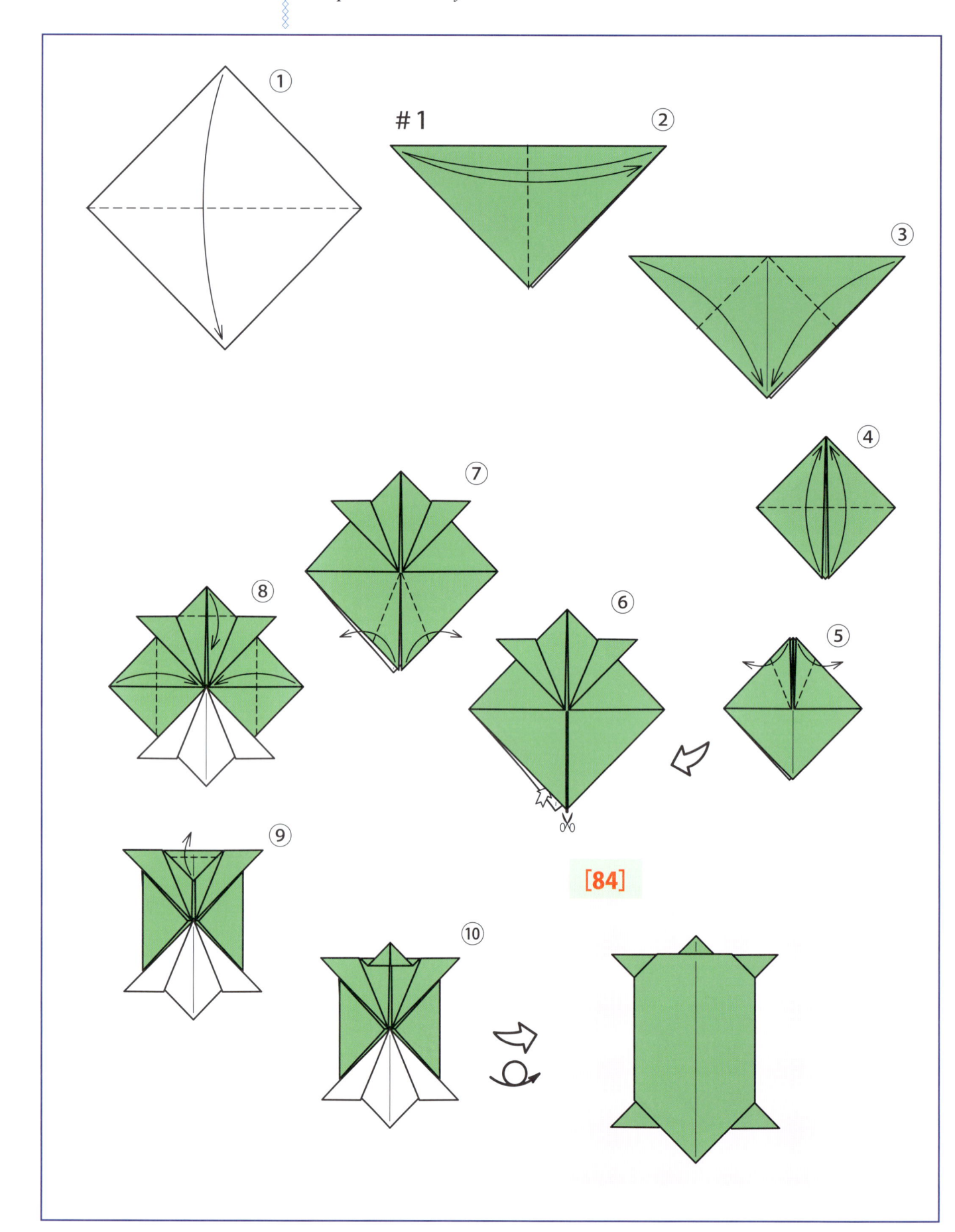

[84]

ORIGAMI TEXTBOOK

-100-

[85] チューリップ
tulip
tulipán
tulipe

花は葉の4分の1の大きさの紙で折ります。縦横それぞれ半分の折りすじを入れて切り取ります。⑪ではほんのちょっとだけ切り取りましょう。

Fold the flower with $\frac{1}{4}$ of the paper size of the leaf. To prepare that small size paper, fold vertically and horizontally in half and cut $\frac{1}{4}$ of the paper. Cut just a little in step ⑪.

La flor se hace con un papel cuatro veces más pequeño que el de las hojas. Se marca la mitad de las líneas de pliegue verticales y horizontales de cada uno y luego se corta. En ⑪ se corta solo un poco.

Pliez la fleur avec un papier d'une taille correspondante au $\frac{1}{4}$ de la taille de la feuille. Pour préparer ce papier, plier verticalement et horizontalement en deux et couper le quart d'une feuille de papier. Couper une petite partie à l'étape ⑪.

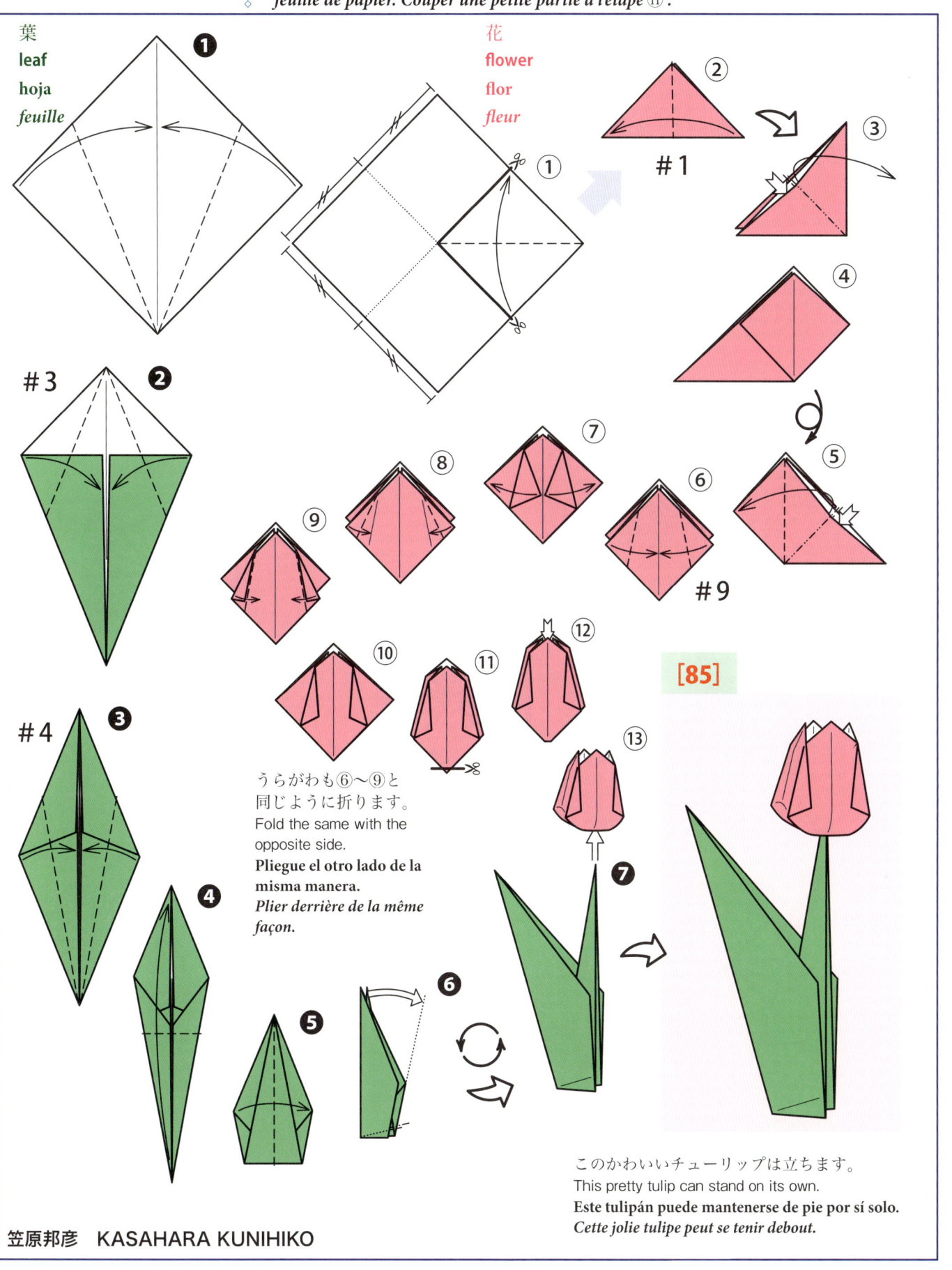

葉 / leaf / hoja / feuille

花 / flower / flor / fleur

うらがわも⑥〜⑨と同じように折ります。
Fold the same with the opposite side.
Pliegue el otro lado de la misma manera.
Plier derrière de la même façon.

このかわいいチューリップは立ちます。
This pretty tulip can stand on its own.
Este tulipán puede mantenerse de pie por sí solo.
Cette jolie tulipe peut se tenir debout.

笠原邦彦　KASAHARA KUNIHIKO

-101-

ORIGAMI TEXTBOOK

[86] くんしょう　[87] くすだま
medal　　**Kusudama**
medalla　　Kusudama
　　　　　　(piñata esférica)
medaille　　*Kusudama*

くんしょうを6枚のりづけしてくすだまができます。⑤で4つのかどの三角を表面どうしであわせてのりづけしましょう。
Gluing 6 medals will create a decorative paper ball. In step⑤, glue the front side of the four corner triangles to those of other units.
Con seis medallas y pegamento puede hacer una piñata. En ⑤ doble los triángulos de las cuatro esquinas y uselos para pegar las caras con pegamento.
Coller 6 médailles pour créer une boule de papier décoratif. A l'étape ⑤, Coller les quatre coins triangulaires extérieurs entre eux.

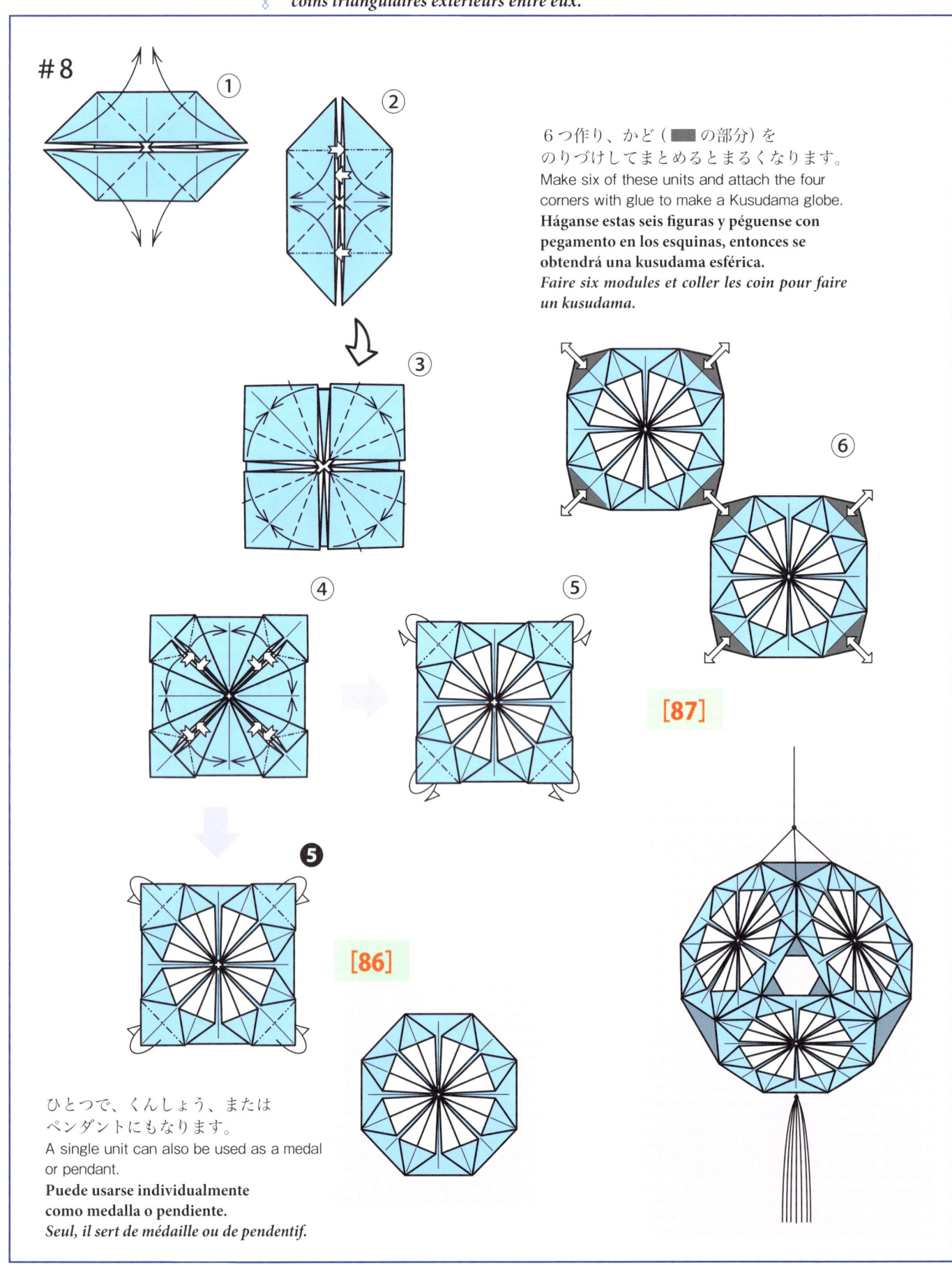

#8

6つ作り、かど(■の部分)をのりづけしてまとめるとまるくなります。
Make six of these units and attach the four corners with glue to make a Kusudama globe.
Háganse estas seis figuras y péguense con pegamento en los esquinas, entonces se obtendrá una kusudama esférica.
Faire six modules et coller les coin pour faire un kusudama.

[87]

[86]

ひとつで、くんしょう、またはペンダントにもなります。
A single unit can also be used as a medal or pendant.
Puede usarse individualmente como medalla o pendiente.
Seul, il sert de médaille ou de pendentif.

ORIGAMI TEXTBOOK

同じ形の2枚を組み合わせた「ユニット折り紙」です。厚みを少なくするため、用紙は正方形を半分に切った長方形や、さらにその半分の長方形で折ったものも伝承されています。

This is the "modular origami" that combines two pieces of paper that have the same shape. There are also the traditional thinner models made of the rectangle paper ratio 2:1 or 4:1.

Es una unidad formada por dos figuras iguales. Entre las figuras tradicionales algunas usan los dos rectángulos que se obtienen al cortar un papel cuadrado, y otras los rectángulos resultantes de cortar una vez más estos rectángulos, para que la figura resulte delgada.

Ceci est "l'origami modulaire" qui combine deux morceaux de papier qui ont la même forme. Il y a aussi des modèles traditionnels plus minces réalisés avec un papier rectangulaire dont le rapport est 2: 1 ou 4: 1.

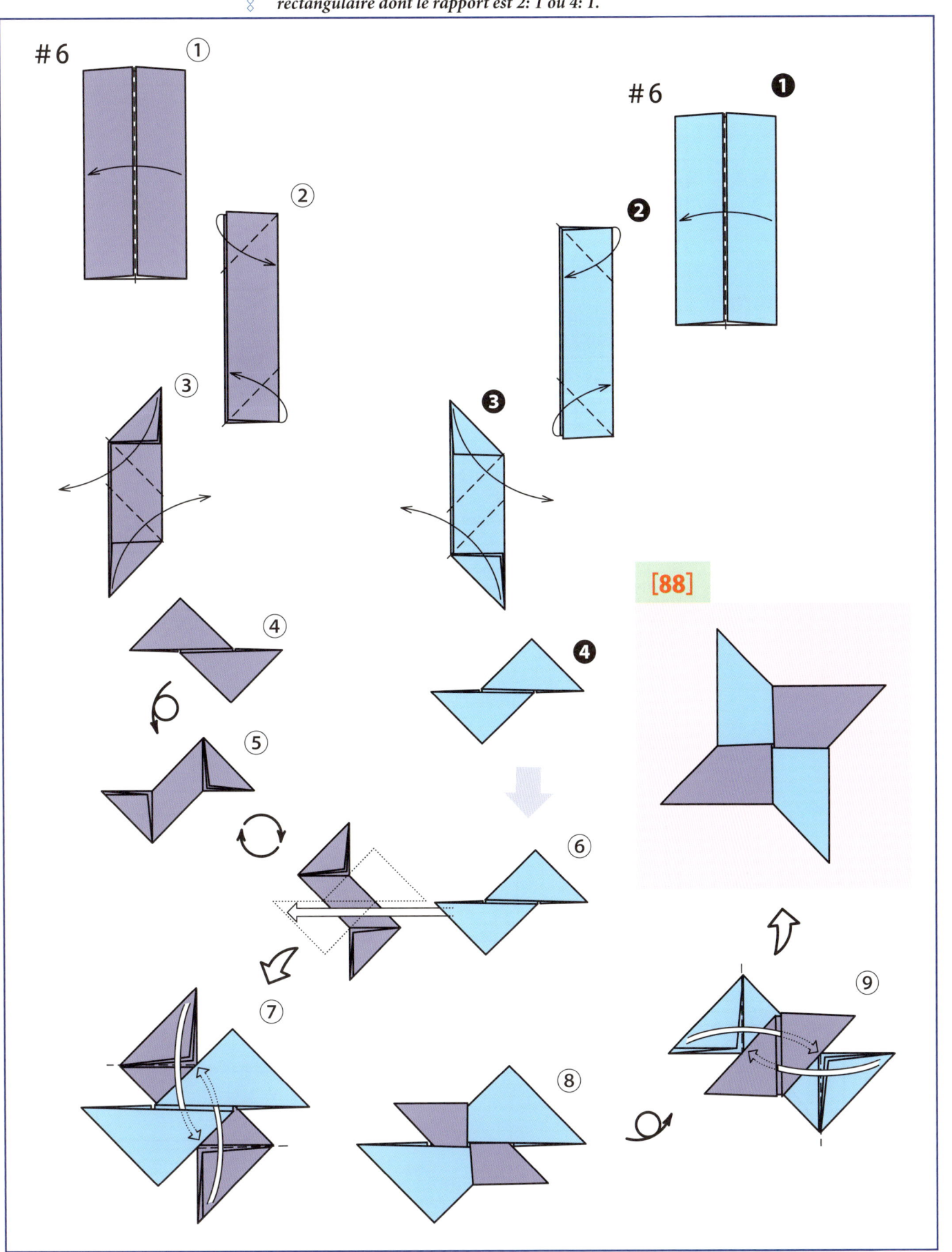

[88] しゅりけん

dart

estrella ninja

fléchette

[88]

-103-

ORIGAMI TEXTBOOK

辺の三等分
trisection of sides
tres lados iguales
pli en trois

折り紙で「三つ折り」を正確に行うことができます。
You can precisely perform the "folding into thirds" in origami.
Permite hacer correctamente el "pliegue triple" en origami.
Vous pouvez effectuer avec précision le "pli en trois" en origami.

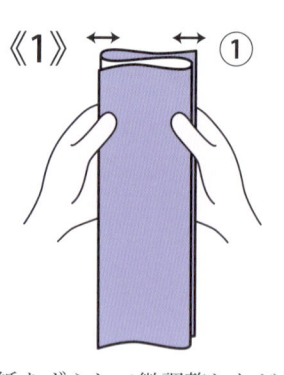

《1》①

紙をずらして微調整しながら折ります。
Adjusting the folding lines by sliding the paper
Mueva el papel ajustándolo poco a poco al tiempo que lo pliega.
Identifier les lignes en ajustant le papier plié de manière superposée1

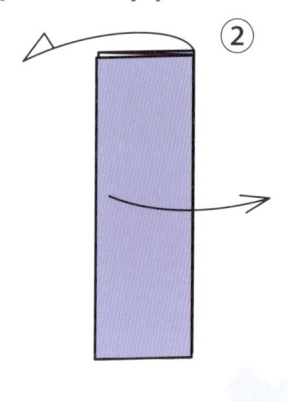

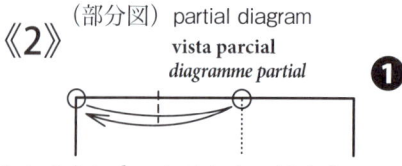

②

《2》 (部分図) partial diagram
vista parcial
diagramme partial

❶
おおまかに $\frac{1}{3}$ のしるしをつけます。
Mark approximately the place of one third.
Haga una marca a aproximadamente $\frac{1}{3}$ del ancho del papel.
Identifier approximativement la position du tiers.

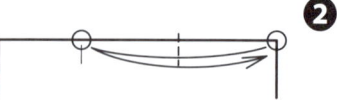

❷
しるしにあわせてしるしをつけます。
Fold the point ○ to meet the other point ○.
Con esta marca como referencia haga una marca al otro lado.
Pliez le point ○ pour qu'il rencontre avec l'autre point ○.

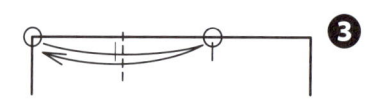

❸
しるしにあわせてしるしをつけます。
これを数回くりかえします
Fold the point ○ to meet the other point ○. Repeat this several times.
Con esta marca como referencia haga una marca al otro lado. Repita este procedimiento varias veces.
Pliez le point ○ pour qu'il rencontre avec l'autre point ○. Répétez cette opération plusieurs fois, jusqu'à ce que les points soient parfaitement alignés.

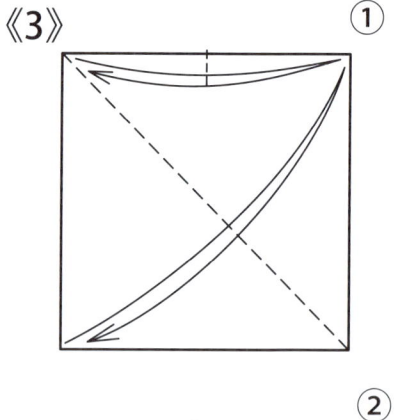

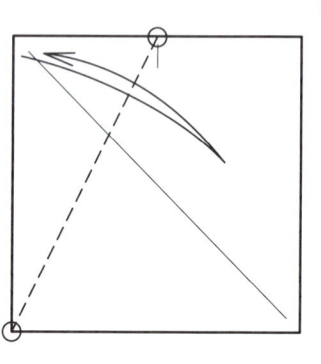

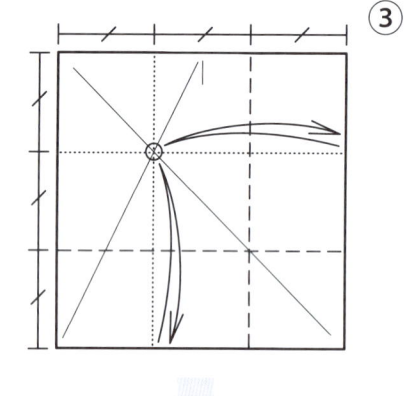

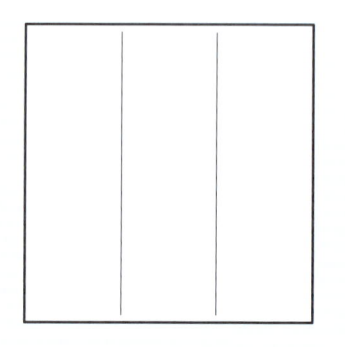

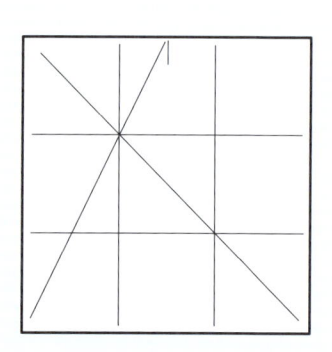

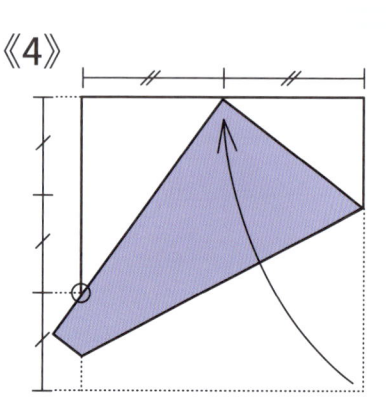

《3》①

②

③

《4》

ORIGAMI TEXTBOOK
-104-

[89] 糸入れ（めんこ）
thread case (Menko)
estuche de hilo (Menko)
pochette de fil (Menko)

糸くずを入れて使われた実用作品です。なお、この作品を単体として使ったユニット作品も伝承されています。

This is the practical model used as a thread case. There are traditional modular origami which use this model as one of the parts.

Es una figura de uso práctico que se utilizaba para guardar restos de hilo. Existen también unidades que la utilizan como componente.

Ce modèle est utilisée comme une pochette de fil. Il existe des origamis modulaires traditionnels qui utilisent ce modèle comme l'une de ses parties.

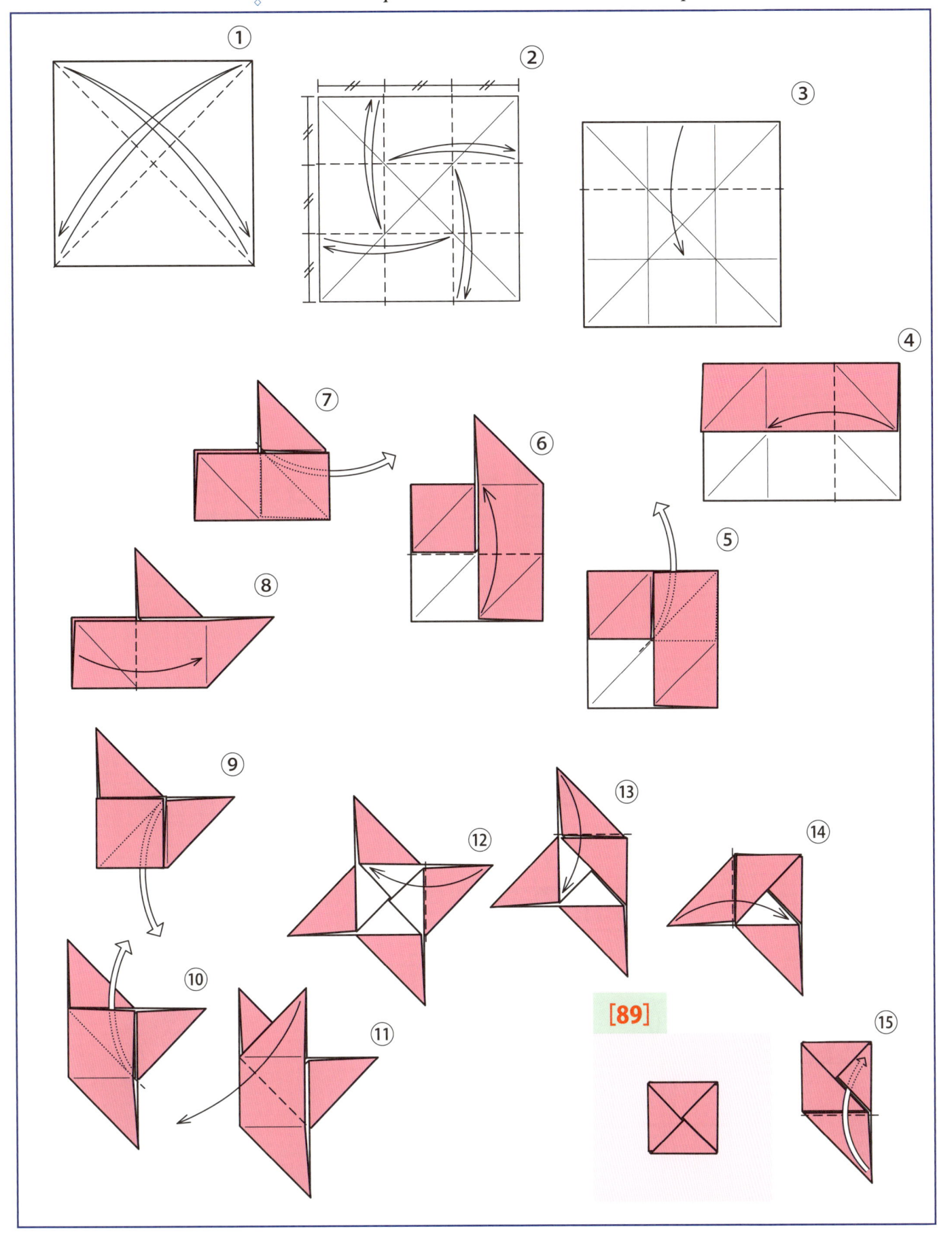

-105-

ORIGAMI TEXTBOOK

[90] つぼ
vase
bote
vase

重なった紙を引っ張るようにして立体にします。できあがりをよく見てしあげましょう。
Pull the overlapped paper in order to make a three dimensional shape. Look carefully the final figure to realize a fine work.
Tirando de los papeles superpuestos se obtiene una figura de tres dimensiones. Observe bien la forma final y de terminación a la figura.
Tirez sur le papier superposé pour lui donner du relief. Regardez attentivement la figure pour réaliser une belle finition.

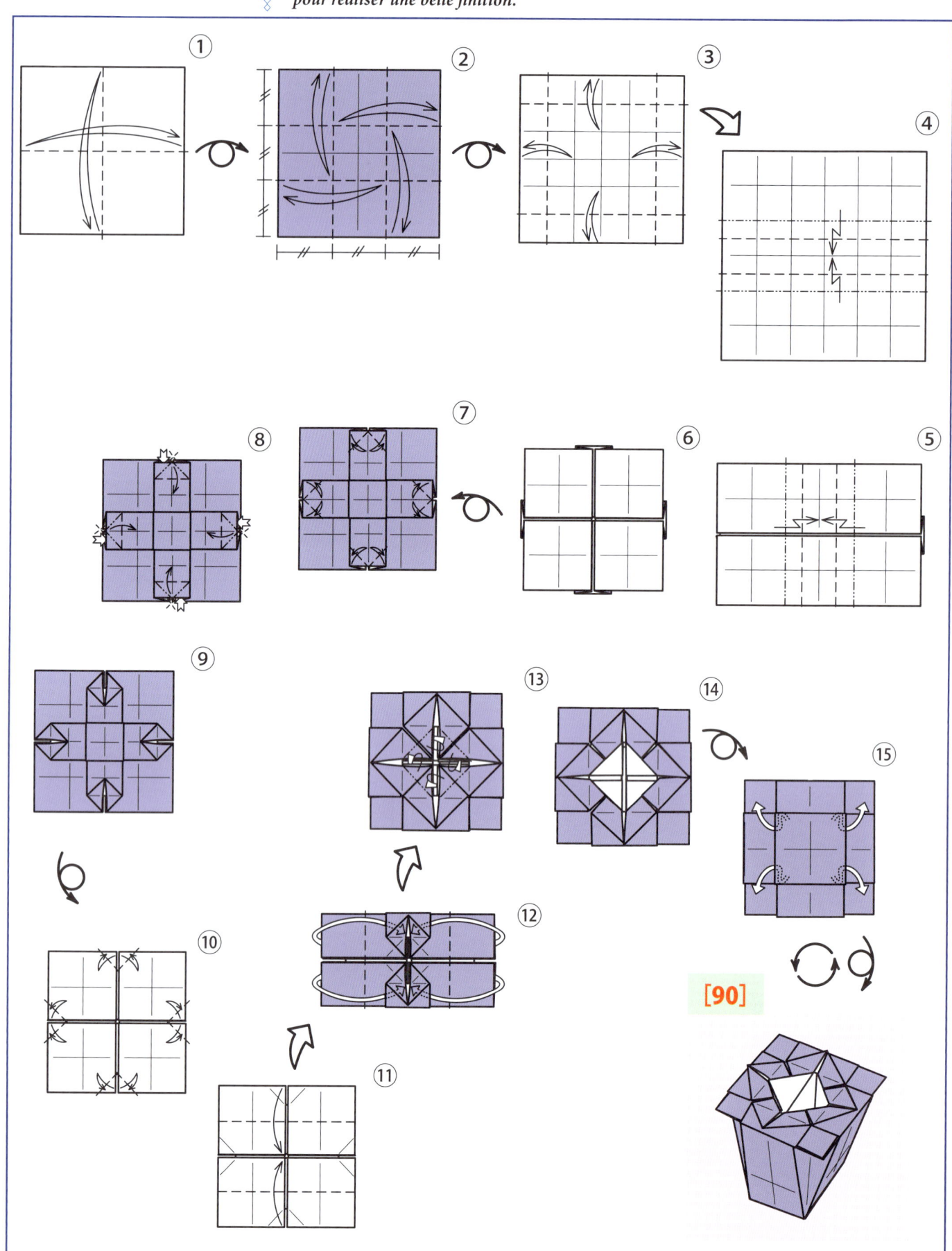

[90]

ORIGAMI TEXTBOOK -106-

角の三等分
(60°と30°の折り出し)
**trisection of angle
(folding at 60° and 30°)
tres ángulos iguales
(pliegues de 60° y 30°)**
*trisection de l'angle
(pliage à 60° et 30°)*

上段はナプキン折りの一種で、日本でも古くから切り紙の基本の形として使われていました。

The first one, which is a sort of napkin folding, has been used as a basic form of paper cutting from ancient times in Japan.

En la parte superior se muestra un tipo de pliegue de servilleta, la forma básica de papel cortado más antigua usada en Japón.

Le premier, qui est une sorte de pliage de serviettes, a été utilisé comme une forme de base de découpage du papier depuis longtemps au Japon.

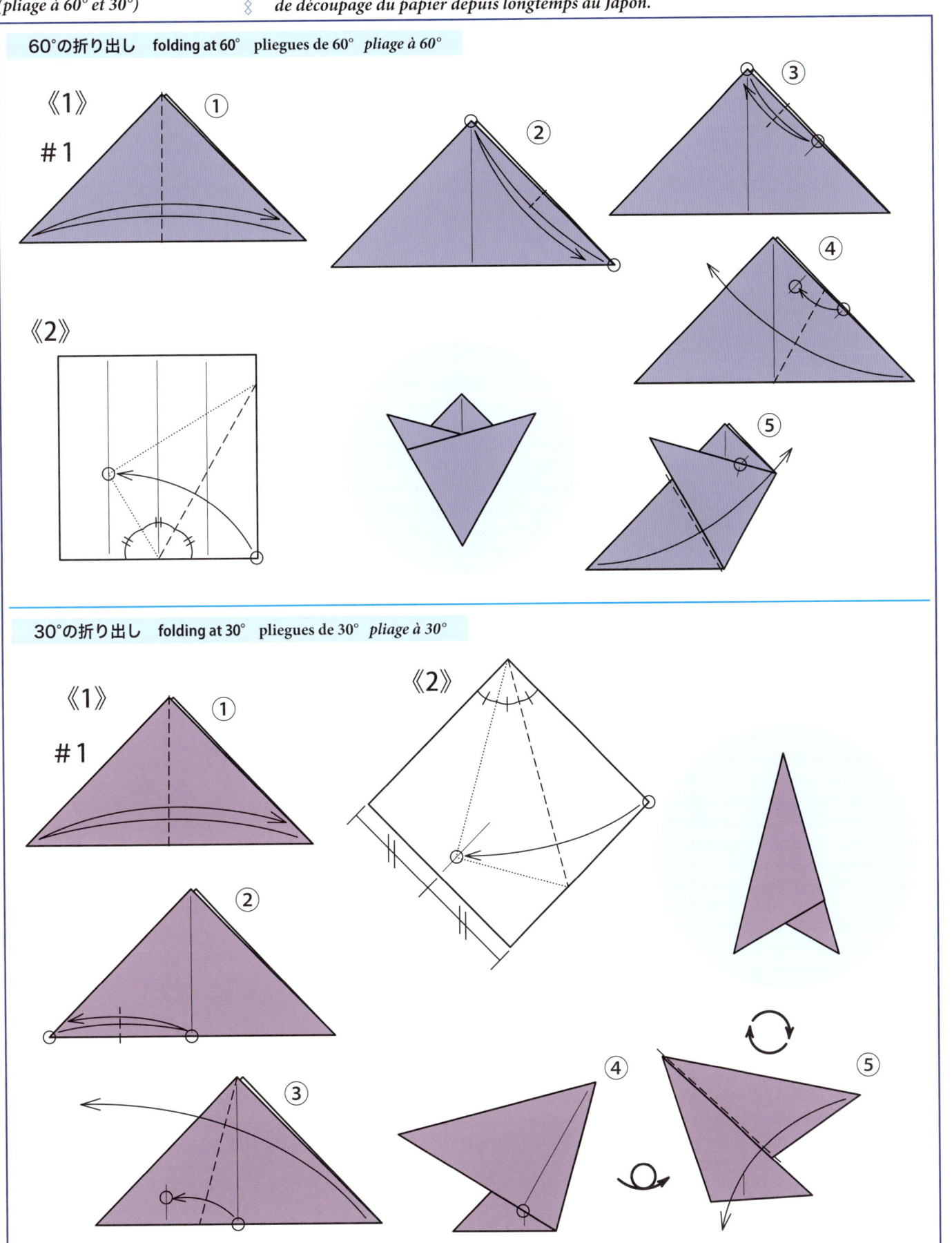

60°の折り出し　folding at 60°　pliegues de 60°　*pliage à 60°*

《1》 #1

《2》

30°の折り出し　folding at 30°　pliegues de 30°　*pliage à 30°*

《1》 #1

《2》

-107-

ORIGAMI TEXTBOOK

[91] とんがり帽子 I
[92] とんがり帽子 II
pointed hat I, II
sombrero puntiagudo I, II
chapeau pointu I, II

90°と180°を正確に三等分して折ります。大きな紙で折ってかぶりましょう。
Fold a paper into thirds (at 90° and 180°). You can wear the hat if you make it with a large sheet of paper.
Se hacen tres pliegues iguales de los ángulos de 90° y 180°. Hágalo en un papel grande y póngase el sombrero.
Pliez un papier en trois tiers (à 90°et 180°). On peut porter ce chapeau si on prend une grande feuille de papier.

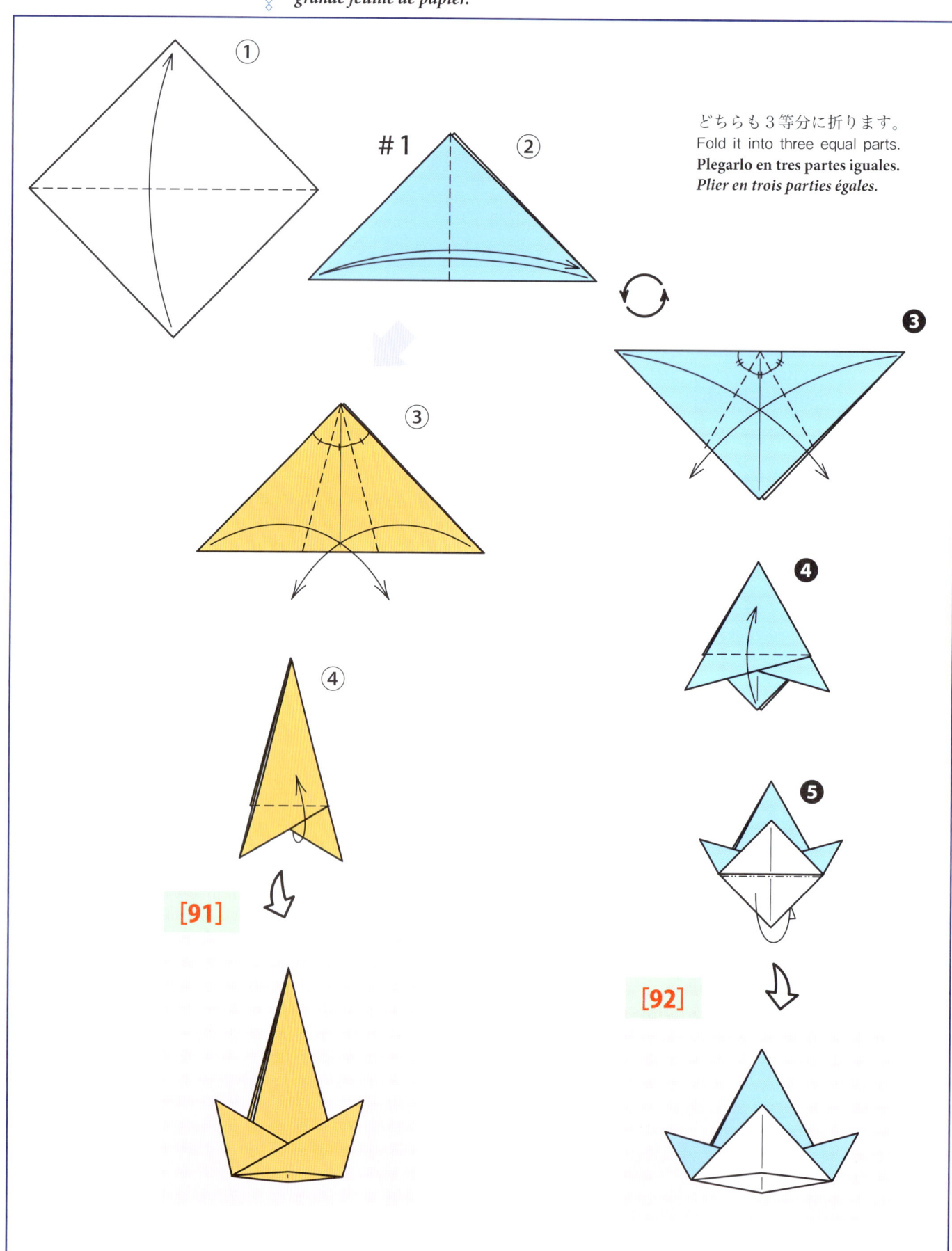

どちらも3等分に折ります。
Fold it into three equal parts.
Plegarlo en tres partes iguales.
Plier en trois parties égales.

[91]

[92]

ORIGAMI TEXTBOOK —108—

[93] 正三角形
equilateral triangle
triángulo equilátero
triangle équilatéral

定規やコンパスがなくても、折ることで正三角形が作れます。
Without ruler and compass, you can make an equilateral triangle by folding.
Plegando el papel puede obtener un triángulo equilátero, no necesita usar regla ni compás.
Sans règle ni compas, vous pouvez faire un triangle équilatéral par pliage.

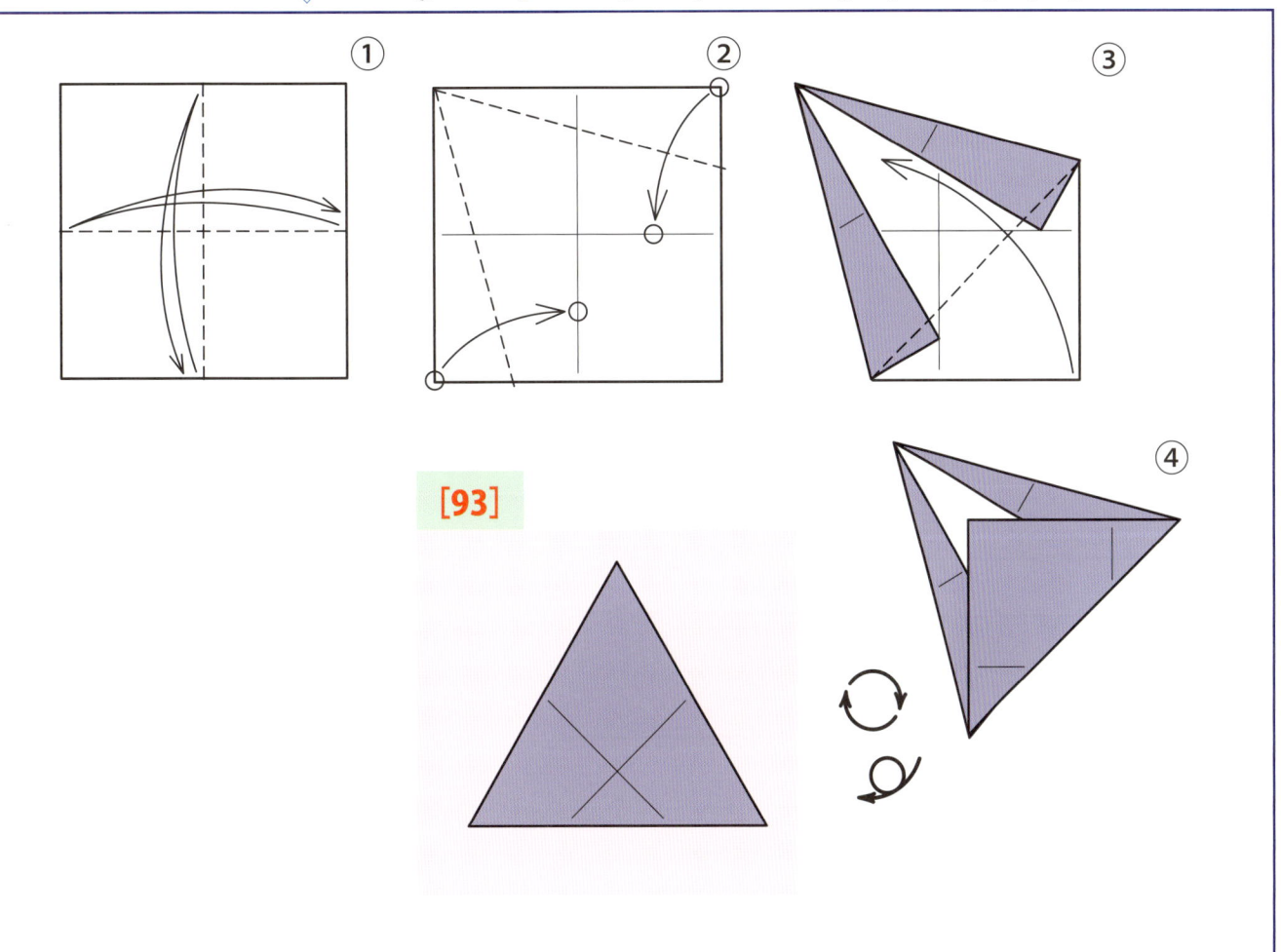

[93]

切り取って作る方法
The way to make it by cutting.
Cómo hacer mediante cortes
La méthode pour le faire en coupant.

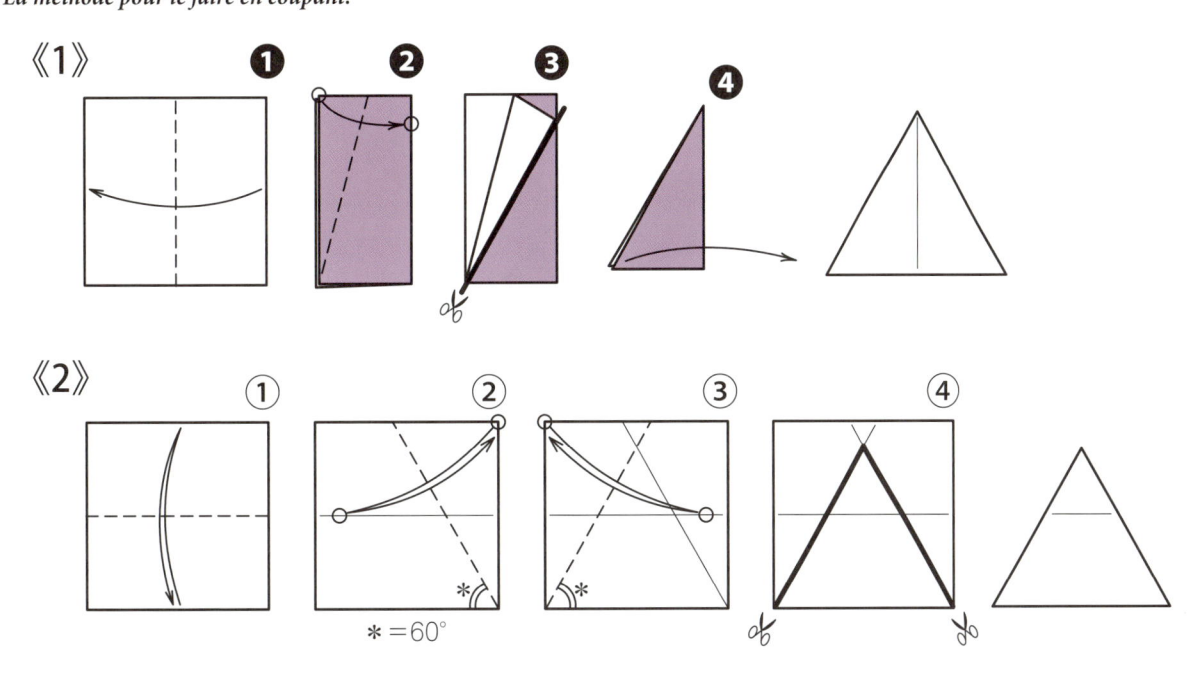

《1》

《2》

*=60°

-109-

ORIGAMI TEXTBOOK

正五角形（近似形）と正六角形の作り方
the way to make a regular pentagon (approximate form) and a regular hexagon
Cómo hacer un pentágono regular (forma aproximada) y un hexágono regular
la méthode pour réaliser un pentagone régulier (forme approximative) et un hexagone régulier

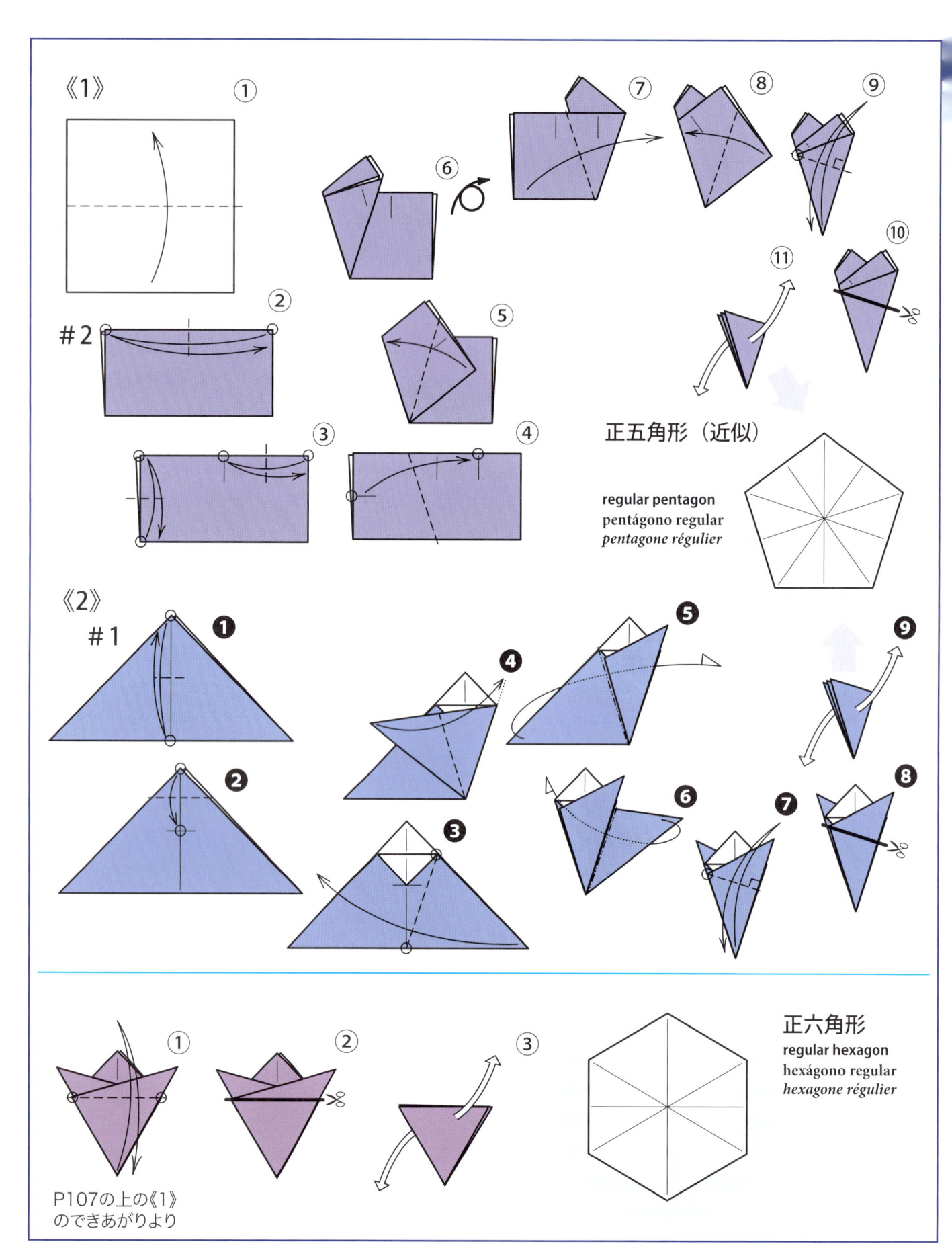

《1》

#2

正五角形（近似）

regular pentagon
pentágono regular
pentagone régulier

《2》 #1

正六角形
regular hexagon
hexágono regular
hexagone régulier

P107の上の《1》
のできあがりより

ORIGAMI TEXTBOOK

-110-

[94] 正五角形から作る花
flower made from a regular pentagon
Flor hecha usando un pentágono regular
fleur fabriquée à partir d'un pentagone régulier

正五角形の用紙を作ってから折りましょう。
Fold it after making a paper of regular pentagon.
Haga primero el pentágono regular y después la flor.
Plier la après avoir réalisé un pentagone régulier.

正五角形より
regular pentagon
pentágono regular
pentagone régulier

④は「沈め折り」です。いったん開いて折りすじをつけ直して折りたたみます
④ **is the "Sink Fold". Open up the paper, crease again, and collapse the tip into the paper.**
El pliegue en ④ se denomina "pliegue de abanico" (Sink Fold). Extienda el papel, vuelva a marcar las líneas de pliegue y pliegue.
④ est le "pli enfoncé". Ouvrez le papier, plier à nouveau, et effondrer la pointe à l'intérieur.

ていねいに開いて形をととのえます
Open carefully and arrange the shape.
Abra con cuidado y ajuste la forma.
Ouvrir avec précaution et arranger la forme.

[94]

うらがわを見たところ
back view
Vista trasera
vue arrière

-111-

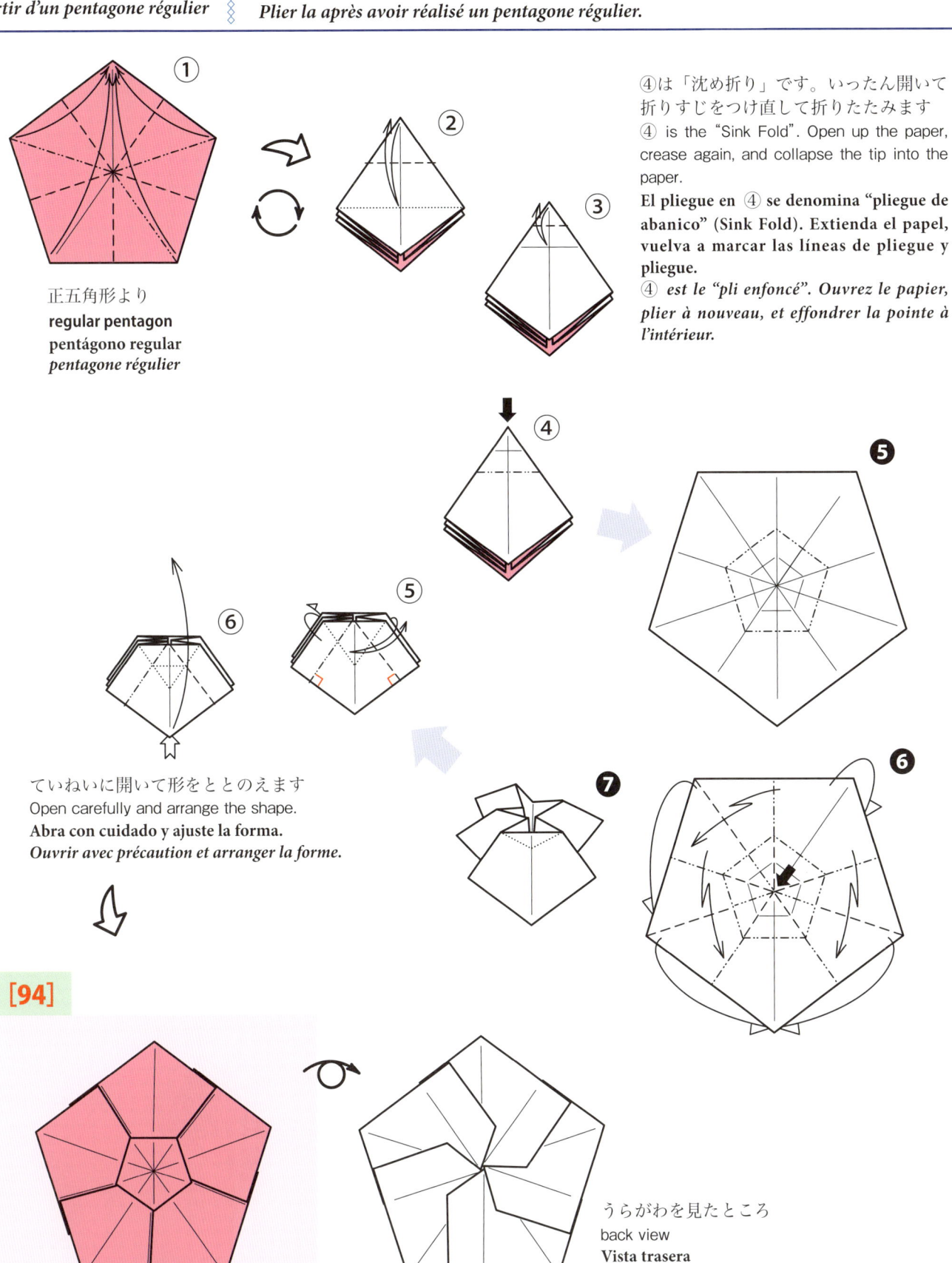

ORIGAMI TEXTBOOK

[95] 六角たとう
hexagonal Tato (folded paper)
Tatou hexagonal
Tato (papier plié) hexagonal

正六角形の用紙を作ってから折りましょう。
Fold it after making a paper of regular hexagon.
Haga primero el hexágono regular y después el Tatou.
Réaliser le après avoir réalisé un hexagone régulier.

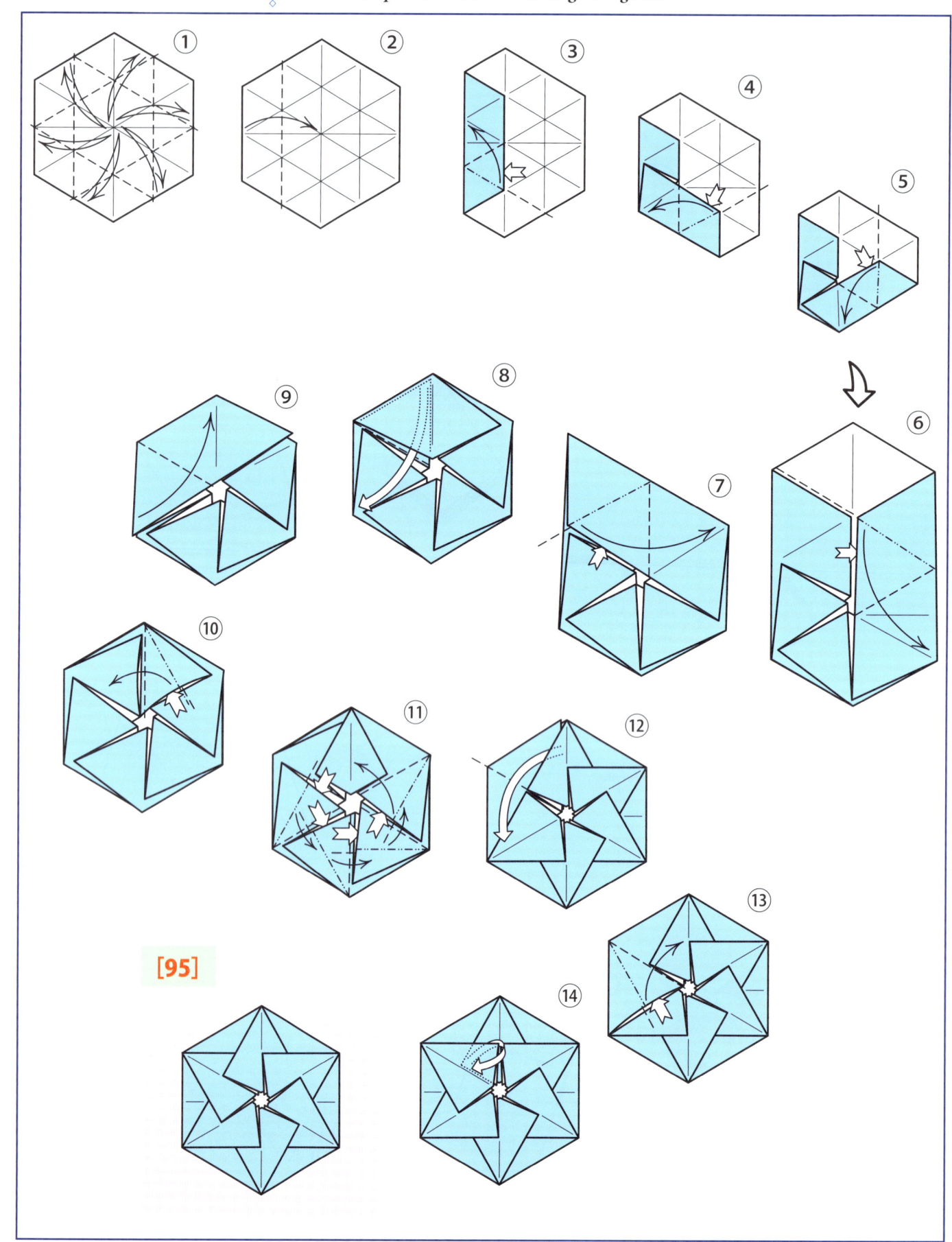

[95]

ORIGAMI TEXTBOOK
-112-

長方形の作り方（1：$\sqrt{2}$）
make a rectangular paper
cómo hacer un rectángulo
réaliser une forme rectangulaire

コピー用紙などＡ判、Ｂ判などの紙は、たて：横＝１：$\sqrt{2}$ の長方形です。次のページからの長方形から折る作品のために、用紙を準備しましょう。

The copy paper such as A size or B size paper is rectangle whose ratio is height 1 : width $\sqrt{2}$. Let's prepare the rectangle papers and make the models in the following pages.

El papel de copia, papel tamaño A, papel tamaño B, etc., son papeles rectangulares cuya relación altura a base es de 1:$\sqrt{2}$. A partir de la próxima página haremos figuras a partir de rectángulos, para lo cual debemos preparar el papel.

Le papier copie de taille A ou B est un rectangle dont le rapport de la hauteur sur la largeur est de 1: $\sqrt{2}$. Préparons les papiers rectangulaires et plions les modèles des pages suivantes.

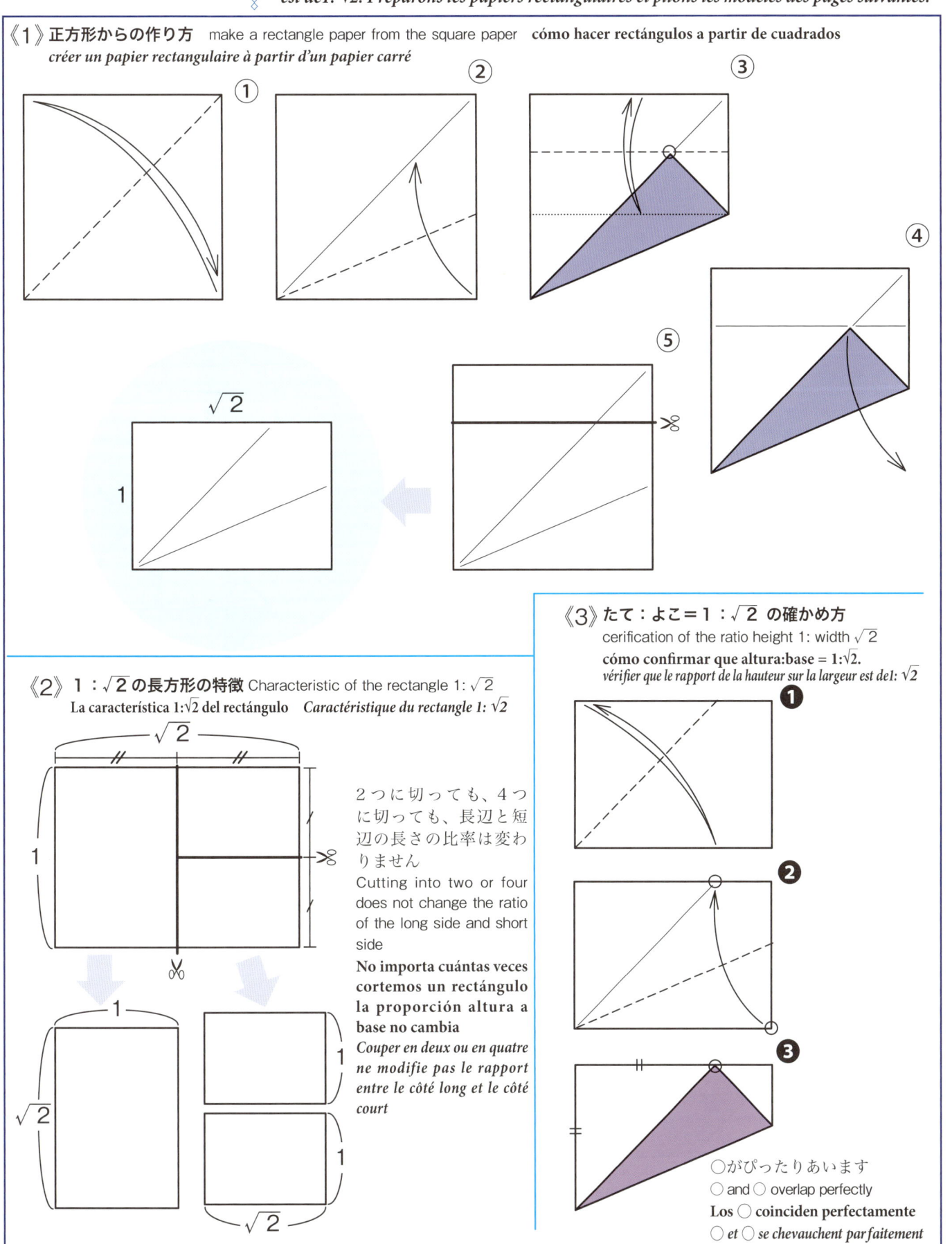

《1》正方形からの作り方 make a rectangle paper from the square paper   cómo hacer rectángulos a partir de cuadrados
créer un papier rectangulaire à partir d'un papier carré

《2》1：$\sqrt{2}$ の長方形の特徴 Characteristic of the rectangle 1: $\sqrt{2}$
La característica 1:$\sqrt{2}$ del rectángulo   *Caractéristique du rectangle 1: $\sqrt{2}$*

2つに切っても、4つに切っても、長辺と短辺の長さの比率は変わりません

Cutting into two or four does not change the ratio of the long side and short side

No importa cuántas veces cortemos un rectángulo la proporción altura a base no cambia

Couper en deux ou en quatre ne modifie pas le rapport entre le côté long et le côté court

《3》たて：よこ＝１：$\sqrt{2}$ の確かめ方
cerification of the ratio height 1: width $\sqrt{2}$
cómo confirmar que altura:base = 1:$\sqrt{2}$.
vérifier que le rapport de la hauteur sur la largeur est de1: $\sqrt{2}$

○がぴったりあいます
○ and ○ overlap perfectly
Los ○ coinciden perfectamente
○ et ○ se chevauchent parfaitement

-113-

ORIGAMI TEXTBOOK

[96] ふね
boat
barco
bateau

日本でも西洋でも古くから折られていた舟です。
This boat has been folded since the old days in both Japan and occidental countries.
Este barco se hace desde la antigüedad tanto en el extranjero como en Japón.
Ce bateau a été confectionné depuis longtemps aussi bien au Japon qu'en Occident.

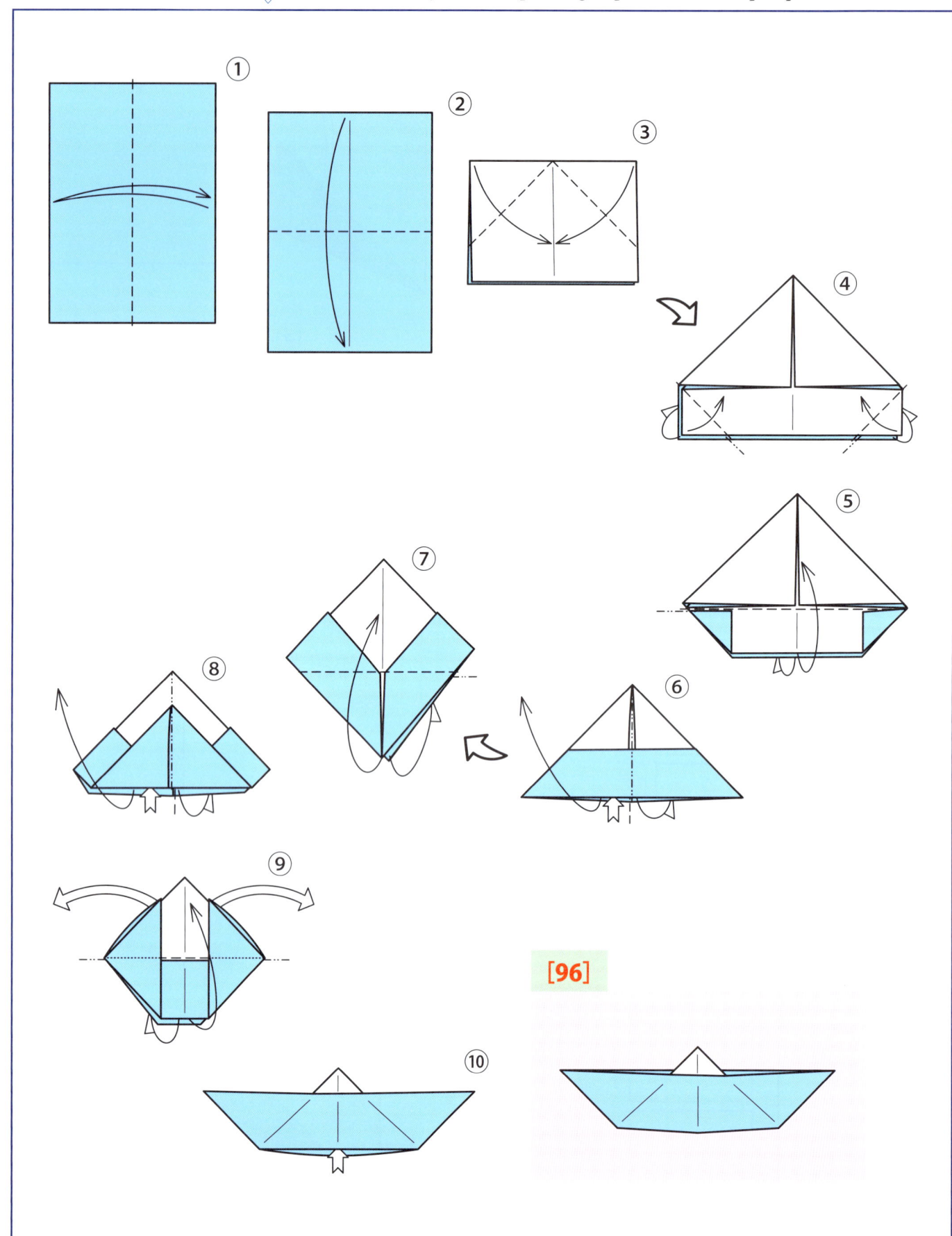

[96]

ORIGAMI TEXTBOOK
-114-

[97] ものいれ
accessory case
caso accesorio
boîte du changement

新聞紙などを使って折ってもよいでしょう。6か所にものが入ります。
You can use a sheet of newspaper to make this model. There are 6 places to put things inside.
Use un papel grande. Puede introducir objetos en seis lugares diferentes.
Vous pouvez utiliser une feuille de journal pour réaliser ce modèle. Il y a 6 endroits où on peut mettre des choses à l'intérieur.

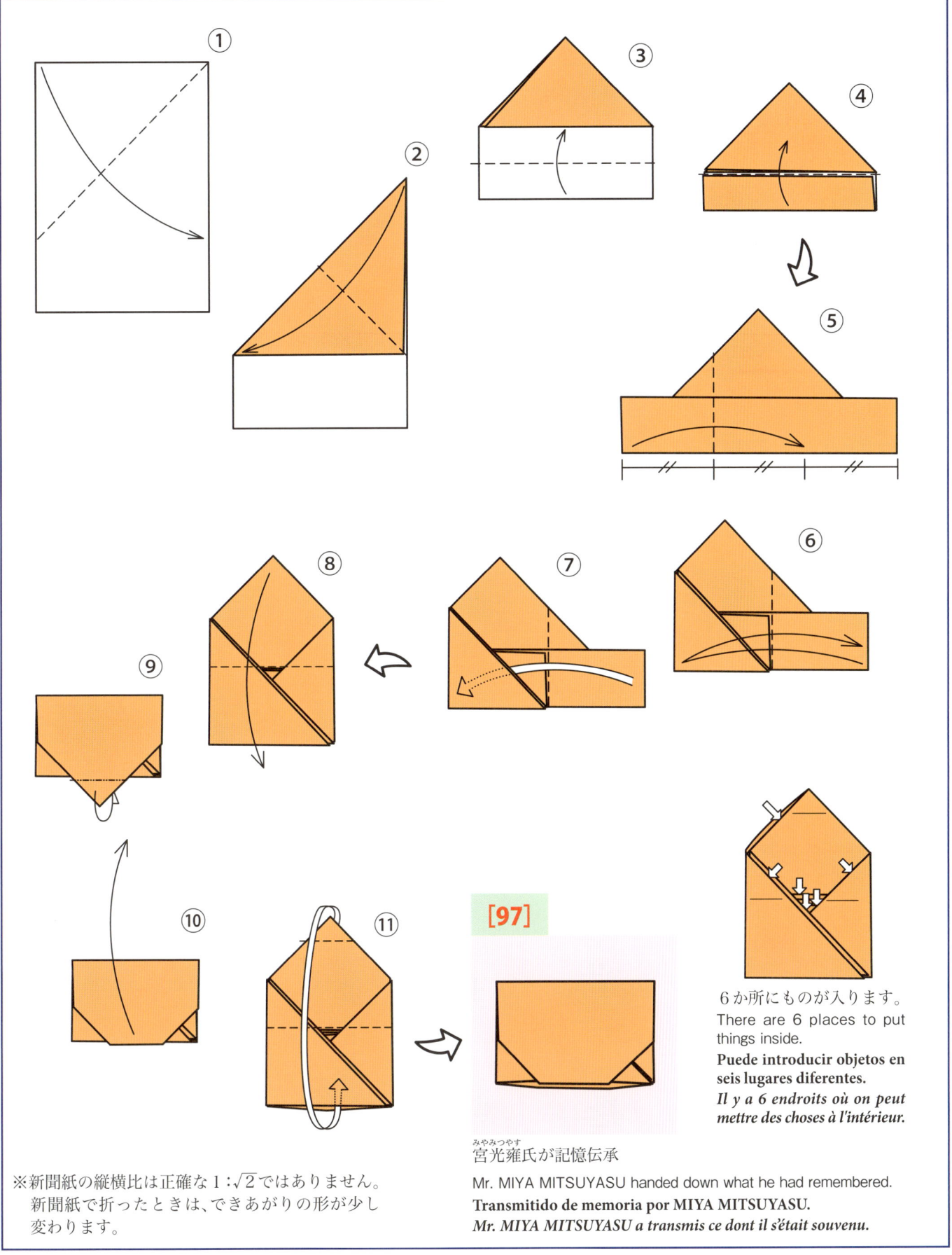

6か所にものが入ります。
There are 6 places to put things inside.
Puede introducir objetos en seis lugares diferentes.
Il y a 6 endroits où on peut mettre des choses à l'intérieur.

みやみつやす
宮光雍氏が記憶伝承
Mr. MIYA MITSUYASU handed down what he had remembered.
Transmitido de memoria por MIYA MITSUYASU.
Mr. MIYA MITSUYASU a transmis ce dont il s'était souvenu.

※新聞紙の縦横比は正確な1:√2ではありません。
新聞紙で折ったときは、できあがりの形が少し変わります。

-115-

ORIGAMI TEXTBOOK

[98] 六角手紙折り
hexagon letter fold
pliegue de carta hexagonal
pliage de lettre hexagonale

開きどめのある「手紙折り」のひとつ。正確な六角形になります。
One of the Letter Fold that tucks the extra parts inside the model. This model will be an accurate hexagon.
Una forma de "pliegue de cartas" que evita que se abran. Se obtiene un hexágono regular.
Un des pliages lettre qui replie les parties extérieures vers l'intérieur du modèle. Ce modèle formera un hexagone précis.

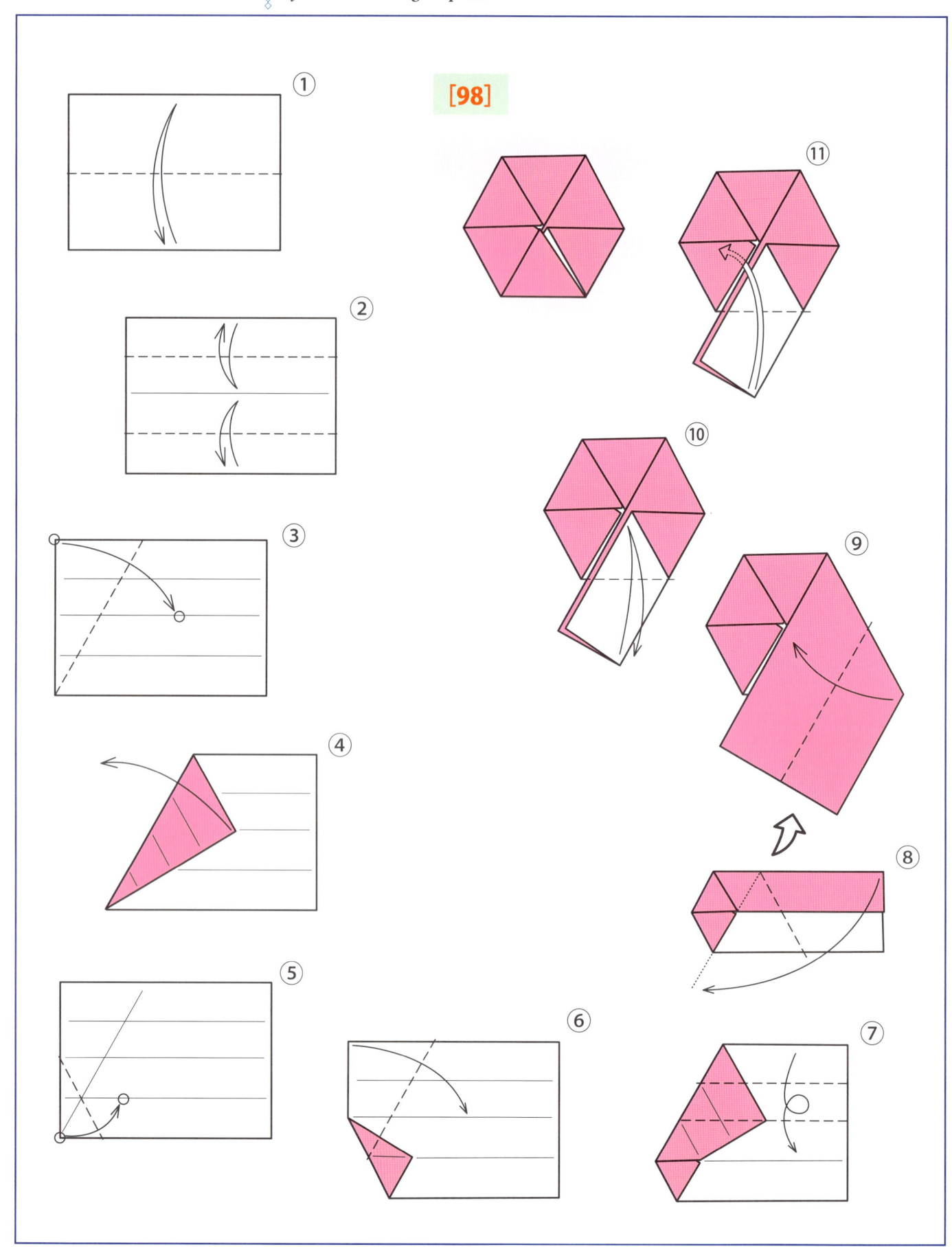

ORIGAMI TEXTBOOK
-116-

[99] 折居（はこ）

Orisue (box)

Orisue (caja)

Orisue (boîte)

江戸時代から「折居」という名前で親しまれた作品です。3：2の長方形で折ります。今では別の折り方がよく知られていますが、伝統的な折り方を紹介します。

This model had been familiar with the name "Orisue" since the Edo period. Use a rectangular paper whose ratio is 3:2. Let's play the traditional fold although another fold is better known now.

Es una figura que se conoce desde el Período de Edo por el nombre de "Orisue". Se pliega usando un papel rectangular de 3:2. Aunque en la actualidad se usa un método de pliegue diferente, aquí presentamos el método tradicional.

Ce modèle était connu sous le nom de "Orisue" depuis la période Edo. Utilisez un papier rectangulaire dont le rapport est de 3:2. Réalisons ce pliage suivant la méthode traditionnelle même si une autre méthode est mieux connu aujourd'hui.

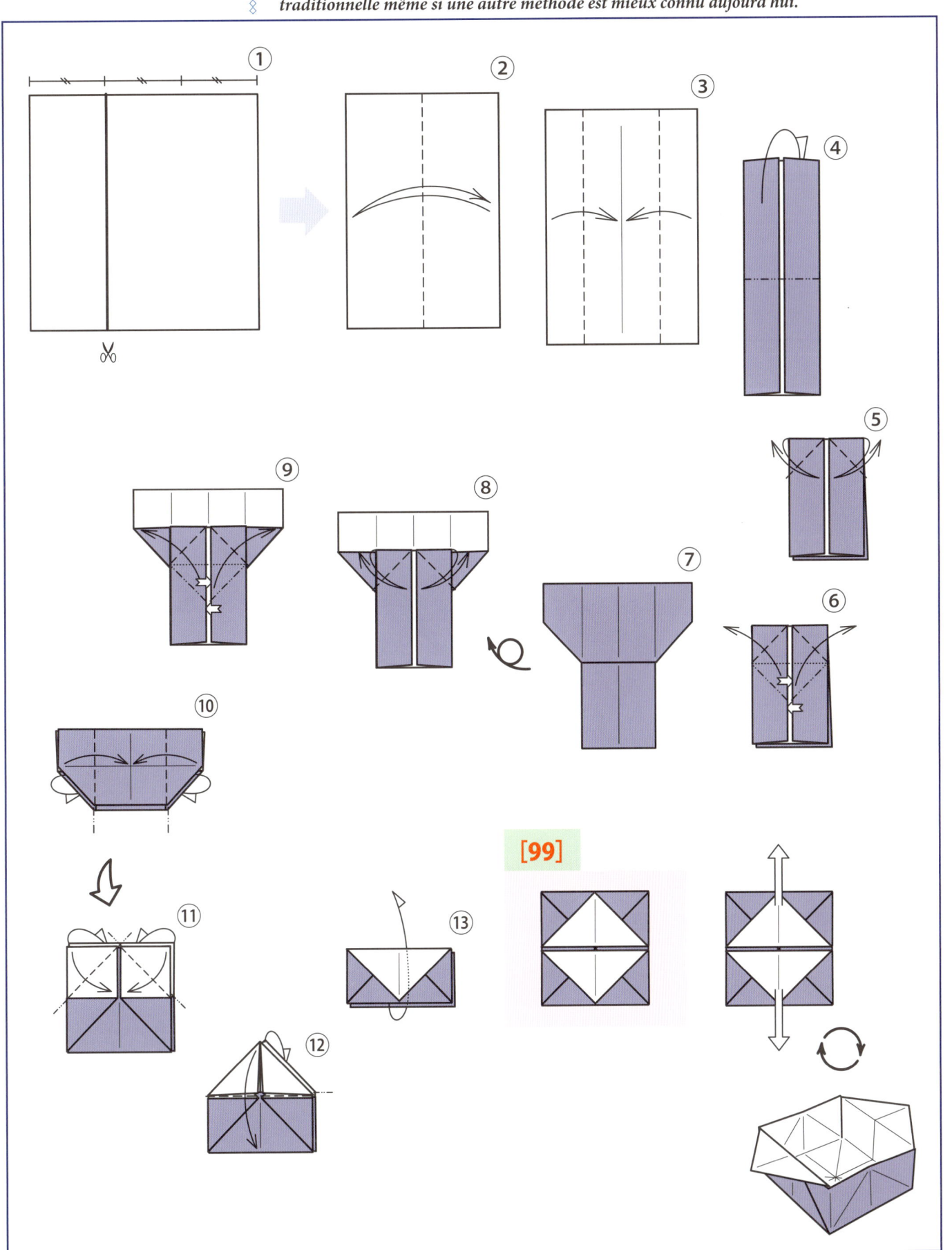

-117-

ORIGAMI TEXTBOOK

[100] 妹背山

Imoseyama

Imoseyama

Imoseyama (deux grues)

世界最古の遊戯折り紙の本とされている『秘伝千羽鶴折形』に紹介されている連鶴の一つです。この作品は「重ね折り」で折り進め、二羽の鶴の色が紙の表と裏になるように工夫されています。
This is one of the connected cranes introduced in "Hiden Senbazuru Orikata (Secret Folding of Thousand Cranes)", the world's oldest book of origami play. The Overlaid Fold being used, two cranes are alternating colors using successively the front and the back of the paper.
Es una de las figuras de grullas gemelas que se presentan en el libro de juegos con origami más antiguo del mundo, "Origami secreto de mil grullas de papel". Esta figura se pliega con dos hojas de papel, y los pliegues se hacen de tal forma que una grulla tiene el color del frente y la otra el color de atrás del papel.
C'est l'une des grues liées décritent dans le "Hiden Senbazuru origata (Le pliage secret des Milles grues)", le plus ancien livre du monde sur l'origami. La technique du pliage superposé étant utilisé, les grues sont de couleurs alternées en utilisant successivement la face et l'envers du papier.

「妹背」は仲のよい男女のことをいい、二つ並んだ山が「妹背山」と呼ばれました。
"Imose" refers to a couple in love, and two aligned mountains have been called "Imose mountains".
"Imose" quiere decir pareja, y se llamaba "Montaña Imose" a dos montañas juntas.
"Imosé" se réfère à un couple d'amoureux. Deux montagnes alignées sont appelées "montagnes Imosé".

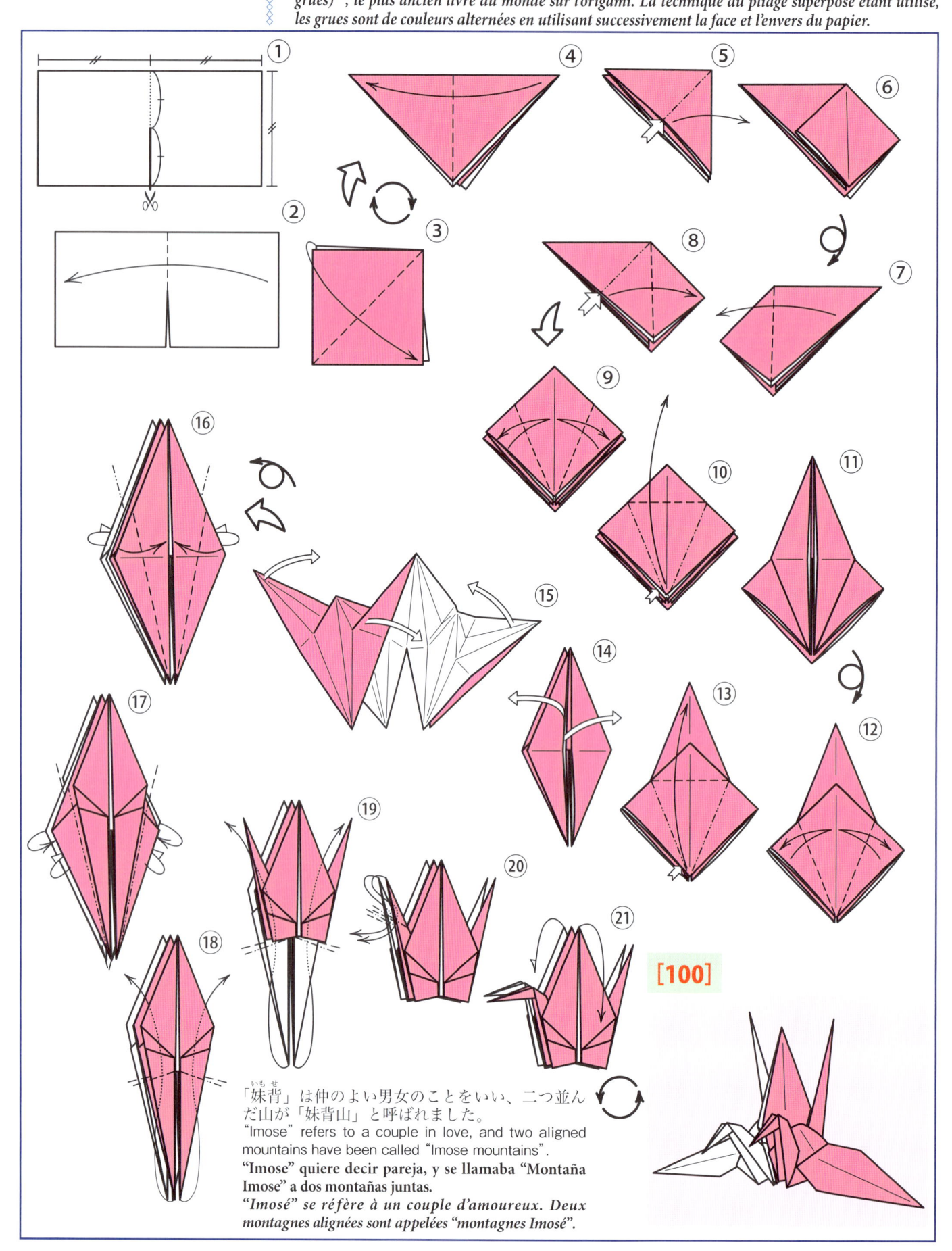

ORIGAMI TEXTBOOK — 118 —

◆折紙講師資格の申請方法

※ [1] ～ [100]

　このテキストは、国内外の日本折紙協会認定折紙講師用として作られたものです。資格の申請には、年齢16歳以上で日本折紙協会の購読会員か正会員であることが条件です。
　本書掲載の全作品（[1]～[100]の100作品、各１個ずつ）※を自作し、完成させた形で、立体作品は立体のまま、全作品に[1]～[100]の番号を記入してください。
　認定申請書の必要事項を記入の上、完成した100作品と記入した認定申請書を、つぶれない箱に入れて（「折紙講師作品」と明記）、日本折紙協会事務局までお送りください。
　申請料3,300円（税10%込み）を、月刊『おりがみ』折り込みの郵便振替用紙で別送してください。
　本協会の審査員会が、提出された作品を審査の上、適格と判断された方に「折紙講師認定書と資格証」を授与します。その際、登録料として16,500円（税10％込み）をご納入いただきます。
　会員でなくなった場合（月刊『おりがみ』の購読を継続していない場合）は資格を失います。《資格は５年ごとに更新料2,200円（税10％込み）を支払い、更新する必要があります》

送り先▶〒130-0004 東京都墨田区本所1-31-5 日本折紙協会 折紙講師作品

Certification of Origami Instructors

This textbook has been designed for those wishing to be certified as origami instructors in Japan and other countries. To apply for this certification, you should be over 16 years old and a member of Nippon Origami Association. When you have completed the course, please fold all the models from this book (100 models) by yourself, pack carefully and send them to the Nippon Origami Association office. Please enclose the attached form, completed, along with an application fee of ¥3,300. If your application passes the examination of the Nippon Origami Association you will be accepted as a qualified instructor and given your card certificate. Upon acceptance as a qualified instructor an additional registration fee of ¥16,500 will be due.
[You need to renew your qualification of the instructor every 5 years and you have to pay ¥2,200(including tax)as a charge.]

Certificado de Profesor de Origami

Este libro está dirigido a los profesores de origami en Japón o en otros países. Para obtener el Certificado de Profesor, deberá enviar a la secretaría de la Asociación Japonesa de Profesores de Origami todas las figuras que se explican en este libro, en su forma final (las figuras en tres dimensiones deberán ser enviadas en tres dimensiones), metidas en una caja de manera que no se estropeen, junto con la solicitud del certificado debidamente cumplimentada, y una cuota de solicitud de 3.300 yenes, indicando claramente en el paquete «Figuras de Profesor de Origami».
Quienes deseen solicitar el certificado deberán ser mayores de 16 años y miembros de la Asociación Japonesa de Profesores de Origami. El jurado de la Asociación evaluará las figuras y se concederá el certificado y un carnet a aquellos que se consideren aptos. En tal caso, se deberán enviar 16.500 yenes a modo de matrícula.
Se les retirará la certificación a aquellos que dejen de ser socios, es decir, que suspendan la suscripción a la revista mensual «Origami».
(Es necesario pagar una cuota de renovación del Certificado de Profesor de 2.200 yenes cada 5 años).

Diplôme d'enseignement de l'origami

Ce manuel est redige pour les personnes desirant enseigner d'origami, au japon ou á l'éranger. Quand vous aurez achevé toutes les leçons,vous enverrez à la Société d'origami 1) le formulaire cijoint, dûment rempli, 2) un versement de ¥3300 pour les frais de demande du certificat, ainsi que 3) tous les modèles que vous aurez créés. Si la NOA vous juge compétent, elle vous décernera un certificat en forme de carte vous autorisant à enseigner d'origami. Il vous suffira alors de payer ¥16500 de frais d'inscription.
[Dorénavant, il faut renouveler le certificat d'origami tous les cinq ans. Les frais de renouvellement sont de 2200 yen (TCC)]

日本折紙協会の会員になるには▶

how to become a member of
Nippon Origami Association ▶

日本折紙協会の
マスコット
「ノアちゃん」

NOA-chan

月刊「おりがみ」定期購読で、あなたも会員になれます

●月刊『おりがみ』　monthly magazine ORIGAMI
　会員の方々の楽しい創作作品をわかりやすい折り図で紹介。季節にあわせた折り紙が、毎月15～20点、あなたのレパートリーに加わります。毎月１日発行。(A4判・50頁)

年間購読料（年会費）：9,600円（税込み／送料サービス）
※ 2025.4.1 入金分より 10,000円（税込み／送料サービス）

When you subscribe to monthly magazine "ORIGAMI", you will become one member of Nippon Origami Association.

ORIGAMI TEXTBOOK

索引 INDEX

題名　　　　　　　ページ

あ

赤毛布(ケット)……………… 97
あしつき三方………… 85
あやめの花…………… 79

い

家Ⅰ…………………… 30
家Ⅱ…………………… 37
イス…………………… 46
糸入れ(めんこ)…… 105
犬の顔………………… 12
妹背山………………… 118

う

うさぎ………………… 74
うさぎの顔…………… 13

え

エンゼルフィッシュ… 74

お

王冠…………………… 32
おかご………………… 77
おしゃべりからす…… 29
おすもうさん………… 83
お多福(たふく)……………… 47
オットセイ…………… 27
鬼の指人形…………… 20
おひなさま(おびな、めびな)
　………………… 23
折り紙の歴史(1)……54-57
折り紙の歴史(2)……88-91
折居(おりすえ)(はこ)………… 117
折り鶴………………… 73
オルガン……………… 30

か

カーネーション……… 62
かえる………………… 80
かえるの基本形……… 78
かき…………………… 61
角の三等分(30°, 60°)
　………………… 107
かざぐるま…………… 49
肩かけ基本形………… 10
かぶと………………… 18
かめ…………………… 100
かんのん基本形……… 35

き

きくざら(星)………… 82
キツネの面…………… 31
キャンディポット…… 84
教会…………………… 71
きんぎょⅠ…………… 66
きんぎょⅡ…………… 99

く

くすだま……………… 102
くるくるちょう……… 15
くんしょう…………… 102

こ

鯉(こい)……………………… 27
恋人結び(ラバーズノット)
　………………… 95
コップ………………… 14
小鳥…………………… 87
小鳥(パハリータ)…… 52

ORIGAMI TEXTBOOK

INDEX 索引

さ
- さいふ……………… 36
- さかな……………… 28
- 魚の基本形………… 26
- ざぶとん基本形……… 41
- 三方(さんぼう)……………… 85

し
- GI(ジーアイ)ハット …………… 31
- しゅりけん………… 103

す
- スコッチ・テリア …… 25

せ
- 正五角形から作る花
  ………………… 111
- 正五角形と正六角形
  ………………… 110
- 正三角形………… 109
- 正方基本形………… 59
- せみ……………… 17

そ
- ソンブレロ………… 70

た
- 宝船……………… 81
- たこの基本形………… 21

ち
- チューリップ……… 101
- チューリップの花… 12
- ちょうちん………… 36
- ちょうちょう……… 50
- 長方形の作り方(1:√2)
  ………………… 113

つ
- つのこうばこ……… 60
- つのながかぶと……… 19
- つぼ……………… 106
- 鶴の基本形………… 72

て
- テーブル…………… 53

と
- とんがり帽子Ⅰ…… 108
- とんがり帽子Ⅱ…… 108

な
- ながかぶと………… 19

に
- 二そう舟基本形……… 48
- 二枚貝……………… 39

ね
- ねこの顔…………… 120

は
- ハートのゆびわ……… 98
- はこⅠ……………… 34
- はこⅡ……………… 43
- はこ(折居(おりすえ))……… 117
- はと……………… 16
- はばたく鶴………… 73
- パハリータ(小鳥)…… 52

ひ
- 飛行機……………… 45
- 菱形の基本形………… 26
- 百面相(ひゃくめんそう)……………… 51
- ぴょんぴょんガエル… 93
- びん……………… 38

-121-

ORIGAMI TEXTBOOK

索引 INDEX

ふ
- 風船 ……………… 65
- 風船基本形 ………… 64
- フーフーヨット（ほかけぶね） ……………… 24
- 福助 ……………… 83
- ぶた ……………… 86
- ふね ……………… 114

へ
- 紅入れ …………… 44
- 辺の三等分 ………… 104

ほ
- 鳳凰 ……………… 96
- ほかけぶね（フーフーヨット） ……………… 24
- ほかけぶね（だましぶね）… 49
- ぼうし …………… 14
- ボート …………… 40
- 星 ……………… 69
- 星（きくざら）…… 82

み
- 水鳥Ⅰ …………… 22
- 水鳥Ⅱ …………… 22
- 水のみ鳥 ………… 76

め
- めんこ（糸入れ）…… 105

も
- ものいれ ………… 115
- 桃 ……………… 33

や
- やっこさんⅠ …… 42
- やっこさんⅡ …… 68

ゆ
- 雪うさぎⅠ ……… 66
- 雪うさぎⅡ ……… 67

よ
- ヨット …………… 94

ら
- ラバーズノット（恋人結び） ……………… 95

ろ
- ロケット ………… 63
- 六角たとう ……… 112
- 六角手紙折り …… 116

ORIGAMI TEXTBOOK　　-122-

ORIGAMI TEXTBOOK

●主な参考文献

『日本のこころ 伝統折紙』(日貿出版社　本多功　1969)
『伝承折り紙読本』(黎明書房　河合豊彰　1975)
『折り紙の造形シリーズ 見て創る本』(星の環会　大橋晧也　1978)
『小学館の学習百科図鑑 紙とおり紙』(小学館　笠原邦彦 編著　1981)
『テーブルナプキン百科』(同朋舎　青木一郎・志賀景昭　1987)
『児童文化I』(佛教大学通信教育部　吉岡 剛 編　1988)
『折り紙-夢織り幾何学のすべて』(日貿出版社　笠原邦彦　1988)
『日本の造形 折る、包む』(淡交社　荒木真喜雄　1989)
『秘傳千羽鶴折形-復刻と解説-』(日本折紙協会　岡村昌夫・髙木 智・吉田正美・大橋晧也　1991)
『古典にみる折り紙』(日本折紙協会　髙木 智　1993)
『子どもの心身の発達を促す手仕事のすすめ-折る・編む・縫う-』(家政教育社　柳沢澄子・祖父江茂登子・近藤四郎 編著　1997)
『折るこころ 折り紙の歴史』(龍野市立歴史文化資料館　岡村昌夫 執筆　1999)
『改訂版 つなぎ折鶴の世界 -連鶴の古典「秘伝千羽鶴折形」』(本の泉社　岡村昌夫　2006)
『英語で折り紙を楽しむ』(日本文芸社　髙木 智　2003)
『おりがみ新発見・3』(日貿出版社　笠原邦彦　2005)

『折紙の数理とその応用』(共立出版　野島武敏・萩原一郎　2012)
『月刊おりがみ』(日本折紙協会　1975～)より、「先生やお母さんのための おりがみ研究室」「オリガミスタディルーム」大橋晧也、「紙のおはなし」丸尾敏雄、「伝承おりがみ物語」「フレーベルとおりがみ」笠原邦彦、「勾当さんの折り紙」「雑誌小国民にみる折り紙」岡村昌夫、『338号』(30周年記念号)、『458号』(40周年記念号)、「歴史的新発見 折鶴に松図小柄」『461号』中西祐彦・岡村昌夫）ほか
『折紙シンポジウム部会報告』(日本折紙協会　1990～)
『季刊をる』(双樹舎　1993～1997)
『和紙生活誌1・2』(雄松堂書店　久米康生　1982)
『紙と日本文化』(NHK出版　町田誠之1989)
『和紙博物誌 暮らしのなかの紙文化』(淡交社　小林良生　1995)
『和紙の手帖II』(全国手すき和紙連合会　1996)
『トコトンやさしい紙の本』(日刊工業新聞　小宮英俊　2001)
『和紙一洋と美の世界』(八代市立博物館未来の森ミュージアム　2003)
『和紙と洋紙』(紙の博物館　2004)
『世界大百科事典』(改定新版　平凡社　2007)
『美しの和紙　天平の昔から未来へ』(サントリー美術館　2009)
『和紙文化研究辞典』(法政大学出版局　久米康生　2012)

編　集	日本折紙協会
(作品提出先)	〒130-0004　東京都墨田区本所 1-31-5　電話 03-3625-1161　FAX03-3625-1162

URL http://www.origami-noa.jp/　e-mail info@origami-noa.com

発行人	半田丈直
折り図	藤本祐子、青木 良、伊藤由麿、編集部
英　訳	青柳俊明、スティーブ・マセソン、ミッシェル村上三奈
西　訳	森本林平、(社)日墨文化学院、日西翻訳通訳研究塾、(株)ラテックス・インターナショナル
仏　訳	ビー・エンゲレン、佐藤直幹、ミッシェル村上三奈
発　行	2015年6月30日 第1版、2016年1月20日 第2版　2016年9月20日 第3版、2018年5月10日 第4版　2020年4月30日 第5版、2021年12月25日 第6版　2024年8月20日 第7版
印　刷	シナノ印刷株式会社

*この本は、『おりがみ4か国語テキスト』(1980～)を原本として、増補改訂再編集したものです。(第6版で[34]番の作品変更)

Edited by — NIPPON ORIGAMI ASSOCIATION
1-31-5 Honjo, Sumida-ku, Tokyo 130-0004 Japan
phone 03-3625-1161　fax 03-3625-1162

Published by — Takenao Handa
Diagrams : Yūko Fujimoto, Ryō Aoki, Yoshimaro Itō, NOA Editorial staff
English translation: Toshi Aoyagi and Steve Matheson, Mina Murakami Michel
Spanish translation: Limpei Morimoto, Instituto Cultural Mexicano Japones A.C, Latex International Co., Ltd.
French translation: Bie Engelen, Naomiki Sato, Mina Murakami Michel
First edition in —— June 30, 2015
Revised —— August 10, 2024
Printed by —— SHINANO Co.,Ltd

© 2015, 2024　NIPPON ORIGAMI ASSOCIATION
ISBN978-4-86540-030-4

本書掲載内容の無断転用を禁じます。落丁・乱丁本は、お取り替えいたします。
No part of this publication may be copied or reproduced by any means without the express written permission of the publisher and the authors.